LES
INSTITUTIONS
FRANÇAISES

EMMANUEL BLANC
Avocat à la Cour de Paris

LES
INSTITUTIONS
FRANÇAISES
racontées aux Français

LES ÉDITIONS DE MINUIT

IL A ÉTÉ TIRÉ DE CET OUVRAGE
DIX EXEMPLAIRES SUR ALFAMA
NUMÉROTÉS DE 1 A 10, PLUS
CINQ EXEMPLAIRES HORS-COMMERCE
NUMÉROTÉS DE H-C 1 A H-C 5

PROLOGUE

I. — LA LOI ET LES PRINCIPES

L'expérience la plus élémentaire de vie en société prouve l'existence d'un certain nombre de règles sans lesquelles la vie sociale serait impossible. Quelques-unes de ces règles concernent les rapports de l'homme avec le milieu où il évolue, d'autres, qui dirigent sa conduite, lui imposent un certain comportement dans la société où il vit, d'autres encore sont les prescriptions de son groupe familial ou professionnel, de son clan, de son éducation, de ses croyances ; les dernières enfin, les plus importantes, sont les règles juridiques, c'est-à-dire les principes de conduite imposés par l'Etat sous forme de lois. L'ensemble des prescriptions légales d'un pays forme le droit, qui a à sa disposition le puissant appareil de la force publique destiné à rendre générale et indiscutable l'obéissance aux lois.

Le droit a beaucoup varié suivant les époques. Il est encore aujourd'hui très différent suivant les pays, car les règles juridiques sont profondément inspirées par les tendances nationales et constamment transformées par l'évolution politique, sociale, économique ou culturelle des peuples.

Mais le droit n'est pas seulement cet ensemble de règles d'un pays auquel sont soumis tous les citoyens et souvent tous les habitants. Dans un autre sens, c'est aussi la possibilité pour chacun, en se conformant à la loi, d'exiger ce qui lui est dû et d'obtenir le respect de ses libertés. Là encore, la transformation s'est faite avec lenteur. C'est hier à peine que l'esclavage a été aboli sur cette planète, ou le servage ; l'égalité des hommes devant la loi ne date que de la Révolution française, qui a fait disparaître les privilèges de classe et les inégalités de naissance ou d'état ; encore aujourd'hui, certains préjugés politiques ou raciaux demeurent tenaces dans plusieurs pays civilisés. Mais l'évolution se poursuit. Chaque année ajoute lentement quelques pierres à l'édifice.

Si la loi n'est pas la seule règle de conduite pour les hommes, elle est évidemment la plus importante, car elle est générale et permanente, émanée de la volonté nationale et nantie de la force exécutoire, qui lui permet de contraindre à l'obéissance quiconque se montrerait récalcitrant. Mais d'autres règles de conduite existent aussi ; sans être sanctionnées par les pouvoirs publics, ces règles d'usage s'imposent avec autant de force, souvent avec plus de force que la loi elle-même, par la vertu de l'acceptation très générale de leurs prescriptions.

Le seul droit naturel qu'on puisse admettre est celui-là ; c'est un ensemble de règles non écrites (et quelquefois écrites) qui s'imposent avec une particulière certitude à l'esprit de l'homme. On a encore appelé ces règles : principes généraux. Les principes généraux ne sont pas immuables, mais ils sont fondamentaux, compte tenu d'un état social donné. Ils sont quelquefois utilisés par le juge en l'absence d'une loi formelle et insérée dans les codes.

Le principe général le plus fondamental et le plus ancien est celui qui proclame que nul n'est censé ignorer la loi. Il n'est écrit nulle part, mais il ne semble pas qu'il ait jamais été utile de l'écrire. Dans les temps les plus reculés, ce principe essentiel de toute vie sociale était sous-jacent à la législation la plus élémentaire. Il ne signifie pas, évidemment, que chacun connaît toutes les lois — les hommes de loi ne les connaissent pas toutes, ni ceux qui sont chargés de les appliquer — mais seulement qu'on ne peut se retrancher derrière une prétendue ignorance d'une prescription légale pour la violer.

Quelques autres principes généraux sont également d'un usage courant et d'une grande importance : toute la vie juridique d'un pays pourrait être reconstituée à partir de ces postulats, comme toute l'immense matière de la responsabilité civile est sortie d'un texte de deux lignes du code civil. Nous retrouverons ces principes au fur et à mesure de notre cheminement à travers nos institutions, mais, dès maintenant, j'en citerai quelques uns parmi les plus saillants.

En premier lieu : la fraude corrompt tout. C'est une maxime valable pour toutes les branches du droit et pour toutes les matières. Tout ce qui est obtenu par fraude est obtenu mal, tout ce qui est le fruit d'une fausseté lèse nécessairement quelqu'un et devra donc être rejeté.

Mais si la fraude corrompt tout, il n'est pas toujours possible de l'invoquer, si étrange que cela puisse paraître. En effet, un principe corrélatif interdit de se prévaloir de sa propre turpitude. Si donc une fraude a été commise à l'encontre de celui qui a agi d'une façon immorale, ce dernier ne pourra demander justice, parce qu'il n'a pas le droit de se prévaloir de son immoralité.

En troisième lieu : nul ne peut s'enrichir sans cause aux dépens d'autrui — ce qui sous-entend un enrichissement injuste mais non frauduleux, dans quel cas il y aurait un délit.

Viennent ensuite deux grandes idées. D'abord, les conventions légalement formées tiennent lieu de loi à ceux qui les ont faites. C'est un principe écrit dans le code et que je cite sous la forme qui lui a été donnée par le législateur d'il y a cent cinquante ans. Ensuite, un axiome, très général aussi, qui interdit de nuire à son prochain : tout fait quelconque de l'homme qui cause à autrui un dommage oblige celui par la faute duquel il est arrivé à le réparer.

On peut citer un principe beaucoup plus moderne, selon

lequel nul ne peut être condamné sans avoir présenté
sa défense ; c'est une idée qui aurait fait sourire un
justicier du Moyen Age. Corrélativement à ce principe,
la présomption d'innocence est un des grands postulats
de notre droit criminel, de même que la conséquence qui
en découle, que le doute profite à l'accusé.

Deux autres idées sont complémentaires, qui se trouvent placées l'une au début du code civil, l'autre au
seuil du code pénal : la loi ne dispose que pour l'avenir,
elle n'a point d'effet rétroactif, et nulle contravention, nul
délit, nul crime, ne peuvent être punis de peines qui
n'étaient pas prononcées par la loi avant qu'ils fussent
commis. Un correctif doit cependant être apporté au
principe de la non rétroactivité de la loi. Il est double :
la loi devient rétroactive si le législateur en a ainsi
décidé ; elle est rétroactive aussi lorsqu'il s'agit d'appliquer les lois pénales plus douces aux délits commis avant
leur promulgation.

Ces principes conduisent vers l'affirmation des grandes
idées de liberté qui sont, depuis la Révolution, les bases
les plus solides de notre comportement social. La plupart
des libertés publiques et privées constituent autant de
principes généraux sur lesquels se fondent les juges judiciaire et administratif.

Je citerai, pour terminer, l'axiome selon lequel nul
ne peut transférer à autrui plus de droits qu'il n'en possède, sorte de principe d'identité en notre matière.

Je veux dire également un mot du principe qui interdit de déroger par des conventions particulières aux
lois qui intéressent l'ordre public et les bonnes mœurs.
Ne disons rien des bonnes mœurs : tout le monde
comprend évidemment de quoi il s'agit. Mais l'ordre
public est une notion plus obscure.

Les lois qui intéressent l'ordre public sont les plus
vitales de la nation. Leur application est soumise au
contrôle vigilant des magistrats, et leur violation entraîne
la nullité absolue de l'acte qui les a violées. Leur objet
est d'assurer dans un Etat déterminé la conservation de
l'ordre politique, économique et social, ou mieux encore
d'assurer le bon fonctionnement des institutions indispensables à la société, d'où leur extrême importance.

Elles sont perdues dans la masse des lois ordinaires, dont elles auraient mérité cependant d'être détachées, afin de prendre place immédiatement après les lois constitutionnelles dans une sorte de hiérarchie légale.

Le meilleur critère, encore qu'insuffisant, est de dire que les lois d'ordre public sont essentiellement des lois impératives ; en sorte que les lois d'ordre public doivent toujours recevoir pleine application, les autres pouvant être interprétées ou même remplacées par la volonté des contractants. Par exemple, la loi qui fixe l'âge de la majorité est d'ordre public, en ce sens qu'une convention particulière n'aura aucune valeur si elle prétend maintenir en état de minorité une personne qui a dépassé l'âge de vingt et un ans. En revanche, rien n'oblige deux époux à choisir un régime matrimonial déterminé, et si, mariés sans contrat, ils se trouvent avoir adopté le régime légal, qui est la communauté, c'est simplement pour n'avoir pas manifesté leur préférence pour un autre régime, auquel cas c'est celui-là qui aurait été le leur.

L'évolution des solutions judiciaires montre bien que la notion d'ordre public est très variable suivant les périodes que traverse un pays, et surtout suivant le régime politique et social qui y règne. L'ordre public marque moins les textes légaux s'il s'agit simplement de maintenir la liberté que s'il s'agit d'imposer des restrictions ou des coercitions.

II. — LES SOURCES ET LE CODE

Les sources du droit sont multiples. Au premier rang doit être placée la loi, dont la meilleure définition est encore celle donnée par la Déclaration des droits de l'homme et du citoyen : expression de la volonté générale.

C'est évidemment la loi constitutionnelle qui se trouve au sommet de l'édifice légal. Viennent ensuite les lois ordinaires qui peuvent être, ou non, d'ordre public. Elles sont votées, promulguées et publiées sous certaines formes indispensables. Les règlements et les décrets-lois font partie du groupe législatif et possèdent une force semblable à celle de la loi elle-même. Cependant, il y a une certaine gradation parmi les actes de l'autorité législative ou exécutive qui va en ordre décroissant : ordonnances, décrets-lois, décrets pris en forme de règlements d'administration publique, décrets simples et, au bas de la hiérarchie, arrêtés ministériels et arrêtés préfectoraux ou municipaux.

Les traités internationaux ont une force considérable : ce sont essentiellement des traités-lois, ratifiés et publiés. Leur rayonnement est supérieur à la loi même, puisque la hiérarchie des règles juridiques veut que les traités internationaux passent avant la réglementation interne de chaque pays.

Tous les textes légaux doivent être publiés au « Journal officiel de la République française » qui fait suite à l'ancien « Moniteur universel », fondé en 1789. C'est cette publication qui confère aux textes leur caractère obligatoire, un jour franc après leur insertion.

Plus en retrait se trouvent les autres sources du droit. D'abord la coutume. C'est une source ancienne qui reflète les traditions ; son rôle est minime, car elle n'a aucune force contre la loi. Elle n'est utile que dans les rares hypothèses où la loi renvoie elle-même aux usages locaux.

Une autre source du droit est la jurisprudence. On appelle ainsi l'ensemble des décisions rendues par les tribunaux. Certes, les juges n'ont plus la possibilité, comme sous l'Ancien régime, de se prononcer par voie de disposition générale et réglementaire sur les litiges qu'ils ont à trancher. Ils jugent le procès qui leur est soumis, et ce procès seul. Mais, même ainsi, une certaine façon de trancher tel genre de procès dégage une tendance qui forme un précédent, et il est naturel qu'un procès identique à celui qui a déjà été jugé, soit jugé de la même manière. Ainsi, par de lentes alluvions, s'élabore la jurisprudence, qui exerce un rôle important dans la formation du droit.

De même que le juge participe par ses décisions à la naissance de la règle juridique, de même les praticiens et les particuliers participent inconsciemment à la formation de la règle du droit par l'élaboration de certains actes juridiques, ceux qui sont créateurs non de rapports individuels mais de relations collectives. Bien entendu, un acte de vente d'une maison de Pierre à Paul est sans intérêt pour l'élaboration de la règle du droit, parce que c'est la milliardième répétition d'un même genre d'acte dont les formes ont été définies depuis des siècles. En revanche, certains contrats-types, certaines conventions collectives, certains statuts d'associations ou de syndicats, certains pactes sociaux dont il sera plus longuement question aux chapitres consacrés à ces matières, constituent une source de droit indépendante et d'application incontestable.

Enfin, on fait traditionnellement une place à la doctrine parmi les sources du droit. La doctrine est l'ensemble des travaux des juristes qui publient des traités, des manuels, des commentaires de lois, des notes de jurisprudence, des articles et des études spécialisés. La doctrine exerce une certaine influence sur la jurisprudence, et il arrive aussi que le législateur lui-même transforme des textes légaux sous l'influence des critiques de la doctrine. Néanmoins, elle ne peut être considérée que comme une source indirecte du droit.

Si la coutume a pendant de longs siècles constitué le seul droit de la France septentrionale, et la loi romaine celui de la moitié méridionale de notre pays, quelques apports du droit canonique ont, durant le Moyen Age, influencé les règles légales alors en vigueur, et les ordonnances royales ont, surtout à partir du xviie siècle, singulièrement fécondé la législation française. L'influence de la jurisprudence et de la doctrine a été considérable. Mais cette masse de prescriptions, quelquefois disparates, pesait lourdement sur la vie juridique du pays et rendait difficiles les communications d'une province à l'autre — surtout les transactions à grande échelle et à longue distance. C'est à la Révolution que l'on doit la profonde transformation des règles légales.

Il n'a pas été donné au législateur révolutionnaire de réaliser la codification qu'il souhaitait ; trop de tâches le sollicitaient à la fois. Mais c'est à la législation de cette période, qui porte à juste titre le nom de droit intermédiaire, qu'il échut de réaliser les réformes les plus hardies de la vie française.

L'abolition des droits féodaux et des corporations a été accomplie dans la nuit du 4 août 1789 ; c'est alors que disparurent les privilèges et les inégalités. L'œuvre de l'Assemblée Constituante fut immense : suppression des anciennes provinces avec les anciennes divisions territoriales, transformation de la magistrature et création du tribunal de cassation, première constitution écrite précédée de la Déclaration des droits de l'homme et du citoyen, affranchissement du sol et réorganisation de la propriété, principe d'égalité dans le règlement des successions par la suppression des privilèges de masculinité et d'aînesse, toutes ces mesures furent prises les unes après les autres, et, dans tous les domaines, elles modifiaient profondément l'aspect du pays. Mais là ne se sont pas arrêtées les transformations infligées par le droit intermédiaire aux anciennes coutumes. L'Assemblée législative, qui a notamment supprimé la puissance paternelle sur les majeurs, organisé l'état civil et institué le divorce, la Convention, qui a réglé le problème des successions et celui des hypothèques, et aussi le Directoire, qui réglementa l'enregistrement, rivalisèrent de zèle dans l'exercice de leur fonction législative et dotèrent la France d'un arsenal de lois incomparables.

C'est Napoléon qui fit la première codification française. A Sainte-Hélène, jetant un coup d'œil méprisant sur ses quarante victoires, dont Waterloo avait, selon ses paroles, effacé le souvenir, il comprit et prédit que son code civil lui survivrait. Avec son génie de l'organisation et de la synthèse, le premier consul avait su en effet mener à bien l'œuvre monumentale qui allait donner une seule loi à tous les Français, une loi qui conviendrait au nouveau pays forgé dans le feu de la Révolution.

Cependant, la prudence du futur monarque et le sentiment que dans peu de temps il allait prendre en main les destinées d'un pays déchiré, inspirèrent les textes transactionnels qui devaient canaliser le torrent révolutionnaire tout en retrouvant dans les institutions de l'Ancien régime ce qu'elles pouvaient avoir d'utilisable.

La commission du code civil a puisé à pleines mains dans le passé. Ainsi, c'est le droit coutumier qui a inspiré le régime matrimonial, la puissance paternelle et la possession des meubles ; c'est au droit romain qu'on a emprunté l'organisation de la propriété et la plus grande partie du droit des obligations ; les ordonnances royales ont fourni la matière des donations et des testaments ; le droit canonique a inspiré la réglementation du mariage et de la légitimation. Néanmoins, l'essentiel des conquêtes révolutionnaires a été conservé, et les fréquents recours aux principes du droit romain ont permis aux rédacteurs du code de maintenir l'acquis du droit intermédiaire : la disparition des droits féodaux, le maintien de l'égalité dans le régime successoral, le triomphe du libéralisme économique par la proclamation du principe de la liberté des conventions, le maintien de la propriété individuelle, droit essentiel, bien que simplement patrimonial, de l'homme.

Le code civil des Français, composé de 2 281 articles, a été promulgué par la loi du 30 ventôse an XII, c'est-à-dire le 21 mars 1804.

Le code civil n'est pas le seul qui ait vu le jour dans la première décennie du siècle dernier. Successivement furent mis en vigueur le code de procédure civile, le code de commerce, le code d'instruction criminelle et le code pénal.

Pendant le cours du XIXᵉ siècle, les codifications napoléoniennes subirent de fréquentes atteintes : les diverses convulsions politiques amenèrent des changements notables dans la législation du pays, soit par la modification de certains textes des codes, soit par la promulgation de nouvelles lois. Mais ce mouvement ne s'accéléra qu'à la fin du siècle et au début de celui-ci. Tour à tour, le syndicalisme, l'esprit laïque, les crises économiques, la naissance d'un droit professionnel exercèrent leur influence sur la législation, qui se modifie de plus en plus vite.

Les guerres et les transformations politiques dans les pays étrangers précipitent encore le mouvement. Après la deuxième guerre mondiale, la création de nouveaux liens entre les peuples à l'extérieur, l'adoption d'une nouvelle constitution à l'intérieur rénovent les idées et transforment les textes. Une grande abondance de lois spéciales témoignent du vieillissement de nos codes. La naissance de nouvelles activités humaines facilite l'épanouissement de nouvelles branches du droit. En 1946, la loi fondamentale de la IV⁰ République, tout en réaffirmant les principes généraux de la Déclaration des droits de 1789, en pose de nouveaux dans son préambule : égalité des droits de l'homme et de la femme, droit à l'emploi et à la libre activité syndicale, droit de grève, égal accès de l'enfant et de l'adulte à l'instruction, à la formation professionnelle et à la culture, participation des travailleurs à la gestion des entreprises, nationalisation des établissements à caractère de service public et de ceux qui constituent un monopole de fait.

Tout ce qui a été accompli par la IV⁰ République dans ces matières a été gardé par la V⁰, et la Constitution du 4 octobre 1958, dans un préambule de quelques lignes, maintient expressément les deux textes fondamentaux : la Déclaration des droits de 1789 et le préambule de la constitution de 1946.

Mais de nouveaux principes s'ajoutent maintenant aux anciens. Un vaste mouvement vers le renouveau est esquissé. Les anciennes lois qui subsistent s'organisent suivant un champ magnétique différent, car les pôles d'attraction ne sont plus les mêmes. L'accent n'est plus mis sur l'individu, sur sa propriété, sur ses droits et sur ses libertés, mais sur les devoirs de l'homme à l'égard de la collectivité à laquelle il appartient.

Les transformations s o c i a l e s les plus profondes — celles qui se font par accession et non par démolition — sont en train de s'accomplir sous nos yeux.

III. — LES INSTITUTIONS

Je voudrais, avant d'en finir avec ce préambule, inciter le lecteur à tourner une dernière fois son regard sur la constante multiplication des textes légaux. C'est une

LES INSTITUTIONS

nature des choses. La lente accession des travailleurs à
une vie digne a, à elle seule, entraîné des modifications
sans nombre dans nos structures sociales. Souvenons-
nous que si le Tiers-Etat, luttant contre les privilèges
de la noblesse, a su vaincre et a pu organiser, à la fin
du xviiie siècle, une France nouvelle, dont — sous le
nom de bourgeoisie — il est devenu, en l'espace d'un
siècle, l'élément moteur, il s'est très rapidement transformé en une classe sociale privilégiée, grâce à la propriété judicieusement distribuée ou acquise et au puissant levier du capitalisme triomphant.

A l'orée du xxe siècle les idées socialistes talonnaient
déjà le bourgeois et faisaient monter sur l'arène politique
de notre pays, comme d'ailleurs de tous les pays, le
travailleur, le prolétaire. Quelques dizaines d'années
ont suffi pour accomplir d'immenses bouleversements
légaux. Qui s'étonnerait aujourd'hui des conquêtes de la
classe ouvrière ? Qui oserait les lui disputer ? Mais il
ne faut pas oublier que si cette nouvelle accession a
pu se faire sans révolution, c'est uniquement parce que
le volume des biens et des richesses a singulièrement
augmenté dans un monde livré à la technique. Que
représentait le bien meuble au moment de la publication
du code civil ? Pratiquement rien. Que représente aujour-
d'hui la valeur mobilière ou le fonds de commerce,
deux biens mobiliers de la nouvelle espèce, sinon la plus
grande partie de la fortune nationale ? La redistribution
pouvait donc porter sur une quantité de biens beaucoup
plus considérable et se faire avec moins d'âpreté. D'autre
part, la classe dirigeante a elle-même compris que certaines modifications de la structure sociale étaient inévi-
tables. De là en particulier le foisonnement des lois. La
progression géométrique des besoins et des richesses
appelait la multiplication des textes réglementaires, car
parmi tous les phénomènes sociaux, la loi est celui qui
réagit de la manière la plus immédiate, soit parce qu'elle
subit, soit parce qu'elle commande la transformation des
institutions.

Je vais essayer d'exposer systématiquement les droits

2

et les devoirs des Français. C'est-à-dire que je montrerai *le citoyen dans ses rapports avec les autres Français, d'une part, avec les Pouvoirs publics, d'autre part.* Ainsi s'expliquent tout naturellement les deux parties de mon exposé, qui englobera la vie entière, privée et publique.

La vie privée d'un homme est celle qui concerne l'individu en tant que tel, et c'est par elle que je commencerai. Elle couvre l'existence de l'homme de sa naissance à sa mort et s'occupe de tous ses droits et de tous ses devoirs civils ou professionnels, de son patrimoine, de ses obligations, de sa responsabilité, de ses intérêts moraux et pécuniaires, de sa succession comme des libéralités qu'il a pu recevoir ou consentir. Six chapitres seront nécessaires pour évoquer la vie privée, deux consacrés à la vie civile, deux à la vie économique, deux, enfin, à la vie professionnelle.

Je diviserai la vie publique en six chapitres également, deux consacrés à la justice, deux autres à l'administration et enfin les deux derniers à la vie politique. Et puisqu'il est de mon dessein de dépeindre les seules institutions françaises, c'est dans l'épilogue seulement que je dirai, en peu de mots, la situation de la France dans le monde.

Le lecteur s'apercevra que les deux moitiés de cette étude n'ont pas été traitées exactement sur le même plan. Cette différence dans l'exposé correspond à la nature même de mon propos. Quand j'analyse les rapports privés, il me faut dégager avec précision la signification de chacune des institutions qui en constituent la base. En revanche, s'il s'agit de nos innombrables organismes publics, je me borne généralement à mentionner leur existence, et à réserver mon attention aux seuls contacts que peuvent avoir avec eux l'ensemble des citoyens. Mon dessein n'a pas été de résumer nos codes et lois ; pas davantage de dresser un tableau systématique des organismes administratifs ou de faire une description détaillée de tous les règlements qui gouvernent notre vie quotidienne. Cent volumes de la taille de celui-ci n'y suffiraient pas.

Il reste que j'espère avoir réussi à montrer aux Français — dont l'instruction civique est, on le sait, rudimentaire — combien est grand leur rôle dans l'évolu-

tion de leurs institutions. Si j'y suis parvenu, si j'ai pu
réveiller en eux le souci de leur devoir de citoyen et le
désir de participer de plus en plus étroitement à la vie
du pays, alors je crois que mon objectif aura été atteint.

1

LA VIE PRIVÉE

LA VIE CIVILE

CHAPITRE PREMIER

LA PERSONNE

I. — LES DROITS DE LA PERSONNALITE

Les prérogatives de la personne humaine s'analysent en libertés et en droits prévus et proclamés par la Déclaration des droits de l'homme et du citoyen, par le préambule de la Constitution de 1946, tous deux visés dans le préambule de la Constitution du 4 octobre 1958, et par la Déclaration universelle des droits de l'homme établie par l'Organisation des Nations Unies. Ces trois textes sont fondamentaux.

Nous nous sommes déjà inspirés dans le prologue des idées qui y sont exprimées et j'aurai l'occasion d'y revenir à plusieurs reprises. Disons pour le moment que les prérogatives civiles de la personnalité sont innombrables, et que nous allons en détacher quelques-unes, qui seront examinées à cette place. La difficulté est d'en établir une liste même très limitée, car elles touchent à l'ensemble de nos institutions et, au surplus, il n'existe pas et il n'a jamais existé de droit général de la personnalité humaine.

Il est évident que la personne humaine a droit tout d'abord sur elle-même et plus particulièrement sur son

corps tant durant sa vie (c'est ainsi qu'aucun traitement médical ou chirurgical, aucune expertise ne sont
possibles sans le consentement de l'intéressé) qu'après
sa mort (c'est ainsi que ses funérailles peuvent être
réglées avec la dernière minutie par celui qui doit disparaître). Il est également évident qu'on a droit sur les
éléments moraux de sa personne, c'est-à-dire qu'on est
toujours en mesure de défendre son honneur et la considération dont on est entouré.

Mais on a des droits également sur les éléments d'identification et d'expression de sa personne : le nom, l'image,
c'est-à-dire la reproduction picturale ou photographique,
l'état, le secret de la vie privée, le droit moral sur les
œuvres de l'esprit. Ces éléments de notre personnalité
sont efficacement protégés par la responsabilité pénale
ou civile de celui qui commettrait la faute de les
violer. Pénalement, des peines sévères sanctionnent toute
atteinte à l'intégrité physique — le meurtre, les coups
et blessures —, ou morale — la diffamation, l'injure,
la violation des secrets. Civilement, l'intéressé a toujours
droit à la réparation du préjudice qui lui est causé par
un tiers.

En dehors des droits strictement personnels que je
viens d'évoquer, la personne humaine a encore des droits
à l'intérieur des divers groupes sociaux auxquels elle
appartient, et notamment dans sa famille, dans sa profession et dans la cité. Je parlerai des droits professionnels dans les chapitres spécialement consacrés à la
vie professionnelle. Quant au statut politique des personnes, il sera réservé à la vie publique du citoyen. Mais
la situation dans la famille, c'est-à-dire l'état et la
capacité, sont bien du domaine des droits civils, et je
voudrais immédiatement expliquer comment se détermine l'état de la personne.

On peut dire que la situation familiale et nationale
de la personne sont les deux coordonnées de son état.
L'individu peut être célibataire ou marié, père de tant
d'enfants ou fils de telle et telle personne, parent ou
allié. Il peut être également Français ou étranger. L'état
familial et national se déterminent par la naissance, par
le mariage ou par la volonté de l'homme.

Dans la famille légitime, le mari et la femme sont appelés époux ou conjoints. Les parents sont des descendants et des ascendants, en ligne directe, quand ils descendent les uns des autres, et en ligne collatérale, quand ils descendent d'un auteur commun. Les parents d'un époux sont les alliés de l'autre. L'adoption et la légitimation adoptive permettent aux familles sans enfants d'acquérir une postérité.

La vocation successorale et l'obligation alimentaire se rattachent aux problèmes de la parenté et de l'alliance. J'expliquerai plus tard la première de ces institutions, mais dès maintenant je dirai ce qu'est une obligation alimentaire.

Le rapport alimentaire s'attache de plein droit à certaines relations familiales, et il suffit pour lui donner naissance, outre les besoins du créancier et les ressources du débiteur, qu'il y ait entre celui-ci et celui-là un lien de parenté défini par la loi. L'obligation alimentaire existe entre parents en ligne directe à tous les degrés. Entre alliés, elle ne va pas au delà du gendre, de la belle-fille et des beaux-parents. Mais dans tous les cas, l'obligation alimentaire est réciproque et la loi ne tient jamais compte que des besoins des uns et des possibilités des autres.

L'obligation d'entretenir ses parents s'ils sont dans le besoin est un devoir élémentaire. En cas de non exécution — ce qui est fréquent —, le créancier a le droit de s'adresser au tribunal. Celui-ci fixera le montant de la pension due. Le débiteur qui pendant plus de deux mois n'exécute pas le jugement qui l'a condamné à payer une pension alimentaire pourra, à partir de là, être pénalement sanctionné.

Dans la famille naturelle, il n'existe pas de rattachement familial, sauf à le créer ultérieurement. D'abord, la filiation de l'enfant peut n'être pas établie ; il est alors un enfant naturel non reconnu et n'aura pas d'autre famille que celle qu'il se constituera lui-même par son propre mariage. Mais la filiation naturelle peut être établie par reconnaissance ou jugement, et alors l'état de l'individu lui donnera des droits à l'égard de celui de ses parents qui l'aura reconnu ou aura été forcé de le reconnaître ou à l'égard des deux à la fois. Les père et mère de l'enfant naturel reconnu peuvent le légitimer par mariage et lui procurer ainsi un état familial complet. Enfin, la filiation naturelle peut être compliquée par l'adultère ou l'inceste ; l'enfant est alors appelé adultérin ou incestueux. L'obligation alimentaire, telle que nous l'avons dépeinte à propos de la famille légitime, existe dans la famille naturelle.

La preuve de l'état, qui ne se confond pas avec celle de l'identité, consiste à démontrer que l'état juridique de la personne est bien celui qu'elle prétend avoir. Prouver son identité est facile : on le fait par tous les moyens puisqu'il s'agit d'un fait matériel. Mais la preuve de l'état est réglée par la loi. Nous le comprendrons mieux en examinant les problèmes de l'état civil.

Disons simplement que, dans cette question de preuve, la possession d'état joue un grand rôle. Cette possession d'état consiste à porter le nom auquel donne droit l'état apparent de la personne, à recevoir dans telle famille le traitement qui y est réservé à ses membres et à passer aux yeux de l'entourage et de la renommée publique pour avoir droit à l'état. Si cette possession est constante, elle est probante.

Il existe des cas où une personne ne possède pas l'état auquel elle pense pouvoir prétendre et veut l'établir en justice. Elle introduit alors une action en réclamation d'état. Au contraire, un tiers a à sa disposition une action en contestation d'état s'il veut priver la personne contre laquelle il plaide des avantages attachés à l'état dont elle se réclame. J'aurai l'occasion d'y revenir plus loin.

Au problème de l'état s'ajoute celui, voisin, de la capacité. Comme l'état, la capacité détermine certains droits de l'individu et aussi certaines défenses. J'examinerai plus tard les incapacités, mais il est bon de préciser dès maintenant qu'elles peuvent se grouper sous deux idées dominantes. Ou bien elles sont sévères et interdisent aux individus qu'elles atteignent de jouir des avantages appartenant aux autres ; elles s'appellent alors incapacités de jouissance. Ou bien elles empêchent simplement une personne d'agir seule, généralement pour la protéger elle-même contre les autres, et ce sont alors des incapacités d'exercice.

C'est à ce dernier genre d'incapacité que s'apparentait il n'y a pas si longtemps celle de la femme mariée, qui, à la vérité, n'existait dans nos lois que pour mieux protéger une sourcilleuse autorité maritale. Alors que la femme célibataire était pleinement capable et que la femme mariée le redevenait à la suite de son veuvage ou du divorce, en plein xxᵉ siècle, ayant à peine obtenu le droit de disposer librement du produit de son travail, la femme mariée était encore considérée comme une inférieure ou, en tout cas, comme une incapable. Par deux lois, l'une de 1938, l'autre du temps de la guerre, l'émancipation de la femme est enfin devenue un fait accompli.

C'est encore le mari qui est aujourd'hui le chef de la famille, mais cette fonction ne lui est conférée que dans l'intérêt commun du ménage et des enfants. Quant à la femme, elle concourt avec lui à assurer la direc- tion morale et matérielle de la famille, à pourvoir à entretien, à élever les enfants et à préparer leur   ᵢss- sement. Elle se substitue pleinement à son mari s'il ne peut manifester sa volonté par suite d'incapacité, d'ab- sence, d'éloignement ou de toute autre cause. Elle le re- présente légalement pour tous les besoins du ménage.

II. — L'ETAT CIVIL

L'état des personnes peut s'établir par la possession d'état. Mais il est bien plus facile de l'établir par titres, et dès la Révolution la loi a décidé la sécularisation des registres de l'état civil, tenus jusqu'alors par le clergé. L'Assemblée constituante a ordonné que les naissances, les mariages et les décès de tous les habitants sans distinction seraient désormais constatés par les officiers publics, et inscrits sous forme authentique sur des regis- tres tenus dans chaque commune.

L'utilité des actes d'état civil est considérable pour

l'Etat, pour les individus et pour les tiers ; les pouvoirs
publics y trouvent des éléments d'administration et de
police, et les intéressés, soit une preuve facile de leur
situation, soit des renseignements précieux sur l'éventuel
cocontractant dont le statut personnel et familial est si
important dans les affaires.

L'officier de l'état civil est le maire, qui peut déléguer
ses fonctions à un ou plusieurs agents communaux. Il
est compétent dans les limites territoriales de sa commune.
C'est lui qui est chargé de rédiger les actes et qui doit
en outre vérifier la réalité du décès, procéder à la publication et à la célébration des mariages, veiller à la conservation des registres déposés à la mairie, faire des
transcriptions et des inscriptions, délivrer les copies ou
extraits. Mais il va de soi que la fonction d'officier de
l'état civil n'a aucun caractère juridictionnel ; c'est
ainsi que celui qui dresse l'acte ne peut se faire juge de
la validité d'une opposition à mariage ou de la sincérité
d'une reconnaissance d'enfant naturel. Il constate, il ne
juge point.

Les actes sont inscrits dans des registres toujours
tenus en double original, tous deux cotés et paraphés
pour éviter les suppressions ou les additions frauduleuses. Les registres sont clos et arrêtés à la fin de l'année ;
l'un d'eux reste à la mairie, l'autre est envoyé au greffe
du tribunal de grande instance pour y être conservé.

Les registres contiennent les actes et les mentions en
marge. La transcription, autrefois courante, a été pratiquement supprimée par une ordonnance de 1958. L'acte
doit indiquer la date, les nom et prénoms de l'officier de
l'état civil, les nom, prénoms et éventuellement profession
et domicile des parties, les nom et prénoms des compa-
rants et des déclarants et, s'il y a lieu, les nom et prénoms
des témoins. Enfin est consigné l'objet de l'acte. Les mentions en marge coordonnent les diverses indications relatives à l'état et à la capacité de l'intéressé. C'est ainsi que
le mariage ou le décès sont mentionnés en marge de l'acte
de naissance, de même que le divorce, l'adoption, la reconnaissance et la légitimation d'un enfant naturel.

Si des irrégularités ont été commises dans la tenue des
registres, diverses sanctions interviennent et motivent

l'annulation ou la rectification de l'acte. La nullité est encourue en cas d'omission d'une formalité substantielle ou d'inexactitude d'une énonciation fondamentale. Mais l'acte peut être maintenu par les tribunaux qui seuls apprécient la gravité du manquement. La rectification peut être judiciaire ou administrative si l'acte est incomplet ou inexact.

Enfin la responsabilité civile et même pénale de l'officier de l'état civil peut se trouver engagée, de même que sa responsabilité disciplinaire pour manquements personnels dans la rédaction des actes.

Quelques règles spéciales existent en matière de constatation des naissances et des décès.

Toute naissance doit être déclarée à l'état civil dans les trois jours de l'accouchement ; en cas de retard, l'acte ne peut plus être dressé qu'en vertu d'un jugement. L'obligation de déclarer l'enfant pèse d'abord sur le père, à défaut de qui la naissance sera déclarée par le médecin ou la sage-femme ou toute autre personne ayant assisté à la délivrance. Les noms du père et de la mère sont portés à l'acte s'il s'agit d'un enfant légitime. S'il s'agit d'un enfant naturel, aucune mention n'est faite au cas où les parents ou l'un d'eux ne sont pas désignés à l'officier de l'état civil.

Pour ce qui concerne le décès, s'il doit être constaté par l'officier de l'état civil, c'est en réalité le médecin de l'état civil qui, dans la pratique, délivre le certificat indispensable. Le contenu de l'acte comprend les nom et prénoms, date et lieu de naissance, profession et domicile du défunt, les nom et prénoms de ses père et mère, du conjoint et du déclarant. Mais ces déclarations sont requises autant qu'on pourra le savoir. Si l'identité du cadavre n'est pas connue, on précisera les signes caractéristiques. Les circonstances du décès ne sont jamais indiquées, sauf lorsque l'individu est mort pour la France, dans quel cas cette mention figure sur l'acte.

En dehors de l'hypothèse normale où le corps du défunt existe, des circonstances particulières peuvent nécessiter un jugement déclaratif de décès. Ces constatations par jugement interviennent dans le cas où il est impossible de retrouver le corps d'une personne dont on sait sans conteste qu'elle est décédée ; ainsi par exemple la mort dans un incendie, ou dans un éboulement, ou en montagne, ou en mer à bord d'un navire qui a sombré. Le décès sera alors constaté dans un jugement rendu par le tribunal en vertu de son pouvoir de juridiction gracieuse. Ce jugement aura la valeur d'un acte de l'état civil.

Les circonstances exceptionnelles de la dernière guerre, où des millions d'êtres humains furent déportés dans des camps de concentration d'où ils ne devaient pas revenir, ont incité le législateur à faire une assimilation entre les cas où le décès est certain et ceux où il est simplement très probable. C'est la mise en vigueur de la présomption de décès au cas où un Français aurait disparu sur terre ou sur mer, en France ou hors de France, dans des circonstances de nature à mettre sa vie en danger. La décision de présomption de décès est prise par le ministre compétent suivant la qualité de la personne présumée décédée. La déclaration judiciaire du décès peut être demandée par le ministre et par toutes les parties intéressées. Le tribunal déclare alors le décès, au besoin après une enquête complémentaire, et le jugement tient lieu d'acte d'état civil. La date du décès est déterminée d'après les circonstances de la cause ; à défaut de toute précision, elle est reportée au jour de la disparition.

Sur un point, cette procédure se rapproche de celle que nous verrons bientôt à propos de l'absence : le disparu peut reparaître. Il sera alors admis à rapporter la preuve de son existence, c'est-à-dire plus simplement à justifier de son identité.

Nous en aurons terminé avec cette institution lorsque nous aurons dit quelle est la publicité et la force probante des actes d'état civil.

Ces actes étant un mode officiel de constatation des faits, tout particulier peut avoir copie d'un acte quelconque, qui lui permettra d'être renseigné sur l'état et la capacité des personnes avec lesquelles il désire traiter. Cependant, la loi restreint la publicité des actes de naissance, afin d'éviter la révélation de la filiation naturelle.

Depuis peu de temps, le livret de famille, simple

pratique administrative à l'origine, est devenu une institution légale ; sa valeur, dans l'instruction des requêtes administratives, est la même que celle des extraits d'actes de l'état civil. Pour faciliter l'usage du livret de famille, des fiches d'état civil peuvent être établies qui reproduiront les renseignements pris dans le livret. Ces fiches sont signées par l'autorité qui les délivre, ainsi que par l'intéressé, qui certifie sur l'honneur la vérité des renseignements qui y figurent.

Les actes de l'état civil ont force probante à l'égard de tous, et comme il n'a pas semblé utile d'attacher cette qualité aux registres seuls, pour des raisons de commodité évidentes, la force probante a été étendue également à tous extraits et copies. Mais l'authenticité s'attache, dans les actes d'état civil, comme dans tous les actes authentiques, seulement à ce que l'officier public déclare avoir vu, entendu, constaté ou accompli. Ces mentions ne pourront être contestées que par la voie de l'inscription de faux. En revanche, les déclarations portées à l'acte par les particuliers ne font foi de leur exactitude que jusqu'à preuve contraire.

Dans certains cas, des règles particulières ont été prévues pour l'établissement des actes de l'état civil. C'est ainsi que, pour les enfants trouvés, l'acte de naissance est remplacé par un procès-verbal qui sera transcrit sur les registres et où seront relatées les circonstances de la découverte. C'est ainsi également qu'il existe un état civil spécial concernant les militaires, durant la guerre. C'est ainsi encore que la loi prévoit l'établissement d'actes en mer lorsqu'une naissance ou un décès se produisent sur un bâtiment français à un moment où celui-ci ne peut communiquer avec un port où se trouve un officier d'état civil français. Sur le navire, les fonctions d'officier public sont exercées par le capitaine ou, sur les bâtiments de l'Etat, par l'officier du commissariat de la marine.

A l'étranger, les Français peuvent faire établir leurs actes soit par nos agents diplomatiques et consuls, soit par les autorités locales.

III. — LA NATIONALITE

L'état de la personne comporte, en dehors de son statut familial, un élément de grande importance, qui est sa nationalité. La condition de l'étranger en France comporte certaines infériorités par rapport au national, disons même certaines incapacités civiles. La loi ne dit pas que tout homme jouira des droits civils, mais simplement : tout Français. A plus forte raison l'étranger ne jouira-t-il pas des droits civiques ou politiques et ne pourra-t-il exercer aucune fonction publique.

Ce n'est pas ici le lieu de s'interroger sur les raisons qui ont stoppé l'évolution naturelle de nos institutions, assez favorables, dans le passé, à ceux qu'on appelait « aubains » sous l'Ancien régime. La Révolution avait aboli le droit d'aubaine comme contraire aux « principes de fraternité qui doivent lier tous les hommes ». Mais le code civil réagit contre la tendance libérale en cette matière et il subordonna à la réciprocité diplomatique l'octroi des droits civils aux étrangers. Postérieurement au code, la situation de ceux-ci alla s'aggravant. Indépendamment des possibilités considérables offertes à l'administration française d'expulser ou de refouler l'étranger ou, plus simplement encore, de lui refuser la carte de séjour ou de travail, la législation se fit, particulièrement au XXe siècle, de plus en plus sévère à son égard.

De nombreuses mesures furent prises pour exclure l'étranger de certaines professions commerciales, industrielles et artisanales, à moins qu'il ne fût en possession d'une carte spéciale dont la délivrance, laissée à la discrétion des services, devenait quelque peu arbitraire. Il fallait une carte d'exploitant agricole pour les ruraux et une carte de travail pour les salariés. Quatre sortes de cartes de travail furent créées, avec des règles d'obtention compliquées et sans préjudice d'un refus dépourvu de motifs ou d'un retrait sans explications.

Telle est la situation des professionnels les plus modestes. Ajoutons qu'un étranger ne peut être directeur d'un établissement d'enseignement, ni administrateur d'un syndicat ou d'une coopérative agricole, ni directeur de spectacles, ni employé dans un casino ou une salle de jeu. Les étrangers sont exclus des carrières de médecin, de vétérinaire, d'architecte, de géomètre-expert, de banquier, de démarcheur, que sais-je encore ? Si l'on ajoute à ce qui vient d'être dit les restrictions qui frappent certaines activités économiques, celles qui s'appliquent à la législation sur les loyers, dont les importantes dispositions ne profitent qu'aux Français, celles enfin qui jouent en matière de lois sociales, dont le bénéfice est pour une large part interdit à l'étranger, on aura une image de tout ce qui — en dehors de la réciprocité diplomatique — est fermé à celui qui ne peut justifier dans son état du statut national.

On voit que cette part de l'état civil d'une personne qu'est la nationalité a pris une grande importance. Il faut en expliquer maintenant la réglementation.

La nationalité française n'a pour source que la loi qui en assure l'attribution à titre de nationalité d'origine et qui en règlemente l'acquisition ou la perte après la naissance.

Les fondements traditionnels de la nationalité d'origine sont la filiation et la naissance en France, de sorte que l'attribution de la nationalité se fait soit par la filiation, soit par le lieu de naissance, dans des conditions quelque peu différentes.

Pour ce qui concerne la filiation, voici quelles sont les solutions légales : sont d'abord Français l'enfant légitime né d'un père français et l'enfant naturel lorsque le premier parent l'ayant reconnu est Français. Sont également Français l'enfant légitime né d'une mère française et d'un père sans nationalité, ainsi que l'enfant naturel reconnu en second lieu par un Français si l'autre parent n'a pas de nationalité. Sont enfin Français, sauf faculté de répudiation, l'enfant légitime né d'une mère française et d'un père de nationalité étrangère, ainsi que l'enfant naturel lorsque celui de ses parents l'ayant reconnu en second lieu est Français et l'autre parent de nationalité étrangère.

Quant à la naissance sur le territoire, les solutions sont les suivantes : sont d'abord Français l'enfant né en France de parents inconnus et le nouveau-né trouvé en

France. Sont également Français l'enfant légitime né en France d'un père qui y est né lui-même et l'enfant naturel lorsqu'il a été reconnu par une personne née en France. Sont enfin Français, sauf faculté de répudiation, l'enfant légitime né en France d'une mère qui y est elle-même née et l'enfant naturel né en France lorsque celui de ses parents qui l'a reconnu en second lieu est lui-même né en France.

La nationalité française peut aussi être acquise par des étrangers. Les cas d'acquisition sont assez nombreux : par légitimation ou adoption, par mariage, en raison de la naissance et de la résidence en France, par déclaration de nationalité, enfin et surtout par décision de l'autorité publique, c'est-à-dire par naturalisation et par réintégration.

La défaveur à l'égard de l'étranger a profondément marqué les problèmes d'acquisition de la nationalité française. La nouvelle législation en cette matière est restrictive, et cela se voit notamment dans les causes pouvant entraîner la perte de la nationalité française. Celui qui avant la guerre pouvait se déclarer Français par naturalisation n'est plus aujourd'hui qu'un étranger naturalisé. L'étranger naturalisé ou ayant acquis d'une autre manière la nationalité française en est privé plus facilement qu'un Français d'origine. Celui-ci ne perd la qualité de Français que par sa propre volonté, par exemple par l'acquisition d'une nationalité étrangère lorsqu'elle est accompagnée de certaines circonstances ou si, se comportant comme citoyen d'un pays étranger, il est déclaré par décret avoir perdu sa nationalité d'origine. En revanche, l'individu qui a acquis la nationalité française peut en être déchu à titre de sanction en raison de son défaut de loyalisme ou de son indignité caractérisée.

La déchéance ne peut toutefois intervenir que pour des faits postérieurs à l'acquisition de la nationalité française et dont l'énumération est donnée par la loi. Le décret de déchéance s'applique à des individus ayant été condamnés pour des actes si graves qu'on comprend mal que la même mesure ne soit pas appliquée aux Français d'origine.

Outre la déchéance, mesure d'ordre général, il existe

encore la possibilité du retrait de la naturalisation. Dans ce cas, l'administration rapporte le décret si l'intéressé l'a obtenu sans remplir les conditions prescrites, s'il a eu recours à des manœuvres frauduleuses ou si le décret a été rendu à la suite d'une convention conclue en vue d'en faciliter l'obtention.

Il faut ajouter enfin que le principe suivant lequel un naturalisé devrait jouir de tous les droits d'un Français d'origine a été battu en brèche par des dérogations d'importance croissante. Les incapacités auxquelles est soumis pendant cinq à dix ans celui qu'on appelle « Français de fraîche date » concernent l'électorat, l'éligibilité et l'accès aux fonctions publiques.

La nationalité française, minutieusement réglementée, est tout entière et par excellence une matière d'ordre public. La charge de la preuve de la nationalité incombe toujours à l'intéressé, qui doit établir qu'il se trouve dans l'un des cas prévus par la loi.

Le code de la nationalité, apportant une intéressante innovation en cette matière, a d'ailleurs prévu un moyen de preuve officiel : le certificat de nationalité française. De même que le livret de famille dans la nouvelle législation de l'état civil est appelé à témoigner officiellement d'un certain nombre de faits qui y sont consignés, de même, le certificat de nationalité démontre la qualité de national de celui à qui il est délivré. Ce document ne fait foi que jusqu'à preuve du contraire et peut être contesté devant le tribunal de grande instance.

C'est en effet seul le juge civil qui est compétent dans toutes les matières touchant aux questions de la nationalité, comme d'ailleurs il est seul compétent dans les affaires concernant tous les autres éléments de l'état civil. Que le procès se déroule entre deux particuliers à l'occasion d'une contestation purement privée, qu'il ait lieu entre un plaideur et l'Etat représenté par le ministère public, c'est toujours la juridiction civile, gardienne des libertés individuelles et des droits de la personne humaine, qui sera compétente, c'est elle seule qui prendra les décisions qui s'imposent.

IV. — LE NOM ET LE DOMICILE

Le nom et le domicile sont deux importants éléments d'identification de la personne. Ils sont protégés par la loi ; on ne peut ni usurper un nom, ni violer un domicile.

Le nom est un mot ou une série de mots qui désignent la personne. Il est composé essentiellement de deux parties : le nom patronymique ou nom de famille et le prénom. L'attribution du nom de famille est tout d'abord une conséquence de la filiation ; en matière de filiation légitime, les enfants sont investis du nom de leur père dès leur naissance, comme ils sont investis de leur nationalité d'origine. La situation est différente pour les enfants naturels. Si la filiation de l'enfant naturel n'est établie qu'à l'égard d'un seul auteur, c'est son nom qui lui sera attribué ; si elle est établie à l'égard des deux, il prendra le nom du père ; si elle n'est établie à l'égard d'aucun, l'attribution du nom se fera par voie administrative comme elle se fait pour l'enfant trouvé. L'adopté porte un double nom patronymique composé du sien propre et de celui de l'adoptant, sauf s'il est âgé de moins de seize ans, dans quel cas le nom de l'adoptant se substitue à son propre patronyme. Dans la légitimation adoptive, cette substitution est obligatoire.

L'attribution du nom peut aussi être une conséquence du mariage. C'est ainsi que la femme prend en se mariant le nom de son mari. Mais elle ne l'acquiert pas, elle en jouit seulement. Cette attribution n'est pas absolue, car la femme ne perd jamais son nom de jeune fille ; en cas de divorce, d'ailleurs, elle reprend son nom, n'ayant plus droit à celui de son ex-époux.

Le patronyme est obligatoire et, en principe, immuable, sauf pour l'intéressé à demander d'en changer s'il est ridicule, déshonoré ou s'il prête à confusion. L'autorisation doit être obtenue par décret du gouvernement pris sur avis du conseil d'Etat. C'est aussi par décret que le nom peut être francisé à l'occasion d'une acquisition par l'étranger de la nationalité française.

Si le nom désigne une famille, le prénom désigne l'individu lui-même. Le prénom est choisi par le père,

qui le fait noter par l'officier de l'état civil dans l'acte
de naissance. On peut donner plusieurs prénoms, avec
une grande liberté de choix, à condition toutefois qu'ils
soient pris exclusivement dans les calendriers en usage
ou parmi les personnages historiques. Pendant de longues
années, toute modification des prénoms était considérée
comme impossible, l'immutabilité des prénoms étant plus
encore respectée que celle du nom. Une première loi, assez
récente, a donné au tribunal le droit de modifier, sur
demande de l'adoptant, par le jugement qui homologue
l'adoption, les prénoms de l'adopté. Une loi plus récente
encore dispose qu'en cas d'intérêt légitime et sur requête
de l'enfant ou de son représentant légal, le tribunal
pourra modifier les prénoms figurant à l'état civil ou en
adjoindre d'autres.

En dehors des nom et prénoms, certaines personnes
portent un surnom, qui est un sobriquet donné par des
tiers ou un pseudonyme qu'elles se choisissent à elles-
mêmes. Ces éléments complètent l'identification, mais
n'intéressent pas l'état civil. Une loi policière du régime
d'occupation a interdit aux étrangers l'usage du pseudonyme.

Si les prénoms et le nom désignent la personne ainsi
que la famille à laquelle elle appartient, son domicile la
situe géographiquement et en quelque sorte la localise,
puisque c'est le lieu où elle a établi le siège principal
de sa demeure et de ses affaires. Les intérêts pratiques
de la détermination du domicile sont considérables, tant
au point de vue du droit public et électoral qu'au point
de vue des droits civils et plus particulièrement des droits
procéduraux. C'est ainsi que la détermination du lieu du
domicile est importante lorsqu'il s'agit d'assigner une
personne devant la justice, car c'est précisément le tribunal de ce lieu qui sera le plus souvent compétent, ainsi
que je l'expliquerai dans les chapitres consacrés à la vie
judiciaire. C'est aussi le domicile qui sera pris en considération pour certains actes importants de la vie, comme
le mariage. L'acte de décès sera dressé à l'état civil du
domicile du défunt et c'est là également que se fera la
liquidation de la succession. C'est encore au domicile du
pupille que seront centralisées les opérations de la tutelle.

De là découlent les véritables caractères de cette institution : le domicile est nécessaire, en ce sens que chaque personne doit en avoir un, fixe, même si l'intéressé se déplace beaucoup, et unique, même s'il a une résidence secondaire.

En règle générale, le domicile est déterminé par l'intéressé lui-même : c'est principalement l'endroit où il habite et subsidiairement le lieu où se situent ses intérêts et ses biens. On peut changer de domicile, mais il faut alors transporter en un lieu différent son principal établissement et l'y fixer par une résidence habituelle ou prolongée, par le paiement de la contribution personnelle ou par l'établissement de son ménage. C'est donc en tout premier lieu une question de fait. Mais la détermination du domicile est souvent légale : c'est ainsi que le domicile d'un enfant mineur se trouve chez ses parents, ou chez son tuteur, ou chez celui de ses parents divorcés à qui il a été confié par le tribunal ; c'est ainsi encore que le domicile de la femme mariée est chez son mari, celui du majeur interdit chez son tuteur, celui des domestiques chez leur maître ; c'est ainsi enfin que le domicile des citoyens investis d'une fonction publique conférée à vie, comme c'est le cas des magistrats du siège ou des officiers ministériels, est rattaché au lieu où ils exercent leur fonction.

Si toute personne possède nécessairement un domicile, quelques-unes ont, en plus, une résidence, c'est-à-dire un endroit où elles séjournent sans que cet endroit soit le siège de leurs intérêts. En principe, tout établissement secondaire qui ne peut être considéré comme domicile vaut comme résidence. A défaut de domicile connu, la résidence est appelée à en produire tous les effets juridiques. Il ne faut d'ailleurs pas la confondre avec une simple habitation, par exemple la villa ou l'hôtel où l'on a passé quelques jours de vacances.

En dehors du domicile véritable, valable pour tous les actes de la vie juridique, la loi elle-même reconnaît des domiciles spéciaux, valables pour l'exercice de certains droits. Il en est ainsi du domicile matrimonial, qui détermine le lieu où le mariage peut être célébré ; il en est ainsi du domicile politique, où s'exercent les droits de vote

et qui est souvent distinct du domicile légal ; il en est
ainsi encore du domicile commercial, qui peut être distinct du domicile civil, comme c'est par exemple le cas
pour une femme mariée commerçante exerçant son négoce
ailleurs qu'au domicile de son mari ; il en est ainsi enfin
de quelques autres hypothèses : la principale reste ce
qu'on appelle le domicile élu, dont je dirai maintenant
l'originalité.

Au moment où une personne passe un contrat, elle
peut toujours élire un domicile et le noter dans l'acte.
Dès lors, elle sera réputée domiciliée à l'endroit choisi
pour toutes les contestations qui intéressent le contrat
intervenu. L'action en justice intentée par les cocontractants ne pourra avoir lieu que devant le tribunal du domicile élu, c'est-à-dire de la ville indiquée dans le contrat.
Mais l'élection de domicile peut être bien plus précise et
quelquefois obligatoire, notamment dans l'étude d'un notaire, d'un avoué ou d'un huissier. Cette élection de
domicile permettra de centraliser chez l'officier ministériel
toutes significations d'actes de procédure. L'élection de
domicile est une dérogation à la règle de l'unité, puisqu'elle permet d'avoir, à côté du domicile réel, un ou
plusieurs domiciles spéciaux.

Une dernière institution se rattache — par un fil ténu,
il est vrai — au domicile, c'est l'absence. L'absent, au sens
technique du terme, est une personne dont on ne sait si
elle est toujours en vie, car elle a quitté son domicile
depuis longtemps sans jamais donner de ses nouvelles.
Une règlementation très précise dans le détail et longue
dans sa réalisation a été organisée par le code pour
protéger les biens de l'absent dans l'espoir de son retour :
les lenteurs des transports, au temps où il n'existait pas
de chemins de fer et où la navigation se faisait à la
voile, justifiaient une espérance indéfinie.

Les événements de la dernière guerre ont montré que
cette procédure de l'absence était peu pratique, spécialement si les circonstances de l'absence rendaient à peu
près certain le décès de la personne disparue. La loi a
donc organisé à côté de l'absence une procédure particulière dont j'ai déjà parlé à propos des actes de décès
et dont le trait essentiel est l'idée que l'intéressé a disparu

dans des circonstances de nature à mettre sa vie en danger. Si l'absent est présumé vivant, le disparu est présumé mort.

V. — LES INCAPACITES DES MAJEURS

A la fin de mes considérations sur les droits de la personnalité, j'ai parlé des incapacités de jouissance et des incapacités d'exercice. Le moment est venu d'expliquer comment est organisée l'incapacité dans un certain nombre de cas où sa source est autre que la minorité. Je traiterai de la minorité au moment où j'examinerai le statut de la famille, dont le but est précisément de protéger et d'élever l'enfant et d'en faire un digne membre de la communauté nationale ; les autres incapacités sont d'ordre moins général, moins universel, puisqu'elles tiennent non pas à l'âge mais à une santé morale ou physique délabrée, quelquefois à une conduite antisociale déplorable.

Bien sûr, ces incapacités de majeurs que sont la folie, la faiblesse d'esprit, la prodigalité et les condamnations criminelles peuvent atteindre aussi des mineurs, mais, dans ces cas, le concours entre l'incapacité tenant à l'âge et celle tenant à une cause particulière sera réglé de telle manière que l'incapacité qui dessaisit l'incapable de ses droits l'emporte sur celle qui le soumet à une simple assistance. En principe, dans le cas du concours entre l'incapacité due à l'âge avec une autre, c'est la première qui l'emporte.

De la catégorie des majeurs incapables en raison de la diminution de leurs facultés mentales, il faut tout de suite détacher les condamnés à des peines criminelles, ce qui entraîne de plein droit l'interdiction légale du condamné pendant la durée de sa peine. L'interdiction légale est à la fois une peine accessoire et aussi une mesure de protection du condamné, qui ne peut évidemment mener une vie juridique normale.

A la différence de l'interdiction judiciaire, l'interdiction légale n'a pas à être prononcée par le juge, puisqu'elle est attachée automatiquement à l'exécution des condamnations criminelles afflictives et infamantes. L'interdit légal, tout en accomplissant librement les actes extrapatrimoniaux, ne peut pas administrer ses biens et, à plus forte raison, en disposer. Il ne peut exercer aucune action en justice et doit être représenté par son tuteur, dont les droits et pouvoirs sont organisés de la même manière que la tutelle de l'interdit judiciaire. Le tuteur est nommé par le conseil de famille, et toute la différence avec l'interdit judiciaire résulte de ce qu'il n'est possible de remettre à l'interdit légal aucune somme, de peur qu'il ne s'en serve pour améliorer son sort, alors que le but de la tutelle de l'interdit judiciaire est précisément de tout employer pour améliorer le sort du malade et pour accélérer sa guérison.

La condition juridique des aliénés est, elle, surtout caractérisée par l'interdiction judicaire. Le code dispose que le majeur qui est dans un état habituel d'imbécillité, de démence ou de fureur doit être interdit, même lorsque son état présente des intervalles lucides. Les personnes qui peuvent demander l'interdiction sont le conjoint, les parents et le ministère public.

La procédure de l'interdiction est compliquée. Elle se divise en deux phases : la première, non contradictoire, se déroule devant la chambre du conseil du tribunal, et la seconde, qui admet la discussion, se passe à l'audience publique. La fin de l'interdiction se produit normalement par la mort de l'interdit, sauf bien entendu si celui-ci a recouvré la raison. Dans ce cas, l'interdiction prend fin en vertu d'un jugement et la mainlevée est donnée.

Mais l'aliénation mentale peut donner lieu à l'internement, qui est obligatoire pour les aliénés furieux compromettant l'ordre public et la sécurité des personnes. L'internement se fait sur le vu d'un certificat médical et il peut être désigné au malade un administrateur provisoire aux biens ou un notaire pour le représenter aux inventaires, partages et liquidations, ou encore un curateur, qui veillera à ce qu'il soit rendu à la liberté aussitôt sa guérison acquise.

Peuvent également être placés dans des centres spéciaux de rééducation les alcooliques dangereux. Ceux-ci

font l'objet d'un placement judiciaire à la demande de
l'autorité sanitaire, qui procède au préalable à une enquête
approfondie sur la vie familiale, sociale et professionnelle
de l'alcoolique, ainsi qu'à son examen médical complet.
La commission médicale saisit le procureur de la République d'une requête de placement lorsque toute tentative
de persuasion et de guérison a échoué.

Dans un cas ou dans l'autre, le seul fait de l'internement ou du placement de l'aliéné ou de l'alcoolique dans
un établissement spécialisé entraîne des conséquences
juridiques sur la capacité de la personne et sur la gestion
de ses biens. L'intéressé est nécessairement soumis à la
garde de l'établissement, qui exerce une autorité générale
sous contrôle du curateur, s'il en a été nommé un. Les
actes faits par une personne durant son internement
pourront être attaqués pour cause de démence. Mais
l'assimilation à l'interdit n'est pas complète, puisque, si
les actes de l'interdit sont nuls de droit, ceux de l'interné
ou de l'alcoolique ne sont nuls que d'une nullité relative,
qui reste à la discrétion du juge.

Une dernière catégorie de majeurs incapables est
constituée par les faibles d'esprit et les prodigues, qui
seront, pour être protégés, pourvus d'un conseil judiciaire.

La faiblesse d'esprit, qui suppose le simple affaiblissement des facultés mentales, et la prodigalité, qui
consiste à faire des dépenses immodérées, sont toutes
deux tenues pour des incapacités d'exercice, auxquelles
on porte remède par la nomination d'un conseil judiciaire. Mais les causes de désignation de ce protecteur
sont très nombreuses, tant dans la catégorie de la faiblesse
d'esprit — à laquelle on assimile toutes infirmités physiques comme la surdité, l'ivrognerie, la vieillesse ou la
manie des procès — que dans la catégorie de la prodigalité — à laquelle on assimile toute dépense déraisonnable
qui ruine l'intéressé emporté par une passion quelconque,
dont le type est le jeu.

La procédure de désignation du conseil judiciaire est
la même que celle de l'interdiction. Le conseil judiciaire
est directement nommé par le tribunal, et révoqué par
lui de la même façon. Le tribunal est libre dans le choix

du conseil et, s'il désigne quelquefois un membre de la famille, il choisit souvent un officier ministériel. Ces fonctions, comme celles d'un tuteur, sont en principe gratuites, mais elles ne sont pas obligatoires, et le conseil judiciaire peut résilier ses attributions avec l'agrément du tribunal, qui nommera un remplaçant.

La nomination du conseil judiciaire interdira à la personne intéressée d'accomplir certains actes sans son assistance et notamment de plaider, de transiger, d'emprunter, de recevoir un capital mobilier, d'aliéner ses biens ou de les grever d'hypothèque.

L'incapacité des personnes pourvues d'un conseil judiciaire est perpétuelle, comme celle des aliénés. Elle peut prendre fin par l'interdiction de l'incapable si son état empire, ou par la mainlevée s'il s'améliore.

VI. — LES PERSONNES MORALES

C'est par respect pour la liberté individuelle de chacun qu'une loi de la Révolution, qui abolissait les corporations de l'Ancien régime, interdit aux particuliers de se grouper. Elle ne tenait toutefois pas compte du fait que le droit de se grouper pouvait être considéré comme un des droits de l'homme les plus fondamentaux. Sous la pression du progrès, cette barrière tomba assez vite, et, après la bouffée d'individualisme révolutionnaire, il devint licite aux citoyens de s'associer, soit pour rechercher ensemble des buts désintéressés, soit pour fonder en commun de fructueuses entreprises. Ce groupement de personnes physiques, dès qu'il acquiert une existence séparée de celle de ses constituants, ce qui est la marque même d'une destinée indépendante, ce groupement, dès qu'il est solidement organisé autour d'une idée, apanage des premiers participants et de ceux qui viendront s'y agglomérer par la suite, ce groupement, c'est une personne morale.

Elle est distincte des personnes physiques qui la composent, elle a ses propres buts, ses propres droits, ses propres qualités, elle naîtra, vivra et mourra à sa manière propre. On a considéré d'abord que la personnalité morale était une fiction juridique, mais on a vite abandonné

cette interprétation qui n'expliquait rien. Un anthropo-
morphisme absolu n'est qu'une excellente comparaison,
rien d'autre. C'est pourquoi on voit maintenant dans
la personnalité morale une véritable institution.

Je ne dirai rien ici des personnes morales de droit
public, dont nous parlerons plus tard, mais je classerai
pour plus de clarté toutes celles de droit privé.

D'abord, les sociétés. Leurs participants conviennent de
mettre quelque chose en commun en vue de partager le
bénéfice qui pourra en résulter — suivant la définition
du code. Elles peuvent être civiles, coopératives ou
commerciales. Ces dernières seront décrites avec quelque
détail lorsque nous aborderons la vie professionnelle.

A l'opposé, l'association est une mise en commun de
connaissances et d'activités dans un but autre que de
partager des bénéfices. Il a fallu attendre une loi du
début de ce siècle pour que soit reconnue la liberté de
l'association et pour que soit précisé son statut. L'association est valable par son existence même, sans faire
l'objet de la moindre déclaration. Elle peut aussi être
déclarée et publiée. Elle peut enfin être reconnue d'utilité
publique. Seules ces dernières sont habilitées à recevoir
des dons et legs.

Les syndicats sont des associations de personnes exerçant la même profession. Le principe de la liberté syndicale permet à ces groupements de se former librement,
à charge de déposer à la mairie leurs statuts et la liste
de leurs dirigeants. Leur capacité est très grande, bien
plus large que celle des associations ordinaires. Fondés
pour la défense des intérêts professionnels dans un pays
où la liberté du travail est considérée comme un des
droits essentiels de la personne humaine, les syndicats
acquièrent sans autorisation les biens meubles de
toute catégorie à titre gratuit comme à titre onéreux.
Leurs possibilités d'agir — ou, comme on le dit en style
du Palais, d'ester — en justice sont plus considérables que
celles des associations, leur droit de propriété est aussi
plus complet que celui des associations ordinaires,
puisque celles-ci ne peuvent posséder que des immeubles
indispensables à la réalisation du but qu'elles se proposent, au lieu que les syndicats ne sont bridés par

aucune restriction. Les syndicats se groupent à leur tour dans des unions, des fédérations et des confédérations.

Enfin, nous en aurons terminé avec l'énumération des catégories de personnes morales de droit privé lorsque nous aurons parlé des fondations. La fondation est l'affectation d'un bien, ou d'un ensemble de biens, ou d'une somme d'argent à une œuvre déterminée, généralement de bienfaisance. C'est, dans la plupart des cas, un don ou un legs sous condition d'affectation à telle œuvre déjà existante, et le fondateur peut charger quiconque de l'exécution de sa volonté. Il peut aussi désirer créer un établissement. Dans ce cas, il devra le faire reconnaître d'utilité publique et, cette reconnaissance obtenue, l'œuvre fera l'objet d'un décret en Conseil d'Etat.

La vie de la personne morale n'est pas sans ressemblance avec celle des individus. Sa naissance, c'est sa constitution, qui résulte d'un acte volontaire des membres qui la composent ou, dans certains cas, de la nécessaire intervention de la puissance publique. Elle a obligatoirement un nom, qui est un titre ou une raison sociale et qui, comme celui de la personne physique, sert à l'identifier. Ce nom fait l'objet d'une publication, qui est comme un véritable acte de l'état civil. Elle ne peut d'ailleurs en changer que sous certaines conditions.

La personne morale a aussi un domicile et une nationalité. Son domicile, lorsqu'il s'agit d'une personne morale de droit privé, est déterminé par ses fondateurs et peut être librement transféré. Il porte le nom de siège social. Elle peut avoir — ce qui correspondrait aux résidences secondaires — des succursales ou des agences, dont le rôle est important en procédure civile.

La personne morale a aussi une nationalité, qui — exception faite de celle des personnes morales de droit public — n'est pas toujours aisée à déterminer, car elle obéit à des critères différents selon les cas. Mais cette nationalité existe nécessairement, et elle est d'autant plus utile qu'elle indique quels seront les privilèges ou, au contraire, les servitudes de la personne morale.

Une fois née, nommée, située, inscrite, la personne morale vivra pour réaliser son objet. Car si l'homme vit pour la satisfaction de tous ses besoins matériels et

pour la réalisation de toutes ses entreprises morales,
sociales ou intellectuelles, la personne morale, elle, ne
peut poursuivre que ses buts statutaires, et toute modification des statuts doit être décidée par l'autorité même
qui a constitué le groupement.

Les personnes morales défendent leurs intérêts matériels
et moraux en justice, où elles sont représentées par leurs
dirigeants. Leur patrimoine bénéficie d'une pleine autonomie ; il n'a rien de commun avec celui des membres
qui constituent la personne morale. Un tiers créancier
de la personne morale ne pourra saisir les biens d'un
de ses membres et, réciproquement, la dette d'un particulier ne pourra mettre en danger le patrimoine de la
personne morale sous le simple prétexte que cet associé
en fait partie. De là une séparation très nette entre le
patrimoine des membres de la personne morale — et
plus particulièrement de ses dirigeants — et le patrimoine de la personne morale elle-même.

L'administration des groupements varie beaucoup, mais
presque partout on trouve deux rouages essentiels : les
assemblées générales, qui réunissent tous les membres
et prennent les décisions les plus importantes, et les
conseils restreints d'administrateurs ou de gérants, qui
dirigent effectivement le groupement. La personne morale
exerce enfin sur ses membres un pouvoir disciplinaire,
contrôlé, certes, par les autorités judiciaires, mais qui
est considérable puisqu'il peut aller jusqu'à l'exclusion.

Les grandes sociétés commerciales sont en général
fondées pour quatre-vingt-dix-neuf ans ; les associations
prévoient un terme à leur activité lors de la réalisation
complète de leur objet. Leur dissolution peut provenir,
en dehors de l'arrivée du terme extinctif, de la volonté
de leurs membres, de la volonté de l'Etat ou d'une décision de justice.

La personne morale disparue, ses biens restent sans
maître, et il y a lieu à liquidation de son patrimoine,
de même que pour les personnes physiques. La dévolution
du patrimoine des personnes morales se règle par des
procédés différents, allant du partage entre associés
jusqu'à l'attribution des biens à une autre personne
morale ou à l'Etat.

CHAPITRE II

LA FAMILLE

I. — LE MARIAGE

Le mariage, qui est l'union de l'homme et de la femme pour créer une famille, est une des institutions les plus anciennes de l'humanité, et le code n'avait nul besoin d'en donner la définition. Il précise d'abord les qualités et les conditions requises pour contracter mariage ; il indique ensuite les formalités relatives à la célébration, puis les oppositions, enfin les nullités. Je grouperai tous ces points d'après un système différent, et — suivant en cela la doctrine la plus moderne — j'examinerai les trois éléments du mariage : biologique, psychologique et sociologique.

Le premier élément est biologique. Il est entendu que le lien matrimonial ne peut se créer qu'entre personnes de sexe différent et qu'un minimum d'âge est requis des deux participants, l'âge de la puberté, qu'on considère comme atteint par le garçon à dix-huit ans, par la fille à quinze ans. Au-dessous de ces âges limites, le mariage est considéré comme formé entre impubères, et une dispense est nécessaire.

4

La célébration du mariage n'est possible que si, entre autres pièces indispensables, un certificat prénuptial est fourni à l'officier de l'état civil. Le certificat prénuptial est de création récente. Il est délivré après un examen médical des futurs époux destiné à éclairer chacun d'eux sur les maladies contagieuses ou héréditaires dont ils pourraient être atteints. Les fiancés sont examinés séparément, le choix du médecin est libre et le secret absolu garantit la consultation. Le certificat prénuptial consiste dans la simple affirmation médicale que l'examen en vue du mariage a eu lieu. Il en résulte que les fiancés peuvent parfaitement ne point se communiquer les résultats de la consultation ; la loi ne prévoit aucune publicité ni aucun empêchement. Elle fait seulement un appel implicite à la conscience du futur époux pour qu'il s'abstienne de contracter mariage s'il risque de mettre en danger les membres de la famille qu'il désire fonder.

L'élément psychologique du mariage, c'est la volonté des époux. Il n'y a pas de mariage lorsqu'il n'y a point de consentement. Le consentement doit être libre et éclairé, et la volonté de contracter mariage exempte de vices. C'est ainsi que les futurs époux doivent être personnellement désireux de se marier : la volonté des familles ne serait pas suffisante, même s'il s'agissait de mineurs. C'est ainsi encore qu'un interdit ou un interné pourrait se marier pendant un intervalle lucide. C'est ainsi enfin qu'aucun vice du consentement ne doit entacher la volonté librement exprimée, notamment l'erreur ou la violence. Mais il faut remarquer que seule l'erreur dans la personne est reconnue, non l'erreur sur les qualités personnelles, et que la violence ne s'étend pas à la crainte révérentielle qu'inspirent les parents. Il faut aussi remarquer que le dol n'existe pas en cette matière car, suivant le vieil adage de sagesse coutumière, « en mariage, trompe qui peut ».

A propos de mariage du mineur, disons que le consentement des parents est indispensable, et que le mariage peut être empêché jusqu'à la majorité par ceux qui exercent sur l'enfant la puissance paternelle. Il faut remarquer que tout dissentiment entre les personnes qui ont qualité pour consentir au mariage vaut consentement.

Si les parents au premier degré sont morts, ce sont les grands-parents qui donneront leur autorisation, et sinon, le conseil de famille.

Le troisième et le dernier élément de l'établissement du lien conjugal est l'élément sociologique, qui comprend essentiellement les interdits matrimoniaux et les rites du mariage.

La loi interdit tout d'abord la bigamie simultanée. On ne peut, dit-elle, contracter un second mariage avant la dissolution du premier. Mais un mariage étant dissous par la mort du conjoint ou par le divorce, une autre union pourra être contractée dans certaines conditions que voici : en cas de divorce, on ne pourra pas se remarier avec son beau-frère ou sa belle-sœur ; la femme devra respecter un délai de viduité de trois cents jours après la mort du premier conjoint ou après l'ordonnance de non-conciliation faisant cesser la cohabitation. Ce délai est celui des grossesses les plus longues et la mesure est destinée à empêcher que l'enfant issu du second mariage puisse, par le jeu des présomptions, être attribué à l'ancien mari.

La loi prohibe, d'une part, d'une manière absolue, le mariage entre proches parents en ligne directe et entre frères et sœurs, et d'autre part, d'une façon relative, la dispense étant alors nécessaire, entre oncles et nièces, tantes et neveux.

Les rites du mariage, matérialisés par la participation de l'officier de l'état civil à la cérémonie de l'établissement du lien conjugal, sont essentiellement d'ordre social. Une formalité préparatoire, la publication du mariage, est indispensable. Elle prévient de l'institution prochaine d'une nouvelle famille et provoque ainsi les oppositions au mariage si elles doivent se produire. La publicité se fait par une affiche apposée pendant dix jours à la porte de la mairie, mais le procureur de la République peut accorder des dispenses de publication.

Des pièces devront être fournies, qui sont les suivantes : acte de naissance datant de trois mois au plus et, à défaut, acte de notoriété, justification du consentement ou autorisation hiérarchique pour le militaire s'il y a lieu, certificat de publication, celui d'examen prénuptial et éventuellement un certificat du notaire, si un contrat de mariage a été passé.

Le mariage est ensuite célébré publiquement, le jour désigné par les parties, à la mairie du domicile de l'un d'entre eux. C'est le maire de la commune qui, en présence de deux témoins, parents ou non des fiancés, lira les textes légaux, recueillera leur consentement pur et non conditionnel après les avoir interpellés et enfin prononcera solennellement au nom de la loi qu'ils sont unis par le mariage.

La preuve du mariage résultera de l'acte d'état civil que le magistrat municipal dresse aussitôt après la cérémonie en faisant signer aux époux leur livret de famille. L'acte de mariage contient les énonciations habituelles des actes de l'état civil ; il est signé par l'officier de l'état civil, par les époux, par les témoins et éventuellement par les parents.

Le premier texte dont la loi impose la lecture au maire qui procède à la célébration du mariage dispose que les époux se doivent mutuellement fidélité, secours, assistance. Le choix par le mari de la résidence de la nouvelle famille ajoute à ces devoirs celui de la cohabitation. Ces obligations sont réciproques. Elles se passent de longs commentaires. Au reste, c'est en décrivant le divorce que je ferai mieux comprendre toute la valeur des règles posées par le code. Il faut dire cependant qu'aucun pacte de séparation amiable n'est admissible, mais aussi qu'aucune possibilité matérielle n'est mise à la disposition des époux pour faire exécuter de force cette obligation d'ordre très personnel. L'infidélité est un délit et c'est aussi une cause péremptoire de divorce ; mais le contour du délit n'est pas exactement le même suivant qu'il est perpétré par le mari ou par la femme.

L'assistance et le secours sont deux notions voisines mais, en cette matière, très différentes. L'assistance est le devoir d'aide et de soins. Ce sont des notions très générales, au contexte essentiellement humain. L'aide est une aide matérielle dans le travail, dans la peine, dans les ennuis et les difficultés de la vie, c'est la manifestation de cet amour conjugal fondé sur la patience réciproque et sur une quotidienne tendresse. Les soins s'entendent dans le même sens et se rapportent aux infirmités ou aux maladies qui peuvent frapper l'un des époux.

Le devoir de secours dans le ménage est une obligation d'ordre pécuniaire. Ce devoir de secours peut être précisé par le régime matrimonial, et je décrirai dans la division suivante les divers régimes que peuvent adopter les futurs époux. Mais, indépendamment de tout régime, les règles de secours sont impératives. C'est, à la vérité, l'obligation alimentaire telle que nous l'avons définie en parlant des droits de la personnalité. Mais, au moment où se poursuit la vie commune, on voit difficilement le devoir de secours sous la forme de l'obligation alimentaire exactement semblable à celle qui existe entre personnes n'habitant pas sous le même toit. Ce devoir est en réalité la vie quotidienne même, au cours de laquelle les époux prélèvent sur leurs gains ce qui est nécessaire pour vivre, entretenir leur ménage et nourrir leurs enfants. La loi prescrit que les époux contribuent aux charges du ménage en proportion de leurs facultés respectives. Mais elle prévoit tout de même — comme la contrepartie à la dignité du mari, qui reste le chef de la famille — que l'obligation à ces charges pèse à titre principal sur lui, qui est obligé de fournir à sa femme tout ce qui est nécessaire pour les besoins de la vie selon ses facultés et son état.

C'est surtout lorsqu'il y a séparation de fait ou instance en divorce que ce devoir de secours ressemblera à l'obligation alimentaire type, avec possibilité de saisie-arrêt sur les appointements ou salaires du conjoint et même — s'il y a jugement et abandon de famille — avec possibilité de poursuites pénales.

Tels sont les effets généraux du mariage. J'ai déjà dit comment a été abolie l'incapacité de la femme mariée et expliqué son statut actuel.

II. — LES REGIMES MATRIMONIAUX

Qu'un contrat de mariage ait ou non précédé l'union, les relations pécuniaires des époux entre eux et avec les tiers seront toujours soumises à un régime matrimonial, soit en vertu du contrat, dans quel cas un vaste choix s'ouvre devant les intéressés, soit en vertu de la loi, qui a institué comme régime légal celui de la communauté des meubles et acquêts. C'est le régime choisi ou imposé qui gouvernera la société des époux jusqu'à la dissolution du mariage.

Mais si la liberté du choix des futurs époux est absolue, si même il est parfaitement admis de grouper dans un contrat de mariage les clauses de divers régimes tels qu'ils sont décrits par le code, une fois le mariage célébré, aucune modification du régime matrimonial ne pourra plus avoir lieu. L'idée directrice de cette interdiction est le respect des intérêts des tiers. L'acte de mariage porte l'indication du régime matrimonial qui régit l'union, et les tiers pourront contracter avec les époux en toute connaissance de cause et sans craindre une méchante surprise.

L'institution du régime matrimonial est donc placée en France sous le double principe de l'immutabilité de la convention et de la liberté du choix. On se rappellera aussi que la grande majorité des ménages sont régis par le régime légal, celui qui est le leur à défaut de toute convention, celui de la communauté. C'est ce régime que je décrirai en premier lieu.

Le régime légal de la communauté des meubles et acquêts est le type même de la société entre époux, et il faut reconnaître qu'il a rendu d'incontestables services, surtout au temps de l'incapacité de la femme mariée.

L'actif de la communauté englobe dans le régime légal l'ensemble du mobilier appartenant aux époux au jour de leur mariage, y compris leurs créances, les meubles meublants, les valeurs mobilières, les fonds de commerce et même les offices ministériels, ainsi que l'ensemble des biens mobiliers qui adviennent aux époux durant la vie commune, tant par succession que par donation. Tombent également en communauté les revenus et fruits des biens propres, c'est-à-dire des immeubles possédés par les époux avant le mariage. Enfin, la communauté s'enrichit de tous les conquêts, mot technique qui signifie tous les gains réalisés par les époux, même s'ils ont servi à acheter des immeubles qui, dès lors, appartiennent à la communauté.

A l'actif de la communauté ainsi précisé correspond un passif, qui englobe d'abord toutes les dettes mobilières antérieures au mariage ; ensuite les dettes afférentes à l'actif mobilier des successions et donations dont l'un des époux bénéficie durant le mariage ; enfin les dettes des époux engageant la communauté, nées en la personne de l'époux durant le mariage, ou en la personne de la femme avec le consentement du mari.

Ainsi schématisé, le régime matrimonial type peut être largement amendé par certaines clauses du contrat de mariage, qui retranchent ou ajoutent telles particularités qui conviennent aux futurs époux ou à leurs familles. C'est ainsi qu'un contrat de mariage très répandu est celui de la communauté réduite aux acquêts : la communauté légale subsistera à peu près complètement, mais le mobilier ne tombera pas en communauté. Celle-ci ne sera donc alimentée que par les acquêts, c'est-à-dire par tout ce qui adviendra à titre onéreux aux époux au cours de leur vie matrimoniale. A l'opposé se trouve le régime de communauté universelle ; par ce contrat, les futurs époux étendront la masse commune aux immeubles et généralement à tous leurs biens qui, dès lors, sans aucune exception, seront réputés communs.

C'est le mari qui administre la communauté dont il est le chef, comme il est le chef de la famille. Il accomplira tous les actes à titre onéreux sans avoir besoin de consulter sa femme ; ce n'est que pour les donations que le consentement de l'épouse sera nécessaire. C'est lui aussi qui administre les biens propres de sa femme, puisque c'est la communauté qui bénéficie des fruits et des revenus des propres des époux.

Cependant, l'hypothèque légale de la femme mariée dont nous parlerons plus loin grève assez lourdement le droit de disposition du mari, de même que le mandat domestique, qui permet à l'épouse de disposer des biens communs pour les besoins du ménage, de même encore que la possibilité toujours ouverte à la femme de se faire habiliter par justice pour représenter son mari. Enfin, si l'administration de la communauté est vraiment défectueuse et si le désordre des affaires du mari met gravement en péril les intérêts pécuniaires de l'épouse, elle pourra demander la séparation de biens qui, sous certaines conditions, mettra fin au régime, sans rompre, bien entendu, le lien conjugal.

Le régime matrimonial s'éteint par la dissolution du mariage provoquée par le décès de l'un des époux ou par le divorce. Mais la communauté peut disparaître tout en laissant subsister le mariage, par la séparation de corps ou, comme je viens de le dire, par la séparation de biens. Dans tous ces cas, à la dissolution de la communauté, la femme possède une précieuse prérogative, contrepartie des pouvoirs d'administration du mari : c'est son droit d'option, qui s'apparente à l'option du successible. Elle peut tout d'abord renoncer à la communauté et échapper ainsi aux conséquences d'une gestion imprudente ou incompétente de son mari : elle ne sera pas tenue des dettes de la communauté. Elle peut accepter avec le bénéfice d'émolument, c'est-à-dire n'être tenue du passif que jusqu'à concurrence de l'actif qu'elle recueillera dans la communauté. Pour avoir droit à cette acceptation particulière et très favorable à ses intérêts, elle doit avoir fait inventaire. Elle peut enfin accepter purement et simplement. Disons qu'en matière de dissolution de la communauté après divorce ou séparation de corps, la femme est présumée avoir renoncé si dans le délai légal, qui est de trois mois et quarante jours, elle n'a pas accepté.

En cas d'acceptation, la communauté sera liquidée et partagée. Sa liquidation sera l'établissement par le notaire d'une sorte de bilan, dont la composition sera très précise, car il faudra déterminer tous les biens qui entreront en compte et indiquer leur valeur. Au préalable sera fait le règlement des reprises, c'est-à-dire l'opération qui consiste pour les époux à retirer leurs biens propres de la masse des biens ; ensuite le notaire procédera au règlement des récompenses, c'est-à-dire à l'inscription à l'actif de la communauté des sommes ayant profité personnellement à l'un ou à l'autre époux. Des prélèvements auront lieu si l'époux est à la fois créancier de reprises et débiteur de récompenses et si le solde est créditeur.

Ces opérations terminées, le partage se fera conformé-

ment aux règles du partage successoral et en principe par
moitié. Cependant sur ce point encore, le régime matrimonial adopté peut être différent du régime légal. Ainsi,
il peut y avoir stipulation de parts inégales ou encore
attribution au conjoint survivant de la totalité de l'actif ;
on voit également dans la pratique une fréquente utilisation de la clause de préciput, qui accorde à l'un des
époux le droit de prélever, généralement au décès de son
conjoint et avant tout partage, certains objets communs
ou des espèces.

En dehors des régimes matrimoniaux de type com-
munautaire, comme le régime légal et ses homologues, le
code a institué des régimes de type séparatiste, dont le
plus représentatif et le plus usuel est la séparation de
biens, qui consiste en ce que chacun des époux, au cours
du mariage, conserve la propriété et la jouissance de son
patrimoine personnel et le gère personnellement. Cependant, cette séparation, qui est en tous points semblable à
celle judiciairement obtenue par la femme en cas de di-
lapidation de son patrimoine par le mari, doit se combiner
avec la communauté de vie. Il existe donc entre époux une
société conjugale élémentaire, dans laquelle se groupent
les ressources de l'un et de l'autre afin de subvenir aux
charges du ménage. La contribution est fixée par le contrat de mariage ou, à défaut, celle de la femme s'établit
en proportion de ses facultés. Il n'existe évidemment pas
d'acquêts dans ce régime, chacun des époux conservant
sa fortune et ses gains. La séparation des biens protège
les créanciers du ménage et présente pour les époux des
garanties de respect mutuel dans l'équité parfaite.

Dans un autre régime séparatiste, peu pratiqué en
France parce que peu connu, régime sans communauté,
la femme garde la propriété de ses biens, mais c'est le
mari qui administre l'ensemble des biens de la femme et
en a la jouissance à titre personnel.

A l'opposé de la liberté et des facilités offertes par le
régime de la séparation, on découvre, parmi les régimes
séparatistes, la stricte réglementation du régime dotal.
Son caractère principal est de comporter dans les biens
apportés par la femme une tranche composée de biens
appelés dotaux, qui sont inaliénables, imprescriptibles

et insaisissables, par conséquent assurés de la pleine protection de la loi. Les autres biens de la femme sont dits paraphernaux, et sont librement administrés par elle. Ce régime, autrefois prospère, n'a pas résisté aux soubresauts économiques que ce siècle a connus et il est aujourd'hui en voie de disparition.

III. — LE DIVORCE

Le lien matrimonial est tout d'abord dissous par la mort de l'un des époux. Le mariage peut aussi être annulé pour un certain nombre de raisons déjà exposées : défaut de consentement, impuberté, bigamie, inceste, clandestinité de la célébration ou incompétence territoriale de l'officier de l'état civil ; une nullité relative peut être encourue pour absence du consentement en cas d'erreur ou de violence.

Notons qu'en cas de nullité du mariage, la bonne foi peut sauver les parties, et surtout leurs descendants, d'une annulation dont les effets doivent normalement remonter au jour du mariage. Si les parties ont réellement considéré que leur union était valable ou si même un seul époux était de bonne foi, toute la période s'étendant de la célébration du mariage à l'annulation sera rétroactivement validée et la nullité ne vaudra que pour l'avenir. La période validée pourra donc être considérée comme étant celle d'un mariage imaginaire qui portera le nom de mariage putatif. C'est par cet artifice que, par exemple, les enfants issus d'un mariage putatif continueront à bénéficier de la légitimité.

Les annulations du mariage sont devenues très rares depuis l'institution du divorce, qui est aujourd'hui la façon la plus simple de rompre le lien conjugal. Mais on ne divorce pas comme on se marie, et il ne suffit point de se prévaloir d'un dissentiment mutuel pour mettre fin à l'institution qui s'est créée par l'établissement du lien conjugal. Le droit français ne connaît plus le divorce par consentement mutuel qui a existé durant la période intermédiaire.

En droit positif actuel le divorce est la sanction d'une faute grave commise par l'un des époux vis-à-vis de l'autre, et cette sanction ne peut être prononcée que par jugement. Il est deux causes péremptoires du divorce : l'adultère et la condamnation criminelle du conjoint. La démonstration de l'un de ces faits entraîne pour le juge l'obligation de prononcer la sanction. Une troisième cause de divorce est constituée par les excès, sévices et injures, mais le pouvoir d'appréciation du juge est ici absolu, alors surtout que la loi précise que ces faits doivent constituer une violation grave et renouvelée des devoirs et obligations résultant du mariage et rendre intolérable le maintien du lien conjugal.

Il y a peu de choses à dire sur l'adultère, qui est un délit dont la preuve peut être faite par tous les moyens, et sur la condamnation criminelle qui flétrit l'un des conjoints et par conséquent atteint l'autre dans son honneur. Notons simplement que toute peine correctionnelle encourue par l'un des époux, étant une flétrissure pour l'autre, sera une valable cause de divorce : elle ne sera cependant qu'une injure grave, c'est-à-dire facultative, alors qu'une condamnation afflictive et infamante est une cause péremptoire.

Les excès et sévices sont les mauvais traitements corporels infligés par un époux à l'autre. La loi sous-entend les coups et autres violences effectives et évidemment volontaires. L'injure grave est une attitude indigne, et comprend toutes les paroles, tous les actes, tous les faits contraires à l'amour conjugal, odieux à la dignité du mariage, insupportables à l'honneur ou à la tranquillité du conjoint, tous les gestes outrageants, toutes les expressions de mépris et tous les termes offensants qu'un époux peut esquisser ou proférer à l'endroit de l'autre. Mais, par extension, l'injure grave est aussi la violation des devoirs du mariage ; de la fidélité évidemment, du devoir de cohabitation, de l'obligation de secours et d'assistance ; c'est aussi une conduite inadmissible, l'intempérance, l'attitude incorrecte avec un tiers et bien d'autres situations encore, impossibles à classer et à cataloguer.

Le droit d'agir en divorce est une prérogative de l'époux seul, à l'exception de tout tiers. Une fois la demande formulée, s'il y a des torts réciproques, l'autre conjoint peut, à son tour, demander le divorce. Mais il sera dispensé d'introduire une véritable action et il formulera ses griefs par voie de simples conclusions, greffant ainsi son propre procès sur celui du conjoint qui a ouvert les hostilités. Il agira donc par voie reconventionnelle. Rien n'empêche, à l'opposé, que, loin de demander reconventionnellement le divorce, l'époux contre qui une action a été introduite se défende purement et simplement, prétendant maintenir le lien conjugal. Il peut alors opposer des fins de non recevoir pour faire écarter la demande. Il faut noter que la principale fin de non recevoir est la réconciliation des époux. La réconciliation empêche l'introduction de la procédure et fait annuler une procédure commencée. Mais encore que le pardon obtenu ait effacé les injures antérieures, elles revivront si l'époux pardonné retombe dans ses torts. Une procédure ultérieure pourra donc utiliser non seulement les nouveaux griefs, mais aussi les anciens.

La procédure se déroule devant les tribunaux de grande instance, seuls compétents en cette matière d'ordre public. La demande s'introduit par voie de requête sollicitant l'autorisation d'assigner. Cette requête contient l'énoncé des faits qui sont reprochés à l'époux coupable et elle est présentée au président du tribunal par le demandeur en personne. Ce magistrat fait alors au requérant les observations qu'il croit convenables, ce qui constitue une première tentative de conciliation. La seconde a lieu durant le préliminaire de conciliation, après que l'époux contre lequel l'action est poursuivie a été dûment cité à comparaître.

Le magistrat peut ajourner la demande, sauf s'il existe une cause péremptoire de divorce, mais l'ajournement ne peut en aucun cas dépasser un an. Il n'est pas inutile de dire que l'ajournement est prononcé seulement dans l'hypothèse où une reprise de la vie conjugale apparaît comme probable et même comme certaine. Mais, d'une manière générale, le magistrat délivre le permis de citer en rendant une ordonnance de non conciliation, qui statuera sur toutes les mesures provisoires qui règleront durant l'instance la vie des époux désunis. L'importance de cette ordonnance est considérable, et souvent l'issue du procès dépendra de ce préliminaire.

L'objet des mesures provisoires est de déterminer la résidence des époux, de préciser leur entretien et surtout de statuer sur la garde des enfants et sur le droit de visite de l'époux qui n'aura pas obtenu cette garde. La séparation de résidence produit des effets importants : c'est à dater de cette séparation par exemple que court le délai de viduité. La pension alimentaire sera également prescrite en cas de besoin. L'obligation alimentaire cesse d'être ce devoir diffus et quotidien que j'ai déjà décrit : il devient urgent de fixer d'une manière précise la contribution des époux à l'entretien des enfants, et aussi le devoir de secours de l'un vis-à-vis de l'autre. Enfin la garde juridique des enfants sera déterminée en considération de leur seul intérêt : de leur âge, de la moralité de tel ou tel parent, des possibilités matérielles des époux séparés, des garanties que présente leur père ou leur mère comme éducateur. Le juge statuera sur pièces et sur les affirmations des parents.

La procédure elle-même diffère quelque peu du déroulement classique du procès civil tel que j'en dirai les péripéties dans la partie de ce livre consacrée à la vie judiciaire. C'est qu'il ne s'agit pas d'un procès ordinaire, mais d'une instance de caractère spécial, qui se déroule en chambre du conseil, admet la possibilité d'un sursis, qui correspond à un ajournement de la décision, et enfin s'accommode d'un genre de preuves assez inhabituel. Ainsi certains moyens de preuve sont interdits, comme par exemple l'aveu, car celui-ci pourrait conduire au divorce par consentement mutuel dont nous savons qu'il est prohibé. D'autres preuves, interdites par le droit commun, sont, au contraire, acceptées ici, comme par exemple le témoignage sous la foi du serment des plus proches parents et des alliés. Seuls les descendants ne sont jamais admis à déposer.

Les documents établissant les causes péremptoires produits, les faits d'injures graves prouvés, le jugement est rendu en audience publique et peut alors être frappé d'ap-

pel. L'appel est suspensif, de même que le pourvoi en cassation, ce qui veut dire que, tant que la décision accordant le divorce n'est pas devenue définitive, le mariage
subsiste.

Une fois la décision devenue définitive, elle est publiée,
les tiers ayant intérêt à connaître ce changement capital
dans l'état des anciens époux, puis mentionnée sur les
registres de l'état civil.

Les effets du divorce se rattachent à deux idées directrices. La première découle de l'état de fait nouveau qui
est créé par la décision, c'est l'indépendance totale des
époux divorcés, qui deviennent étrangers l'un à l'autre ;
la seconde découle du concept de sanction conduit à ses
dernières limites. Puisque notre droit ne connaît que
le divorce-sanction, l'époux coupable, c'est-à-dire celui
contre qui le divorce a été prononcé, a commis nécessairement une faute, dont il doit réparation à son ex-con-
joint. Les tribunaux le condamnent fréquemment à cette
réparation qui peut être une pension alimentaire et qui
souvent est une condamnation à des dommages et intérêts. En outre l'époux coupable perd les avantages matrimoniaux qui ont pu être précisés dans le contrat de
mariage, spécialement les donations faites avant ou
durant le mariage.

Aux sanctions se rattache aussi un problème essentiel :
la détermination de l'époux qui conservera la garde des
enfants. Le principe est que la garde suit le profit du divorce. Seul l'époux innocent est digne d'élever les enfants.
Mais ce principe est aujourd'hui battu en brèche par
l'idée que tout doit passer après l'intérêt bien compris
des enfants. C'est ainsi qu'on ne séparera pas les tout-
petits enfants de leur mère, même adultère, c'est ainsi
que, souvent, le juge retirera la garde aux deux prota-
gonistes pour la confier à un tiers, ou la laissera à l'un
des époux, à charge par lui de placer les enfants dans
tel établissement ou chez telles personnes, les grands-
parents par exemple.

Il est bien certain que toutes ces déchéances et sanctions ne jouent que lorsque le divorce est prononcé au
profit de l'un des époux et aux torts et griefs de l'autre.
Par un jugement de divorce aux torts réciproques, la

justice se rétablit d'elle-même et aux dépens des deux. Personne n'a droit dès lors à la pension alimentaire ni aux dommages et intérêts ; tous deux perdent aussi les avantages matrimoniaux.

Je ne puis terminer la question du divorce sans parler de la séparation de corps, qui est un relâchement du lien matrimonial de deux époux dispensés par jugement de l'obligation de cohabiter. Les causes de la séparation sont identiques à celles du divorce, mais l'option entre le divorce et la séparation appartient au demandeur seul. De là découle un effet curieux de la demande reconventionnelle qui, lorsqu'elle tend au prononcé du divorce, ne peut être greffée sur une demande en séparation de corps. Une fois la séparation prononcée, le lien matrimonial n'est pas rompu, mais simplement distendu. Il n'y a plus de cohabitation, ni de domicile commun, mais les époux séparés de corps sont toujours des époux, le devoir de fidélité subsiste et le remariage est impossible. Le régime matrimonial des époux est remplacé par la séparation de biens, qui se produit de plein droit, et une pension alimentaire peut être prescrite comme dans le cas du divorce. Les déchéances qui atteignent l'époux coupable dans le divorce l'atteindront de la même façon en cas de séparation de corps, et il pourra être condamné à des dommages et intérêts.

La séparation de corps s'achève par la réconciliation ou par la conversion en divorce. Celle-ci peut être demandée par l'un des deux époux, qu'il soit coupable ou innocent, à l'expiration d'un délai de trois ans à compter du jour où la décision est devenue définitive. Le prononcé du divorce est alors une simple formalité obligatoire pour le juge.

IV. — LA FILIATION LEGITIME ET L'ADOPTION

L'enfant conçu pendant le mariage a pour père le mari. Par faveur pour la légitimité, le législateur a étendu aux enfants conçus hors mariage le bénéfice de la présomption, à condition toutefois que l'enfant soit né après la célébration du mariage. Mais l'enfant né avant le cent quatre-vingtième jour du mariage pourra être désavoué par simple dénégation du mari. Quant à la présomption de légitimité qui couvre un enfant né plus de trois cents jours après la dissolution du mariage et inscrit sous le nom de l'ancien mari, elle tombera avec grande facilité par une action en contestation de légitimité introduite par tout intéressé.

Dans toutes les autres circonstances, l'enfant né durant le mariage est protégé par la présomption de paternité du mari. Cette présomption possède une force considérable, qui cependant cède dans deux cas. D'abord, si l'enfant a été conçu durant l'état d'absence du mari, hypothèse rare comme celle de l'absence elle-même. Ensuite, si l'enfant a été conçu pendant une période où les époux étaient dispensés par le tribunal du devoir de cohabitation : séparation de corps ou ordonnance de non conciliation prescrivant la séparation des résidences durant une instance en divorce. La présomption de paternité est alors précaire et tombera devant une action en désaveu sur simple dénégation. Mais dans toutes ces circonstances, le recours à la justice est indispensable.

Il existe d'autres hypothèses où la procédure du désaveu est possible. C'est le cas où le mari doit démontrer sa non paternité. La procédure est alors rendue plus difficile et le désaveu enfermé dans un réseau de règles strictes et de causes bien déterminées, hors desquelles aucune action ne sera recevable.

C'est d'abord, bien sûr, l'impossibilité physique de cohabitation pendant tout l'intervalle de temps où la conception de l'enfant a pu avoir lieu. C'est ensuite, et surtout, le recel de naissance. Le législateur a pensé que si la femme cherche à dissimuler à son mari la naissance de l'enfant, ce n'est pas sans d'impérieuses raisons. Cet aveu implicite d'adultère ouvre alors au mari le droit de prouver sa non paternité sans aucune restriction dans le mode de preuve : par exemple, l'impossibilité morale de cohabiter, la mésentente conjugale, le résultat négatif d'une analyse des sangs, la ressemblance de l'enfant avec un tiers ou toute autre circonstance analogue.

Si la présomption de paternité est considérée comme un devoir ou une obligation vis-à-vis du mari, elle constitue pour lui en même temps un droit qui s'impose au respect des tiers. Ceux-ci ne peuvent pas faire tomber la présomption et ne peuvent pas non plus attaquer l'attitude du père qui n'entend pas exercer l'action discrétionnaire du désaveu. Ce droit va si loin que le mari peut même faire rétablir une présomption méconnue, par exemple si l'enfant a été inscrit sous de faux noms ou sans indication de la mère. La revendication de paternité sera possible, en ce sens que le mari de la femme accouchée aura le droit de demander en justice que l'enfant présentement non rattaché à sa mère soit déclaré né de celle-ci durant le mariage et par conséquent engendré par lui-même.

Il existe des preuves de la filiation légitime en dehors de tout procès. Elles sont au nombre de deux : le titre et la possession d'état. Le titre pour l'enfant légitime est l'acte de naissance, c'est-à-dire l'acte d'état civil contenant l'indication de sa filiation légitime ou même simplement l'indication du nom de la mère, car dans ce cas la filiation légitime est établie par rapport au mari. La possession d'état d'enfant légitime est la situation de l'enfant qui passe publiquement pour avoir la qualité d'enfant légitime et qui est traité comme tel par ses parents.

Si donc le titre et la possession d'état sont conformes, la légitimité de l'enfant est démontrée. Si le titre et la possession d'état sont en contradiction, par exemple lorsque la possession d'état indique une certaine famille et le titre un autre rattachement, c'est le titre qui sera préféré, sauf pour l'enfant à contester la filiation conférée par le titre et à agir en justice pour faire constater la filiation qu'il prétend sienne.

Mais les preuves de la filiation légitime peuvent être d'ordre contentieux lorsqu'il s'agit de la réclamation et de la contestation d'état.

Dans la réclamation d'état, il s'agit de la preuve d'un fait, et il semble que la preuve par témoins devrait être largement admise. Il n'en est cependant pas ainsi. La loi n'a pas cru devoir accepter si facilement la démonstration de la filiation, car la valeur des intérêts en jeu, tant

moraux que matériels, peut être considérable et le danger
de subornation des témoins est à redouter. Aussi la preuve
testimoniale ne pourra-t-elle être rapportée que lorsqu'il
existera déjà un commencement de preuve sous la forme
d'un écrit, qui n'émane pas nécessairement du défendeur
— ou même des présomptions ou indices sérieux. En
revanche, la loi admet que la preuve contraire peut être
administrée par tous les moyens qui établiront soit que
le réclamant n'est pas l'enfant de la mère dont il se
prétend issu, soit, si la maternité est démontrée, qu'il
n'est pas l'enfant du mari de la mère.

La contestation d'état est ouverte dans tous les cas
où l'état de l'enfant n'est pas protégé par la conformité
entre le titre et la possession d'état et, différence essentielle avec la réclamation, elle est ouverte à tous les
intéressés, que l'intérêt soit purement moral ou pécuniaire.

L'adoption, qui peut être assimilée à la légitimité, crée
entre deux personnes des liens semblables à ceux qui
résultent de la filiation légitime. Cette institution, destinée à procurer à ceux qui n'ont pas de postérité une famille en quelque sorte d'imitation, a été très répandue dans
les anciennes civilisations et plus spécialement à Rome.
L'éclipse a été longue. Ce n'est que le droit intermédiaire
et le code civil qui ont rétabli l'adoption, d'ailleurs
maladroitement, puisque celle des adultes seule était
rendue possible.

D'importantes lois de ce siècle ont radicalement transformé les principes de l'adoption, spécialement par son
extension aux mineurs et par l'institution d'une très
remarquable variété de l'adoption, appelée légitimation
adoptive, qui est aujourd'hui en plein essor. La guerre
et ses séquelles y ont largement contribué, de même que
le sentiment de solidarité humaine qui se développe dans
les sociétés modernes.

Les conditions de l'adoption sont très simples. L'adoptant doit avoir en principe quarante ans au moins, l'âge
de l'adopté étant indifférent, si ce n'est qu'il doit être de
quinze ans au moins plus jeune que son futur parent
adoptif. Une ordonnance de 1958 favorable à l'adoption
a permis qu'elle soit demandée conjointement par deux
époux dont l'un au moins est âgé de plus de trente ans

s'ils sont mariés depuis plus de huit ans. De même, aucune condition d'âge n'est indispensable s'il est médicalement établi que la femme est dans l'impossibilité absolue et définitive de donner naissance à un enfant.

Si l'absence de descendants légitimes est une condition essentielle en ce qui concerne l'adoptant, puisque le but de la loi a été de former une postérité artificielle, l'adopté peut avoir une famille légitime ou naturelle ; rien ne s'oppose non plus à ce qu'il soit lui-même un descendant naturel de l'adoptant. Mais, évidemment, l'adopté ne doit pas avoir déjà fait l'objet d'une autre adoption, si ce n'est par le conjoint de l'adoptant.

Autrefois, la procédure de l'adoption se déroulait en deux phases : d'abord un contrat en forme solennelle et ensuite une homologation de celui-ci par le tribunal civil. C'est aujourd'hui un jugement du tribunal de grande instance qui décide de l'adoption.

Mais les effets de l'adoption ne seront jamais comparables à ceux d'une véritable filiation. En premier lieu, l'adoption n'est ni rétroactive, ni irrévocable. Elle n'a pas d'effets rétroactifs en ce sens que la vie de l'enfant adoptif reste coupée en deux parties, dont la première appartient nécessairement et totalement à son ancienne famille. En second lieu, l'adoption peut être révoquée pour motifs graves, dont l'appréciation est laissée à la prudence du magistrat, et dont le principal est l'ingratitude de l'adopté.

En outre, dans cette première variété de l'adoption, l'adopté reste attaché par plusieurs liens, alimentaires et successoraux, à sa famille naturelle. Ce principe a été tempéré par une modalité de l'adoption, ouverte si l'adopté est mineur : le tribunal peut prononcer — à la demande des parties — la rupture avec la famille par le sang.

C'est probablement le succès de l'adoption spéciale après rupture des liens avec la famille naturelle qui a inspiré l'idée de la légitimation adoptive, destinée à rapprocher davantage encore, sous certaines conditions, l'adopté de l'adoptant.

L'idée qui a guidé le législateur était de rattacher pleinement à une famille dépourvue de postérité un enfant en bas âge, de façon qu'il lui appartienne comme s'il en était issu. C'est la raison pour laquelle la légitimation adoptive n'est jamais personnelle, mais toujours familiale ; elle ne peut être réalisée que par deux époux. Ici, les conditions d'âge seront plus rigoureuses ; si les adoptants sont soumis aux mêmes conditions que dans l'adoption, l'adopté devra en principe avoir moins de sept ans au jour de l'introduction de l'instance ; il n'aura donc aucun souvenir de sa vie antérieure. En outre, il faut que les parents de l'enfant qui sera légitimé par adoption soient décédés ou inconnus, ou qu'ils aient abandonné l'enfant.

Une décision judiciaire, ici encore, sera nécessaire. Comme en matière d'adoption, seuls les justes motifs de la légitimation adoptive et aussi l'intérêt de l'enfant seront pris en considération par le juge.

La décision intervenue, tous les effets de la légitimation adoptive se manifestent : l'enfant se trouvera dans sa famille adoptive comme s'il en était issu, et ne gardera vis-à-vis de sa famille naturelle que les empêchements au mariage. Certes, l'enfant est plutôt légitimé que légitime, en ce sens que la légitimation n'a pas d'effets rétroactifs, mais elle est en revanche définitive et irrévocable.

V. — LA FILIATION NATURELLE

Les relations hors mariage ne constituent pas un délit. La morale de notre temps admet que la loi punisse de peines correctionnelles une prostituée qui se livre au racolage alors que celui qui séduit une jeune fille, la rend mère et l'abandonne ne risque pas la prison, ni même l'amende...

Si l'amant n'abandonne pas sa maîtresse, il crée avec elle et l'enfant cet état légalement indéterminé qu'on appelle union libre ou concubinage, et qui est une quasi-famille. Dans la famille, en effet, il y a un rattachement entre toutes les personnes qui la composent : dans l'union libre l'enfant n'est jamais rattaché qu'aux seuls auteurs de ses jours et nullement à la famille tout entière ; au surplus, il n'est rattaché qu'à son père et à sa mère séparément, sans que le lien atteigne les deux à la fois.

L'enfant sera considéré comme naturel simple s'il est issu de deux personnes libres, c'est-à-dire pouvant légalement se marier. Il est adultérin si l'un de ses parents est engagé dans les liens du mariage avec un tiers, et à plus forte raison si ses deux auteurs sont mariés chacun de leur côté. Il peut aussi être incestueux, dans quel cas il est assimilé à l'adultérin. Nous verrons qu'entre les adultérins et incestueux d'une part, les naturels simples d'autre part, il y a une distance encore plus grande qu'entre le naturel et le légitime.

En entrant dans le sujet de la filiation naturelle il faut oublier tout ce que j'ai dit à propos des enfants légitimes. En particulier, il n'existe pas de présomption de paternité naturelle ; la filiation doit être établie soit par la reconnaissance volontaire du père ou de la mère, soit par décision de justice. Je m'empresse de dire, pour souligner la différence sur laquelle j'appelais tout à l'heure l'attention du lecteur, qu'en ce qui concerne les adultérins et les incestueux, la preuve de leur filiation est totalement prohibée.

Si l'enfant naturel simple est reconnu, c'est cette reconnaissance, et jamais l'acte de naissance, qui formera le titre de l'enfant, preuve par excellence de la filiation hors mariage. C'est la raison pour laquelle la loi a entouré l'acte de reconnaissance d'une certaine solennité ; il ne peut être reçu que sous la forme authentique : déclaration spéciale insérée dans l'acte de naissance, acte séparé mais inscrit sur les registres de l'état civil, acte notarié ou déclaration faite en justice. La reconnaissance aura des effets absolus, c'est-à-dire qu'elle fera preuve à l'égard de tous, sauf aux tiers à la contester comme on conteste tout acte d'état civil ; l'enfant sera réputé rattaché depuis sa naissance et non depuis la déclaration. La déclaration est irrévocable ; on peut néanmoins l'attaquer, soit en démontrant qu'elle est nulle, soit en contestant la vérité des faits.

Mais l'enfant naturel peut n'être pas reconnu volontairement. Il a alors le droit de rechercher la paternité et la maternité en justice. Mais, en vertu des quelques principes déjà exposés, chacune de ces recherches se fera en toute indépendance, le rattachement à l'un des parents n'ayant aucun rapport avec le rattachement à l'autre. Au reste, c'est la recherche de la paternité qui aura le plus souvent un intérêt. Cependant, sans qu'elle s'en soit abstenue volontairement, il arrive qu'une mère n'ait pas officiellement reconnu son enfant dont pourtant elle s'est occupée ; il est alors indispensable de rechercher la maternité. Une récente loi a facilité cette recherche : la maternité naturelle devra être déclarée si le demandeur établit une possession d'état constante d'enfant naturel. A défaut de la possession d'état, l'enfant aura à prouver son identité et l'accouchement de la mère ; celui-ci résultera de l'acte de naissance, et l'identité sera démontrée par témoignages appuyés sur un commencement de preuve par écrit ou sur des présomptions ou indices graves.

A la vérité, comme je le disais, c'est surtout la recherche de paternité qui devrait être rendue facile. Tel n'était pas le point de vue du code, qui prohibait cette recherche, sauf en cas d'enlèvement. Des constructions jurisprudentielles ont permis durant plus d'un siècle de tempérer cette rigueur, mais il a fallu une importante loi d'avant l'autre guerre, amendée en 1955, pour que la recherche de la paternité naturelle puisse enfin s'exercer utilement, dans des conditions précises et limitativement énumérées certes, mais dont les juges donnent une interprétation très libérale.

La loi retient cinq cas d'ouverture de l'action en recherche de paternité naturelle : enlèvement ou viol durant la période légale de conception, séduction dolosive, aveu non équivoque de paternité, concubinage notoire et entretien de l'enfant en qualité de père.

Le père présumé a à sa disposition des moyens de défense puissants. En outre, la différence entre les moyens de l'enfant et ceux du père est énorme : le juge peut bien sûr prononcer judiciairement le rattachement de l'enfant si celui-ci prouve l'un des faits établissant la paternité naturelle, mais il n'est jamais obligé de le faire ; en revanche, il doit nécessairement rejeter l'action de l'enfant si le père a rapporté la preuve d'un des cinq faits que voici : l'inconduite notoire de la mère durant la période légale de conception, le commerce de la mère avec un autre individu, l'impossibilité matérielle d'être le père de l'enfant, la preuve négative résultant de l'analyse des sangs et enfin le caractère adultérin ou incestueux de la filiation qui découlerait de la déclaration judiciaire de paternité.

Nous verrons plus tard quelques particularités de la situation de l'enfant naturel, notamment quant à la tutelle ; disons simplement encore une fois que la situation de l'enfant naturel est très défavorisée par rapport à celle de l'enfant légitime. Je rappelle que, dans la famille de ses parents, il n'est rattaché qu'à eux seuls ; c'est ainsi qu'il ne viendra pas à la succession de celui qu'on pourrait improprement appeler son grand-père naturel. Mais je signale surtout que, vis-à-vis de son auteur lui-même, ses droits seront inférieurs aux droits de ses frères et sœurs, si ceux-ci ont eu la chance de naître en mariage ; ainsi, dans la succession de son propre père, il ne recueillera que la moitié de ce qu'il aurait eu s'il avait été légitime. Il ne sera pleinement assimilé à l'enfant légitime qu'au point de vue de l'obligation alimentaire, qui lui est due par ses parents et à qui il la doit à son tour.

La condition des enfants adultérins ou incestueux est la plus déplorable de toutes.

En réalité, la loi interdit l'établissement direct de ce genre de filiation, d'où il suit que l'officier de l'état civil doit refuser de recevoir une reconnaissance concernant un enfant adultérin ou incestueux qui, reçue, serait nulle de toute façon. Mais si la filiation adultérine ne peut être établie en justice, elle peut cependant se trouver établie par suite de circonstances particulières. Ainsi, pour ne citer qu'un exemple, elle est nécessairement et incontestablement établie dans le cas de désaveu de paternité qui fait apparaître l'adultérinité de l'enfant du côté de sa mère.

L'innovation de la loi de 1955 a été de permettre à tout

enfant adultérin ou incestueux de réclamer des aliments à son père ou à sa mère. Mais, si elle facilite l'établissement du lien de filiation pour la justification de la créance alimentaire, dès que cette créance prend corps, le lien est privé de toute autorité, en vertu d'une disposition expresse du texte qui persiste à interdire formellement la recherche de la paternité adultérine ou incestueuse.

L'infériorité de l'enfant de cette catégorie éclate dans notre système successoral. Au décès de son auteur, un tel enfant ne recueille rien dans la succession et il n'est pas admis au partage. Il n'a droit qu'à une pension de la part des héritiers. Son infériorité est patente aussi en ce qui concerne les libéralités : il n'a droit qu'aux aliments, jamais à une donation.

Une légère différence se maintient encore entre les enfants adultérins et incestueux, suivant que leur filiation a été ou non légalement établie, mais les quelques avantages conférés aux premiers par rapport aux seconds, en ce qui concerne le nom par exemple, ou l'organisation de la tutelle ou la puissance paternelle, s'effacent rapidement devant l'idée générale qu'un tel enfant est et restera un être de condition inférieure.

Seule, la légitimation permet aux enfants naturels simples, incestueux et adultérins, d'acquérir les droits d'un enfant légitime.

Les enfants naturels simples peuvent être légitimés par le mariage de leurs parents et par la constatation de la filiation, à laquelle vient s'ajouter cependant une vérification judiciaire.

Les enfants incestueux peuvent être légitimés par le mariage subséquent de leurs parents qui ont obtenu une dispense lorsque celle-ci est possible ; tel peut être le cas, par exemple, d'un enfant né d'un oncle et de sa nièce.

Les enfants adultérins peuvent, eux aussi, être légitimés par mariage subséquent de leurs parents, mais dans trois hypothèses seulement. En premier lieu, lorsque l'enfant adultérin par sa mère a été désavoué par le mari ou par ses héritiers. En second lieu, lorsque l'enfant adultérin par son père ou par sa mère a été conçu pendant

une séparation légale de résidence. Enfin, l'enfant adultérin par le père pourra être légitimé sans aucune
restriction.

La légitimation n'est pas rétroactive. C'est dire que
l'enfant légitimé n'est légitime que depuis sa légitimation.
Celle-ci peut être contestée, spécialement dans les hypothèses répandues de ce qu'on a appelé légitimation de
complaisance.

L'institution si profondément humaine de la légitimation mérite d'être étendue. Dans certains pays étrangers, du reste, on ne rattache pas la légitimation au
mariage d'une façon aussi absolue que chez nous, et les
légitimations par mesures législatives sont possibles, spécialement par le simple bienfait de la loi

VI. — LA MINORITE

L'obligation de nourrir, d'entretenir et d'élever leurs
enfants est le devoir le plus sacré de la famille, de la
quasi-famille et de chacun des auteurs. L'existence même
de l'organisation familiale ou sociale ne peut se conce-
voir sans ce postulat fondamental. Au reste, cette obligation vis-à-vis de l'enfant, unilatérale dans son application et limitée dans le degré — car elle ne concerne
que le descendant au premier degré — s'exécute par la
communauté de vie ; elle débute à la naissance et elle
s'achève lorsque le jeune garçon est prêt à accomplir
toutes ses obligations civiles, militaires et civiques.

Le problème le plus important de la minorité est le
partage qui se fait présentement dans l'éducation de
l'enfant entre les parents et l'Etat. Celui-ci a un devoir
général de surveillance ; les parents, eux, auront la
puissance paternelle, qui est l'autorité mise à leur disposition, essentiellement dans l'intérêt de l'enfant et de sa
protection. L'enfant soumis à la puissance paternelle est
le mineur non émancipé. Les parents qui exercent la
puissance paternelle sont le père et la mère, avec prépondérance d'ordre public du père, chef de la famille.

Les droits de la mère sont effectifs lorsqu'elle doit participer à la décision, comme dans le cas du mariage du mineur ou de son adoption par un tiers.

La puissance paternelle est quelquefois dévolue de plein droit à la mère. Il en est ainsi en cas de décès du mari ou de son impossibilité de manifester sa volonté, de sa déchéance totale ou partielle des droits de puissance paternelle ou d'abandon par lui de ces droits. Il peut également en être ainsi dans le cas où certaines condamnations, que j'énumérerai tout à l'heure, auraient été prononcées contre le père.

La puissance paternelle sur un enfant naturel appartient en principe à celui de ses deux auteurs qui l'a reconnu le premier et au père si les deux parents l'ont reconnu simultanément. Cependant, dans l'intérêt de l'enfant, le tribunal peut toujours confier la puissance paternelle à celui des deux parents qui n'en est pas investi par la loi. J'ai noté, en parlant de l'adoption, que c'est le père adoptif qui exerce la puissance paternelle sur l'enfant ; on sait comment elle peut revenir aux parents par le sang.

Cet ensemble de prérogatives que compose la puissance paternelle et ces droits incontestables sur la personne de l'enfant, c'est surtout dans les devoirs à l'égard de celui-ci qu'ils se matérialisent. C'est ainsi que l'un des attributs de la puissance paternelle est la garde de l'enfant. Elle est à la fois obligatoire et incessible. Le droit de surveiller l'enfant correspond au devoir d'éducation qui d'ailleurs est imposé : c'est l'obligation scolaire. Enfin le droit de correction, qui était jadis très lourd, est notablement simplifié. Il demeure sous la forme de la correction domestique exercée sans abus, mais il ne va plus jusqu'au droit d'incarcérer le mineur. A l'extrême limite, les parents demanderont le placement du mineur par autorité de justice dans une maison d'éducation surveillée. Mais le président du tribunal ne statuera qu'après une longue et minutieuse enquête et après avoir entendu tant les parents que le mineur ; c'est à ce magistrat qu'il appartiendra de fixer la durée du placement, qui ne pourra, en aucun cas, se prolonger au delà de la majorité.

La puissance paternelle s'exerce sous le contrôle de l'autorité publique, et c'est plus spécialement dans ce contrôle qu'on peut voir la part que prend l'Etat dans l'éducation et dans la surveillance du futur citoyen. Outre les contrôles administratifs, comme ceux exercés par les maires et inspecteurs d'académie notamment sur l'exécution de l'obligation scolaire, certains droits de regard sur l'enfant sont octroyés à la santé publique ainsi qu'aux organismes de sécurité sociale, spécialement en matière de surveillance du bon usage des allocations familiales, qui ne doivent jamais être détournées de leur but.

Mais seule l'autorité judiciaire peut véritablement contrôler l'exercice de la puissance paternelle. Dans la famille unie, ce contrôle est rarissime. Dans la famille qui se désagrège, ce sont les tribunaux qui fixent le droit de garde de l'enfant et interviennent pour toutes modifications qui peuvent être ultérieurement demandées.

C'est la déchéance de la puissance paternelle qui constitue l'arme la plus redoutable pour combattre les parents indignes. La déchéance est tout d'abord attachée de droit à certaines condamnations graves. Elle est alors automatiquement prononcée et elle est totale. Cela revient à une sorte d'interdiction légale ou d'indignité de s'occuper du mineur. Dans certains cas moins graves, elles est laissée à l'appréciation du juge et peut alors être simplement partielle, c'est-à-dire ne porter que sur certaines prérogatives, ou sur certains enfants du délinquant. Mais, en dehors de toute condamnation, les tribunaux peuvent aussi prononcer la déchéance contre les parents qui compromettent la santé et la sécurité de leurs enfants, par de mauvais traitements, par des exemples d'ivrognerie ou d'inconduite, par un défaut de soins ou par un manque de direction. La déchéance est poursuivie à la requête du ministère public sur la demande d'un parent du mineur. Si le juge prononce la déchéance, la dévolution est organisée par le tribunal lui-même ; la puissance paternelle est transférée à la mère, en général. Si cette mesure ne paraît pas opportune, la tutelle s'ouvrira normalement, ou sera confiée à l'assistance publique. Dans certains cas, les moins graves, les parents continueront à diriger leurs enfants, mais seront eux-mêmes placés, par ordonnance du président, sous contrôle des services sociaux.

Les attributs de la puissance paternelle concernent non seulement la personne mais aussi les biens du mineur ; en ce sens, on peut dire qu'il existe une administration légale des biens du mineur, et aussi une jouissance légale. La première appartient au père légitime en principe, mais elle passe à la mère non seulement lorsque le père est absent, interdit ou déchu, mais aussi lorsque le jugement de divorce lui a confié la garde du mineur. L'administration légale porte sur tous les biens personnels du mineur, c'est-à-dire ceux qui lui sont advenus par donation ou par succession. Le fonctionnement de cette institution se rapproche du fonctionnement de la tutelle, dont je parlerai après avoir expliqué ce qu'est la jouissance légale. Il faut simplement retenir que l'administrateur légal accomplira seul tous les actes que le tuteur accomplit soit seul soit avec l'autorisation du conseil de famille, c'est-à-dire en général les actes de conservation et d'administration ; il aura besoin d'une autorisation du tribunal toutes les fois qu'il aura à accomplir des actes de disposition, c'est-à-dire ceux pour lesquels le tuteur doit avoir non seulement l'accord du conseil de famille mais une homologation du tribunal. Le père doit évidemment administrer les biens de son fils « en bon père de famille », c'est-à-dire avec zèle et soin.

L'administration légale ne cesse qu'à la majorité, alors que c'est l'âge de dix-huit ans qui marque la limite de la jouissance légale. C'est un droit qui est une sorte d'usufruit accordé au père sur les biens du mineur. Il s'explique historiquement comme étant la contrepartie des frais occasionnés au père par le mineur et on peut considérer la jouissance légale comme une survivance dans nos mœurs actuelles de l'idée que le père a droit de tirer bénéfice et profit de la puissance paternelle. L'institution fonctionne pour les enfants qui ont une fortune personnelle gérée par l'administrateur légal, celui-là précisément qui profite de la jouissance légale. Ce sont les règles ordinaires de l'usufruit qui s'appliquent.

Si la protection de l'enfant qui a ses parents est orga-

nisée avec soin, à plus forte raison devait-on chercher
à protéger l'orphelin. C'est par l'institution de la tutelle
que le législateur y est parvenu. J'exposerai d'abord
l'organisation et le fonctionnement de la tutelle des
enfants légitimes.

La tutelle d'un enfant s'ouvre au décès de l'un de ses
parents. Elle peut aussi s'ouvrir — cas rares, dont j'ai
déjà parlé — par la déchéance ou par le divorce lorsque le
tribunal juge les parents indignes d'exercer les fonctions
de tuteur.

Les organes de la tutelle sont le tuteur et le subrogé
tuteur. Le premier est désigné par la loi, par le testament
du survivant ou par le conseil de famille. Le second
remplace le tuteur et surveille sa gestion. Au décès de
l'un des conjoints, c'est légalement l'autre qui devient
tuteur, sauf le droit pour la mère de refuser cette fonction et aussi à charge par elle, si elle est tutrice et désire
se remarier, de convoquer le conseil de famille qui
décidera de lui retirer la tutelle ou de la lui laisser. Dans
ce dernier cas, le mari de la tutrice deviendra cotuteur.
La tutelle testamentaire est rare, puisque seul le survivant,
en mourant lui-même, peut l'établir par testament ou
encore par une déclaration notariée. La tutelle légale des
ascendants s'ouvre normalement au décès du survivant
des deux parents, sauf si ce survivant a cessé lui-même
d'être tuteur avant son décès et, bien entendu, sauf désignation testamentaire. Dans tous les autres cas, la tutelle
sera déférée par le conseil de famille ; c'est la tutelle
dative, qui est octroyée.

En principe, la tutelle est obligatoire. Cependant certaines personnes, hauts fonctionnaires, militaires, infirmes, peuvent refuser cette charge ; d'autres personnes, en
procès avec le pupille, condamnées, déchues de la puissance paternelle, sont exclues de la tutelle.

Une fois le tuteur nommé, son rôle est considérable :
il prendra soin de son pupille et le représentera dans
tous les actes de sa vie civile. A l'entrée en fonction, le
tuteur doit faire inventaire, puis, après avoir réuni le
conseil de famille, qui fixera les dépenses et les sommes
qu'il faudra économiser et placer, il gérera les biens de
son pupille en bon père de famille. Encore que ses

fonctions soient gratuites, sa responsabilité est entière en cas de mauvaise gestion, laquelle peut être établie même par la commune renommée. Une hypothèque générale sur tous ses biens garantira le pupille contre la mauvaise gestion du tuteur.

Le conseil de famille peut être considéré, non plus comme un organe purement familial, mais comme un organe semi-public de l'organisation tutélaire, car il est présidé par un magistrat. Il est composé de six membres, autant que possible parents de l'enfant, à défaut alliés ou même amis, dont trois de la branche paternelle et autant de la branche maternelle. C'est le conseil de famille qui commence les opérations tutélaires, puisque c'est lui qui nomme le tuteur et le subrogé tuteur. C'est le conseil qui gouvernera les affaires pécuniaires du pupille, en réglant notamment le budget du tuteur, en autorisant les actes les plus graves de la vie du mineur, comme son mariage ou son émancipation, et en acceptant ou en refusant les opérations les plus importantes de la gestion de ses biens.

La tutelle prend fin à la majorité de l'enfant par la restitution au pupille de tous ses biens et par la reddition des comptes. Le tuteur établit une balance des recettes et des dépenses et, durant les dix années qui suivront sa majorité, le pupille sera recevable dans toutes ses actions contre la gestion tutélaire.

Si le contrôle des pouvoirs publics est relativement faible dans la tutelle des enfants légitimes, il a été renforcé dans celle des enfants naturels. L'enfant naturel est en tutelle depuis sa naissance. C'est celui des parents qui est investi de la puissance paternelle qui sera le tuteur légal ; s'il décède, le tuteur sera désigné par son testament ou nommé par le conseil des tutelles. Le subrogé tuteur, qui joue le rôle de délégué à la protection de l'enfant, est nommé dans les trois mois de l'entrée en fonctions du tuteur. Le conseil des tutelles est l'organisme parallèle à celui du conseil de famille ; il est composé du juge d'instance qui préside, de six membres titulaires et des six suppléants, nommés chaque année par le tribunal de grande instance. Le tuteur et le subrogé tuteur participent aux séances avec voix consultatives. Le conseil des tutelles organise la tutelle et la gestion des biens de l'enfant dans des conditions similaires à celles des enfants légitimes.

Je ne puis terminer l'étude des problèmes de la minorité sans définir l'émancipation, qui s'y rattache tout naturellement. Si l'état du mineur est celui de l'incapacité dont j'ai dit les raisons, l'émancipation confère au jeune homme, qui doit être âgé au minimum de quinze ans, une semi-capacité.

L'émancipation peut être expresse, quand elle est réalisée par celui des parents qui exerce la puissance paternelle, ou par le conseil de famille si l'enfant est orphelin. Elle peut être tacite : elle résulte obligatoirement du mariage du mineur.

Le mineur émancipé peut choisir une profession, il peut s'engager dans l'armée, il peut avoir un domicile séparé. L'émancipation est surtout utile lorsque le mineur, ayant hérité d'un fonds de commerce, a besoin de s'établir immédiatement pour ne pas le laisser péricliter. Les actes de commerce d'un tel mineur sont réputés effectués par un majeur. Mais pour les actes civils, le jeune homme émancipé reste cependant incapable, et ne pourra accomplir que ceux de pure administration. Pour tous les actes plus importants ou plus graves, il aura besoin d'un curateur, organe spécifique et permanent de la curatelle, dont les autres organes, comme dans la tutelle, sont le conseil de famille et le tribunal. La curatelle est toujours dative, et c'est le conseil de famille qui la défère.

L'émancipation peut être révoquée par le tribunal. Le mineur rentre alors dans le cadre de sa vie antérieure, sous puissance paternelle ou en tutelle, et il ne pourra plus être émancipé de nouveau.

Deux autres problèmes se rattachent encore à l'étude des droits et des obligations du jeune Français : l'école et l'armée. Je traiterai des deux à leur place, dans les derniers chapitres de l'ouvrage.

LA VIE ÉCONOMIQUE

CHAPITRE III

LES BIENS

I. — LA PROPRIETE

Les droits réels sont ceux qui, contrairement aux droits personnels, s'exercent sur la chose elle-même. Les liens qui peuvent unir deux personnes, et ils sont nombreux, seront évoqués dans le prochain chapitre, consacré aux obligations. Ceux, au contraire, qui attachent une personne et une chose peuvent être facilement inventoriés. Le législateur a, d'ailleurs, pris soin de le faire. Il précisait en même temps leurs caractères. Les droits réels peuvent être principaux ou accessoires. Seuls les premiers nous intéressent pour le moment. Et parmi eux, le droit essentiel, celui qui résume en quelque sorte tous les autres, celui dont la civilisation occidentale a reçu comme une empreinte indélébile, le droit de propriété.

Inviolable et sacrée selon les uns, simple vol selon les autres, la propriété privée a été magnifiée autant qu'elle a été dénoncée ; instrument de libération incontestable à la fin du XVIIIe siècle, il lui a été reproché, cent ans plus tard, d'avoir achevé son rôle révolutionnaire et d'être devenue un moyen d'asservissement et d'oppression. Il serait sans doute intéressant d'examiner les arguments de ses partisans et de ses détracteurs, si nous ne nous étions assigné une tout autre tâche : comment se présente le droit de propriété dans l'ensemble de nos institutions et ce qu'il est aujourd'hui, tel est l'objet de notre étude.

Inspiré par le droit intermédiaire et par la nuit du 4 août 1789, le jeune et ardent législateur de 1804 a voulu avant tout rassurer la nouvelle classe sociale qui parvenait au pouvoir et dont il était le chef et le guide. La bourgeoisie libérale naissait sur les ruines d'un système détruit ; elle tendait une main vers le pouvoir et vers les prérogatives, elle substituait aux privilèges de la naissance ceux de la fortune, elle fondait son régime sur la propriété. Le code civil a donné de celle-ci cette célèbre définition : « la propriété est le droit de jouir et de disposer des choses de la manière la plus absolue, pourvu qu'on n'en fasse pas un usage prohibé par les lois ou par les règlements ».

Les deux membres du texte sont également importants. Le premier contient le principe de l'absolutisme et de la toute-puissance de ce droit, le second donne au législateur le pouvoir de réduire ces attributs ou d'en diminuer la portée.

Parmi les attributs du droit de propriété, il n'en existe aucun qui soit à l'état pur et ne comporte des exceptions. A la rigueur, on pourrait dire que seul celui de la perpétuité a survécu aux divers bouleversements et s'est maintenu à peu près intact. La raison en est que la perpétuité du droit de propriété est moins un attribut matériel qu'une idée philosophique. Le droit de propriété dure aussi longtemps que la chose et passe avec la chose d'une main dans l'autre suivant les ventes successives du bien. Mais la qualité de perpétuité s'attache davantage à la chose elle-même qu'au droit.

Je passerai en revue les autres attributs, pour montrer précisément comment la force des choses triomphe de l'absolutisme d'un droit, et comment la loi intervient pour sanctionner les exceptions au principe.

Il est de l'essence d'un droit absolu d'être individuel. Si je dois partager mon droit, peut-on dire encore qu'il est absolu ? Certes, non. Et pourtant je partage mon droit de propriété, par exemple dans tous les cas de l'indivision, qui sont nombreux. Cette copropriété ordinaire n'a été conçue par le code que comme une situation tout à fait exceptionnelle, et c'est pourquoi ses règles ont été déduites par les tribunaux ; c'est ainsi qu'on considère que chaque copropriétaire a un droit individuel sur une quote-part abstraite de la chose commune, et non un droit privatif et réalisable sur une quote-part concrète et déterminée ; c'est ainsi encore qu'en dehors de ces droits individuels, il existe un droit collectif de l'ensemble des indivisaires sur l'ensemble de la chose. Mais il va de soi qu'un copropriétaire ne pourra aliéner sa part, puisqu'elle n'est pas déterminée, et que la collectivité des propriétaires ne pourra exercer son droit sans l'unanimité de ses membres.

Contrairement à ce qu'on peut penser, le droit de propriété n'est pas non plus exclusif. Bien des fois, la volonté du propriétaire, mais souvent aussi la loi elle-même, confèrent à des tiers certaines prérogatives sur une propriété. Tel est le cas des démembrements du droit de propriété, comme l'usufruit ou les servitudes, dont il sera bientôt question.

Le droit de propriété n'est pas davantage un droit total. En théorie, il confère à son titulaire les pouvoirs les plus étendus qui aient été prévus et sanctionnés par le code : le droit de se servir de la chose, le droit d'en percevoir les revenus et le droit d'en disposer en l'aliénant ou en la détruisant ; mais, là encore, l'évolution des idées et des mœurs a, par voie légale et réglementaire, singulièrement rétréci les pouvoirs effectifs du propriétaire sur son bien.

La loi réduit le droit de se servir de la chose et d'en tirer pleinement profit par certaines limitations impératives. C'est ainsi que le montant des loyers est déterminé avec précision par la législation spéciale sur les baux. C'est ainsi encore que l'administration peut réquisitionner les locaux inoccupés pour parer à la crise du logement. C'est ainsi encore qu'une loi sur le remembrement a interdit de laisser les terres en friche et a imposé les reboisements.

Mais il est bien plus remarquable de constater que le législateur est allé jusqu'à limiter le droit même de disposer de la chose. C'est ainsi que le fermier et le métayer possèdent, en vertu du statut du fermage, le droit de préemption sur les biens affermés, ce qui leur permet d'acheter la terre qu'ils cultivent ou de se substituer à tout autre acquéreur du domaine. Si le propriétaire ne peut plus aliéner son bien à l'acheteur qui lui plaît, il peut encore moins refuser de vendre dans certaines circonstances, telles que l'expropriation et la nationalisation. En matière agricole, le statut oblige les propriétaires à échanger leurs parcelles dispersées pour assurer le remembrement des propriétés foncières et permettre leur culture par les procédés modernes.

Toutes ces mesures étant d'ordre public, il n'est pas possible de s'y soustraire.

Si le droit de propriété, tout en restant en principe individuel et théoriquement absolu, n'est plus ni total, ni exclusif, il a depuis bien longtemps perdu son attribut de souveraineté. Ce n'est pas le législateur moderne qui est intervenu le premier en cette matière, puisque déjà dans la Rome antique et dans notre ancien droit les troubles de voisinage étaient réprimés. A plus forte raison aujourd'hui le droit de propriété devient-il un droit relatif. Tout abus de ce droit, c'est-à-dire tout usage malveillant de sa chose pour nuire à autrui, sera sanctionné et de la même façon sera sanctionné le trouble qui consiste à empiéter chez le voisin non seulement matériellement mais de quelque manière que ce soit, par bruits, sons, fumées, odeurs, ondes ou de toute autre façon, à condition évidemment que le trouble soit sérieux et l'empiétement grave et répété.

Toutes ces limitations au droit de propriété concernent le principe même. Mais, dans les applications du principe, c'est-à-dire dans le domaine matériel, les limitations sont également importantes. Ceci est particulièrement net en matière de fonds de terre. Une fois le bornage effectué, il faudra préciser le droit de propriété du dessus et du dessous, ainsi que le régime des eaux qui franchissent la propriété privée. Le bornage est une opération simple, constituée par la délimitation des héritages et la pose de bornes, et que tout propriétaire peut imposer à frais communs à son voisin.

Après le bornage et la clôture surgiront quelques autres problèmes. D'abord, le droit s'étend au-dessus de la propriété jusqu'au ciel, ensuite le droit s'étend au-dessous de la propriété en profondeur. C'est ainsi qu'un propriétaire aura le droit de couper les branches de l'arbre d'un voisin qui s'étend sur son héritage, ou de récolter les fruits tombés chez lui ; c'est ainsi encore qu'il interdira de chasser l'oiseau qui se trouve dans son domaine. Mais s'il peut ainsi protéger sa propriété contre un particulier, il ne peut s'opposer au passage au-dessus de sa tête des câbles électriques et même à l'établissement dans sa propriété de supports de pylônes qui sont d'utilité publique. Le propriétaire ne peut non plus s'opposer au survol de son terrain par les avions.

Le droit s'étend aussi sur le tréfonds, et le propriétaire pourra couper les racines des arbres qui pénètrent sur son domaine. Mais, depuis toujours et plus encore aujourd'hui qu'autrefois, son droit sera limité par la législation concernant les mines et les carrières, dont la bonne exploitation est indispensable à l'économie du pays. Si le propriétaire a le droit d'exploiter lui-même ses carrières et ses tourbières, ce droit peut lui être retiré au profit du titulaire d'un permis d'exploitation. Quant aux mines, elles sont soumises au régime de la concession, sauf celles des combustibles minéraux, qui ont été nationalisées.

Pour ce qui concerne le régime des eaux, il fonctionne de la manière que voici : la propriété du fonds s'étend à celles des sources qui y jaillissent, sans qu'il soit possible de priver d'eau les habitants des agglomérations voisines. Les riverains n'ont aucun droit sur les cours d'eau navigables et flottables ; ils sont, en revanche, propriétaires du lit des rivières non navigables ni flottables, et ils ont un droit d'usage sur l'eau à condition de la restituer non polluée à la sortie de leur héritage. La production et la distribution de l'énergie hydro-électrique ont donné naissance à une législation fixant le régime de la concession en cette matière, mais cette construction a perdu de son importance depuis la nationalisation, sous le nom de l'Electricité de France, des entreprises privées.

II. — LA POSSESSION ET LA PRESCRIPTION

La possession ne s'oppose pas à la propriété, elle l'annonce. Elle en est quelquefois le reflet. Elle n'est pas un véritable droit, mais un pouvoir de fait sur une chose. Ce pouvoir de fait se traduit par des actes matériels d'appréhension du bien et par l'intention du possesseur de se comporter en propriétaire. Dans la mesure où ces deux éléments sont réunis, la possession produira certains effets importants, sans qu'il soit nécessaire de se préoccuper du point de savoir si le possesseur est bien le propriétaire de la chose ou s'il ne l'est pas. Cela ne semble pas naturel à première vue. Faire produire des effets juridiques à une situation de fait qui risque de se trouver en conflit avec le droit peut surprendre. C'est une nécessité cependant, à la fois morale et sociale.

On protège la possession d'abord parce que dans la quasi-totalité des cas, elle se confond avec la propriété et que, par conséquent, c'est en protégeant l'une qu'on défend l'autre. Une autre raison d'attacher de l'importance à la possession est le maintien de l'ordre public : si on veut contester une situation acquise, il faut s'adresser à la justice qui, seule, pourra trancher la difficulté. Enfin, il apparaît à la sagesse moyenne des gens qu'un propriétaire qui se désintéresse de sa chose et n'exploite ni ne fait exploiter son bien mérite en définitive de le perdre.

Ce sont ces raisons qui conduisent à exprimer de la manière suivante les prérogatives qui s'attachent à la possession : présumé propriétaire, le possesseur peut se défendre contre tous ceux qui troublent sa possession et, comme couronnement de ses efforts, il peut, qu'il soit de bonne foi ou non, devenir un jour le véritable propriétaire du bien possédé.

En effet, la bonne foi en cette matière est simplement

le fait de se croire propriétaire lorsqu'on est possesseur. Elle implique l'existence d'un titre qui a induit en erreur son bénéficiaire. La bonne foi constitue une présomption de propriété et fait acquérir, même après éviction du possesseur, les fruits de la chose possédée. Elle abrège la durée de la prescription. Mais même si le possesseur est de mauvaise foi, le résultat final, c'est-à-dire l'appropriation définitive, se produira nécessairement au bout d'une durée déterminée, plus longue il est vrai.

C'est cette durée plus ou moins longue de la possession, créatrice du droit de propriété, qui s'appelle usucapion ou prescription acquisitive.

L'usucapion est le terme ancien pour désigner une chose éternelle : l'acquisition définitive par une possession prolongée. A la question : en vertu de quoi vous dites-vous propriétaire de cet immeuble, la prescription acquisitive souffle la réponse la plus simple : je le possède de mémoire d'homme.

C'est précisément posséder « depuis toujours » ou « de mémoire d'homme » qui permet d'usucaper, c'est-à-dire de prescrire. L'utilité sociale de l'usucapion est incontestable, puisqu'elle tranche toute discussion sur la légitimité de la propriété par la démonstration de la possession trentenaire. Chercher le titre de propriété au delà de cette limite dans le temps est inutile, puisque la possession la remplace. Certes, nous l'avons dit, un usurpateur peut lui aussi prescrire et devenir propriétaire, mais le danger de la spoliation est minime en présence d'un propriétaire qui prend soin de son bien, tandis que la bienfaisante prescription, que les anciens appelaient la patronne du genre humain, assure l'ordre social et la tranquillité publique.

Le délai le plus long pour prescrire est de trente ans ; même un spoliateur deviendra maître du bien qu'il a possédé pendant ce laps de temps. Mais le possesseur qui a juste titre et bonne foi prescrira par dix ou vingt ans seulement. Cette usucapion abrégée a été instituée au profit de l'acquéreur d'un immeuble qui croit de bonne foi, mais à tort, avoir traité avec le véritable propriétaire.

Que le délai soit de dix, de vingt ou de trente ans, ou

même qu'il soit prolongé à cause d'une suspension, l'accomplissement de la prescription suppose non seulement que la possession se soit exercée durant le laps de temps nécessaire, mais encore que le vrai propriétaire se soit, durant toute cette longue période, désintéressé de son bien, s'abstenant de le réclamer. S'il le revendique, la prescription est interrompue.

L'interruption de la prescription a une vertu essentielle : elle annule tout le temps écoulé et une nouvelle prescription recommencera à zéro. L'interruption naturelle se produit par l'abandon volontaire de la possession ou par la dépossession du possesseur, mais c'est surtout l'interruption civile qui est intéressante, car elle met en contact le vrai propriétaire avec le possesseur. Elle peut se produire sous deux formes : d'abord par l'action en justice, ensuite par la reconnaissance volontaire que le possesseur fait du droit contre lequel il prescrivait.

L'action en justice est interruptive de la prescription. Je dirai plus simplement que c'est la citation en justice elle-même qui interrompt la prescription. C'est ainsi que pendant plusieurs années l'usurpateur vivra avec cette épée de Damoclès suspendue au-dessus de sa tête. Préférera-t-il avouer qu'il prescrit contre le vrai propriétaire ? Dans cette deuxième hypothèse, sa reconnaissance volontaire sera interruptive de la prescription sans qu'aucun acte judiciaire soit nécessaire.

Ajoutons que la prescription ne produit pas son effet de plein droit, mais qu'il est nécessaire de l'invoquer.

La situation des meubles mérite quelques mots d'explication ; elle se résume dans le chiffre 2 279. C'est le numéro d'un des derniers et des plus célèbres articles du code : En fait de meubles, la possession vaut titre.

Cette maxime a été transposée telle quelle de notre droit de la fin de l'Ancien régime dans le code civil. Elle signifie à première vue que les meubles corporels se transmettent sans formalités et qu'en ce qui les concerne, la simple possession vaut titre de propriété.

C'est dire que la maxime doit s'interpréter dans deux sens différents. Elle signifie d'abord que si une personne a, de bonne foi, acquis d'un non propriétaire la possession d'un meuble, elle en devient propriétaire. Elle signifie ensuite que la possession fait présumer une acquisition régulière. C'est ainsi par conséquent que, dans le premier cas, c'est une règle de droit, dans le second, un moyen de preuve.

C'est une règle de droit ; un meuble s'acquiert immédiatement, par la mise en possession de l'acquéreur de bonne foi. De sorte que, la possession valant titre, aucun recours du vrai propriétaire ne sera possible. Cette conséquence de la règle doit être approuvée ; un usage très long l'a rodée et l'a adaptée aux besoins grandissants de notre époque. Si on l'abrogeait, tout commerce se révélerait pratiquement impossible, puisqu'il serait nécessaire de vérifier le titre de propriété de chaque meuble dans chacune des mains par lesquelles il passerait.

Cependant, il existe deux cas où, par exception au principe posé, la revendication mobilière sera possible, ce sont ceux où l'objet a été perdu ou volé.

Des règles particulières régissent les valeurs mobilières. Celles-ci peuvent être revendiquées si leur propriétaire a été dépossédé par quelque événement que ce soit. C'est la grande mobilité des titres au porteur, et plus particulièrement le danger d'une rapide négociation en bourse, qui a inspiré ces lois. Le système original de la protection des valeurs mobilières est une double opposition, qui doit être faite à la personne morale émettrice du titre et à la Chambre syndicale des agents de change par les soins de laquelle l'opposition sera publiée dans le Bulletin Officiel des oppositions.

Enfin, je n'abandonnerai pas ces problèmes sans parler de l'occupation, mode d'acquisition de certains objets mobiliers.

Seuls sont susceptibles d'occupation les biens sans maître. Un bien sans maître est en premier lieu un trésor, qui peut être découvert soit dans la terre, soit dans un bâtiment, soit même dans un meuble. Pour qu'il y ait trésor, il faut, d'une part, que personne ne puisse justifier de son droit de propriété sur la découverte, et, d'autre part, que la découverte elle-même soit purement fortuite. Le trésor se partagera par moitié entre celui qui l'a découvert et celui à qui appartient la chose où il était recélé.

Un bien sans maître est aussi la chose abandonnée

— je ne dis pas perdue : celle-ci est une épave et le propriétaire n'a nullement décidé d'en perdre la propriété. Pour la chose abandonnée, c'est le premier occupant qui en devient propriétaire. Pour ce qui est des épaves dont le propriétaire est inconnu, on les portera au commissariat et on en obtiendra délivrance au bout d'une année, sans d'ailleurs en devenir le véritable propriétaire.

Le gibier et le poisson sont, eux aussi, des biens sans maître. Les produits de la chasse et de la pêche appartiennent aux chasseurs et aux pêcheurs.

Les propriétés incorporelles sont également composées de meubles, mais leur statut est très différent, et je consacrerai plus loin à cette institution toute une division.

III. — L'USUFRUIT ET LES SERVITUDES

J'ai groupé sous une même rubrique l'usufruit et les servitudes parce qu'ils sont tous deux des démembrements de la propriété.

L'usufruit, selon la définition légale, est le droit de jouir, comme le propriétaire lui-même, des choses dont un autre a la propriété, mais à charge d'en conserver la substance. C'est un droit réel, toujours temporaire et généralement viager. Il s'éteint par conséquent à la mort du titulaire du droit mais, durant la vie de l'usufruitier, ce droit démembre la propriété en deux parties, dont l'une continuera à appartenir au propriétaire — c'est la nue-propriété, avec le droit de disposer qui s'y attache — et dont l'autre, composée de l'usage et de la jouissance, appartiendra à l'usufruitier. Bien que très fréquent en matière immobilière, l'usufruit n'est nullement limité à cette catégorie de la propriété, et toutes sortes de biens, spécialement meubles, aussi bien corporels qu'incorporels, et des universalités entières, peuvent être démembrés par la constitution de l'usufruit, qui représentera dans le patrimoine de son titulaire un bien de la catégorie dont il est issu.

L'usufruitier a sur la chose un double droit, l'usage et

la jouissance. C'est dire qu'il pourra soit se servir du bien pour lui-même, en habitant l'immeuble ou en utilisant le mobilier, soit encaisser et conserver les fruits et les revenus du bien loué, affermé ou exploité.

Mais, en contrepartie de ces droits, qui sont l'essence même de l'institution, l'usufruitier est tenu à deux obligations particulières. Il doit tout d'abord jouir de la chose en bon père de famille. Il doit ensuite se conformer au mode de jouissance établi par les propriétaires antérieurs. Je n'ai presque rien à dire sur cette dernière obligation. Elle signifie simplement que l'usufruitier ne pourra apporter des transformations radicales dans l'économie du bien dont il jouit, par exemple changer le mode de culture des terres.

Bien plus intéressante est l'obligation de jouir en bon père de famille. Elle implique l'idée que l'usufruitier exercera son droit à la façon d'un propriétaire soigneux et diligent. L'usufruitier s'efforcera essentiellement de conserver la substance du bien et de ne pas le détériorer. Il entretiendra les biens dont il jouit en bon état et il fera les réparations nécessitées par l'exploitation ; il fera même les grosses réparations si elles deviennent nécessaires.

L'usufruitier a aussi des charges qui lui incombent entièrement, ou auxquelles il doit simplement participer. Sont à sa charge exclusive les impôts et les réparations d'entretien courant. Mais, lorsque la charge frappe la propriété tout entière, une ventilation se fera entre la contribution des titulaires des deux droits démembrés.

Parmi les causes d'extinction énumérées par la loi, le décès de l'usufruitier est le mode naturel de son achèvement ; droit essentiellement viager, l'usufruit finit avec la vie du titulaire de ce droit. Mais ce caractère imprime à l'institution une coloration très particulière : la valeur vénale de l'usufruit dépendra de la durée de la vie de son titulaire, donc en général de son âge. C'est, par conséquent, dans la plupart des cas, l'âge de l'usufruitier qui sera pris en considération dans toutes les affaires ayant trait à l'usufruit, et cette circonstance imprime au contrat un caractère éminemment aléatoire.

Cependant, il faut souligner deux particularités intéres-

santes : si le titulaire de l'usufruit est une personne
morale, dont la disparition ne dépend jamais d'une cause
naturelle, la durée de l'usufruit est uniformément fixée
par la loi à trente ans. Une autre particularité est la
suivante : si l'usufruit a été constitué pour une durée fixe
et si l'usufruitier meurt avant l'arrivée du terme, l'usufruit disparaît avec lui. Cette institution ne peut donc
jamais se prolonger au delà de la vie du titulaire et elle
n'est jamais transmissible aux héritiers.

A la fin de l'usufruit, de nouvelles obligations incombent au titulaire du droit ou, le plus souvent, à ses héritiers. La plus importante est la restitution du bien, l'autre
est le règlement des comptes. Ces opérations terminées,
l'usufruit est réuni à la nue-propriété et la propriété rede-
vient entière.

La servitude est une institution d'un tout autre ordre.
C'est une charge imposée à un immeuble, appelé fonds
servant, au profit d'un immeuble voisin, qu'on désigne
sous le nom de fonds dominant. L'un des textes du code
traitant de cette matière dit que la charge est imposée
par l'usage et l'utilité d'un héritage appartenant à un
autre propriétaire, et cette définition est précisée par un
autre texte légal qui permet l'établissement de toutes
servitudes par la volonté du propriétaire, pourvu néanmoins que les services établis ne soient imposés ni à la
personne, ni en faveur de la personne, mais seulement à
un fonds et pour un fonds.

C'est ainsi que, peu à peu, d'une réglementation touffue
et longuement développée par le code surgissent les
caractères généraux des servitudes. C'est d'abord une
charge imposée à un immeuble et non à une personne.
Dans ce sens, on peut dire que la servitude est un droit
à certains avantages que procure le fonds servant, par
exemple d'y puiser de l'eau ou d'y passer. C'est un droit
réel protégé, comme la possession, par des actions spéciales, et qui s'exerce sans l'intervention du propriétaire
du fonds servant.

Mais la servitude est aussi, et corrélativement, un
avantage établi en faveur d'un fonds et non d'une personne. Cela signifie que, si la charge est indissolublement
liée au fonds servant, l'avantage est non moins indisso-

lublement lié au fonds dominant, de telle sorte que quel
que soit le propriétaire de ce dernier, il sera nécessairement titulaire en même temps de la servitude. Ainsi
apparaît très nettement le caractère accessoire de la
servitude, qui fait partie intégrante du fonds dominant
et qui en est inséparable. Mais, du fait qu'elle est accessoire, il résulte aussi qu'elle emprunte au fonds auquel
elle s'attache une autre caractéristique : contrairement à
l'usufruit qui est viager et à quelques autres droits réels
à durée variable, la servitude sera perpétuelle. Enfin,
elle est indivisible, en ce sens que, si le fonds dominant
est partagé, chacun des copartageants pourra l'utiliser, à
condition, toutefois, de ne pas en aggraver la charge.

Le code a classé les servitudes en continues et discontinues, apparentes et non apparentes. Les servitudes
continues s'exercent sans l'intervention du titulaire, ainsi
celle de la vue ; les discontinues impliquent cette intervention, ainsi le passage ou le puisage, qui ne se produisent évidemment qu'au moment où le titulaire du droit
passe ou puise. Les servitudes apparentes sont celles
dont un ouvrage extérieur révèle l'existence, tel un chemin
ou un acqueduc ; les non apparentes ne sont point révé-
lées extérieurement, telle la servitude de ne pas bâtir.
Il va de soi que les deux classements peuvent se combiner.

Certaines servitudes ont été établies par la loi, d'autres
par la volonté de l'homme. Le code a notamment prévu
parmi les servitudes légales celle de l'écoulement des
eaux, soit d'un fonds supérieur sur le fonds inférieur, soit
des toits. Il a aussi très soigneusement réglementé l'interdiction des travaux et dépôts nuisibles et l'ouverture des
jours et vues. Il a enfin prévu avec minutie les distances
des plantations.

Mais, si grand que soit leur nombre, les servitudes
légales ne sauraient suffire à l'aménagement de bons
rapports de voisinage ; aussi la loi permet-elle l'établissement de servitudes par la volonté de l'homme. Elles
sont extrêmement nombreuses et très variées par leur
objet, car elles dépendent de l'intérêt des deux fonds en
présence et de la manière dont elles s'établissent. Elles
peuvent s'établir par titre, par la prescription et par la
destination du père de famille. On trouve aussi des servi-

tudes constituées par l'autorité administrative, comme celle de surplomb, dont a été pourvu le concessionnaire de distribution d'électricité, ou comme celle de survol, dont bénéficie le concessionnaire d'un téléférique.

L'obligation du propriétaire du fonds servant est très simple : il ne peut en aucun cas entraver l'exercice du droit, par exemple par un changement de l'état des lieux. En revanche, il peut parfaitement repousser la prétention émise par quiconque d'exercer sans droit des servitudes sur son héritage. Le propriétaire du fonds dominant a pour obligation principale de se conformer à la nature de la servitude et de l'exercer normalement.

J'ai déjà dit que, liée à la propriété du fonds dominant, la servitude est un droit perpétuel qui, en principe, dure autant que le fonds dont elle dépend. Cependant la per-pétuité de ce droit n'est pas un caractère nécessaire de la servitude, et celle-ci peut prendre fin, aussi bien par la force d'une convention qui a prévu un terme que par la prescription extinctive. Pour ce qui concerne la pres-cription, elle joue pour toutes les servitudes, même pour les servitudes non apparentes et discontinues : si, depuis trente ans, le propriétaire voisin n'est pas venu puiser de l'eau, on peut légitimement supposer qu'il a trouvé une autre source et que la servitude, devenue inutile, a cessé de grever le fonds.

La servitude s'éteint aussi lorsque son objet disparaît, telle la servitude de puisage si la source est tarie. Elle est supprimée également par la confusion dans la même main des deux fonds.

IV. — LA PROPRIETE INCORPORELLE

Il existe, par opposition aux meubles corporels, toute une catégorie de propriétés mobilières qu'on appelle incorporelles parce que leur objet est immatériel ou intel-lectuel. Le pouvoir du droit s'exerce, en cette matière, non plus sur un objet déterminé, mais sur une entité créée par la pensée de l'homme. Le caractère commun de toutes ces entités est d'être liées précisément à la pensée ou plus largement à la faculté créatrice, de même qu'à l'activité de l'homme. C'est ainsi que vont participer à cette catégorie à la fois les brevets d'invention et la propriété artistique et littéraire, représentant les fruits de l'activité spirituelle de l'homme, mais aussi les offices et les fonds de commerce, représentant les fruits de son activité matérielle. En un certain sens, il semble qu'on peut considérer la propriété incorporelle comme composée des droits de clientèle et des droits intellectuels. Je parlerai des uns et des autres.

Les droits de clientèle groupent plusieurs genres d'activité très différents, tels les offices ministériels, les fonds de commerce et les clientèles civiles.

L'office est une fonction permanente confiée à son titulaire au nom du gouvernement. C'est donc une fonction publique et c'est une fonction permanente. Sous l'Ancien régime, les offices étaient caractérisés à la fois par la vénalité et par la patrimonialité, la vénalité étant la possibilité pour le gouvernement de se faire payer par le particulier le droit d'exercer une fonction publique et la patrimonialité étant le système par lequel l'office devenait un bien à valeur pécuniaire figurant dans le patrimoine des particuliers. La vénalité des offices a été supprimée en 1789. Par une célèbre résolution de la nuit du 4 août, la vénalité a été abolie « pour toujours » et obligation fut faite aux juges de rendre la justice gratuitement. Mais, sous la Restauration, le droit de présentation a été accordé aux officiers ministériels. Ce n'est pas l'Etat, c'est l'officier ministériel qui, en présentant son successeur à l'agrément du gouvernement, recevra une somme d'argent. C'est ainsi que les charges sont redevenues patrimoniales.

Les offices sont tout d'abord ceux des auxiliaires de la justice : avocats aux Conseils, avoués, huissiers de justice. J'y reviendrai en évoquant la vie judiciaire et plus particulièrement en décrivant l'organisation de la justice civile. D'autres officiers ministériels sont les notaires et les commissaires-priseurs. Il existe aussi des officiers ministériels qui ont la qualité de commerçants, comme les agents de change et les courtiers pour le commerce maritime. Les agréés, les arbitres-rapporteurs, les syndics de faillite et les administrateurs judiciaires, qui ne sont pas des officiers ministériels, possèdent cependant le droit patrimonial de présentation de leur successeur à l'agrément du tribunal.

Tous les offices et toutes les charges se décomposent en deux éléments : le titre, c'est-à-dire l'investiture officielle conférée par décret, et la finance, c'est-à-dire le droit patrimonial de présentation. Le titre comporte un certain nombre d'attributs qui se rattachent à la fonction publique exercée par le titulaire ; en tant que partie du patrimoine, c'est le second élément qui est essentiel, puisque lui seul permet la présentation du successeur moyennant finance.

Si le gouvernement crée un nouvel office, l'estimation en sera faite, et la somme payée par le titulaire sera distribuée entre tous les officiers du même ordre et du même ressort, auxquels cette création portera évidemment préjudice. En cas de suppression de l'office, sa valeur sera payée au titulaire sous forme d'une indemnité par tous les collègues du ressort auxquels profitera cette disparition.

Le fonds de commerce est aussi un bien meuble et une propriété incorporelle ou, si l'on préfère, une universalité de fait. La clientèle du fonds est ici, on peut le dire, le fonds lui-même, parce qu'elle seule en représente la vraie valeur et que c'est bien pour la retenir et l'augmenter qu'existent et se développent les autres éléments du fonds. Ceux-ci sont nombreux ; citons le matériel, les marchandises, le bail et bien d'autres encore, mais j'y reviendrai avec quelque détail plus tard, dans le chapitre consacré au commerce.

Les clientèles civiles sont également des propriétés incorporelles. Celui qui a réuni une clientèle a constitué un bien, telle est l'idée qui guide la jurisprudence en cette matière. Cependant, les tribunaux sont restrictifs pour les clientèles des professions libérales, parce qu'elles sont principalement dues, pense-t-on, au rayonnement de la personnalité qui les a formées et par conséquent difficilement cessibles.

Telles sont les propriétés incorporelles qui tiennent à la volonté, c'est-à-dire à l'activité professionnelle des hommes. Mais il en existe d'autres qui proviennent de son intelligence, c'est-à-dire de ses activités littéraires ou artistiques. Il faut y rattacher la propriété industrielle, qui est la possibilité d'exploitation privative d'une invention, d'un brevet, d'un produit ou d'une marque particulière.

La propriété littéraire et artistique est l'ensemble des droits moraux et matériels que la publication d'une œuvre fait naître au profit de l'écrivain ou de l'artiste. Le « privilège » de l'auteur d'une œuvre est un droit ancien ; chez nous, il remonte à l'Ancien régime. C'est l'invention de l'imprimerie qui a fait naître la propriété littéraire, auparavant concession royale. La Constituante a réglementé par une première loi le droit exclusif de reproduction d'une œuvre. Plusieurs lois ont suivi, qui ont donné au droit d'auteur sa physionomie actuelle.

Le droit d'auteur est à la fois pécuniaire et moral. Il est pécuniaire en ce qu'il comporte essentiellement le droit de reproduction, de traduction et d'adaptation. Il est, bien entendu, cessible par l'auteur et il est aussi temporaire : le droit pécuniaire s'éteint par l'expiration d'un délai de cinquante ans — sauf suspension résultant, par exemple, de l'état de guerre —, lequel commence à courir le jour du décès de l'auteur. Passé ce délai, on dit que l'œuvre tombe dans le domaine public.

Le droit d'auteur est aussi moral, en ce sens que l'auteur peut décider, et lui seul a le droit de le faire, si l'œuvre doit être publiée ou non. L'auteur peut aussi revendiquer la paternité de l'œuvre, la protéger contre les déformations ou altérations, et enfin la modifier. Le droit moral est incessible et sa durée est indéfinie tant que subsiste un représentant qualifié de l'auteur.

La propriété industrielle, elle aussi, est une propriété incorporelle. Sous ce nom, la pratique réunit certains droits distincts, mais qui ont un trait commun : assurer une clientèle grâce à un certain monopole d'exploitation. Que les produits vendus soient des biens matériels ne change rien au problème, dans la mesure où la valeur de la chose est augmentée par l'exclusivité que confère le brevet ou la marque.

L'exemple le plus typique de la propriété industrielle est le brevet d'invention. L'inventeur qui a découvert un nouveau produit ou qui a créé un nouveau moyen de production a droit de prendre un brevet sur son invention. Naissant de cette invention même, et de sa nouveauté, le droit n'est cependant protégé que dans la mesure où le brevet a été obtenu. La procédure est très simple ; une description de l'invention doit être déposée à l'Office de la propriété industrielle et cet organisme délivre, moyennant le paiement d'une taxe, un brevet accordé sans aucun examen préalable et valable pour cinq, dix, quinze ou vingt ans. Comme en matière de droits d'auteur et pour des raisons d'utilité publique encore plus impérieuses, le législateur n'a pas voulu que le brevet d'invention puisse conférer des droits perpétuels, et l'invention finit toujours par tomber dans le domaine public. Enfin, l'exploitation du brevet est obligatoire ; si le brevet a été inutilisé durant trois ans, il peut y avoir déchéance prononcée par les tribunaux.

Assez naturellement, les privilèges de la propriété industrielle ont été étendus aux marques de fabrique, de même qu'aux dessins et modèles. La marque de fabrique, c'est la marque du produit. Elle a souvent une grande valeur patrimoniale, car elle peut grouper une immense clientèle. Elle doit être déposée au greffe du tribunal de commerce. La propriété de la marque est perpétuelle et ne peut se perdre par le non-usage. Les dessins et modèles, sans être des inventions de produits nouveaux, présentent incontestablement, eux aussi, un caractère d'innovation. C'est la raison pour laquelle ils sont protégés.

Il est encore prématuré de discuter de la propriété scientifique, mais on peut déjà dire que, si le XIXᵉ siècle a vu le triomphe de la fortune mobilière sur l'immeuble, le XXᵉ, tout en poursuivant cette évolution, semble se diriger vers un développement considérable des meubles incorporels.

V. — LES SUCCESSIONS

La plupart des gens mourant sans avoir confectionné un testament, la loi a soigneusement réglé le sort des biens qu'ils laissent.

Se fondant sur sa volonté présumée, ainsi que sur les affections qu'on croit communes à l'ensemble des mortels, se fondant aussi sur la proximité des parentés, le code a prévu une dévolution successorale d'abord aux héritiers légitimes, ensuite aux héritiers naturels, enfin au conjoint survivant et au successible irrégulier qu'est l'Etat. La dévolution de l'ensemble des biens, c'est-à-dire du patrimoine, est réglée par la loi d'une manière impérative et il n'est pas possible d'y déroger par une convention avec ses futurs héritiers. Un tel contrat serait un pacte sur succession future, rigoureusement proscrit comme illégal.

Dans la dévolution aux héritiers légitimes, on prend en considération la ligne paternelle ou maternelle et le degré du successible dans chacun des ordres. Il y a quatre ordres, suivant la proximité du lien parental : d'abord les enfants ou descendants du défunt, ensuite ses père et mère et ceux qu'on appelle les collatéraux privilégiés, c'est-à-dire ses frères et sœurs ainsi que leurs descendants, puis les ascendants plus lointains, et enfin les collatéraux ordinaires jusqu'au sixième degré, celui des cousins issus de germains, où s'arrête le droit de successibilité.

Les descendants sont préférés à tous les autres parents. Ils sont appelés à la succession ensemble et reçoivent chacun une part égale par souches. La représentation joue si l'un des enfants, lui-même père de famille, est prédécédé. Ainsi, dans le cas où le défunt avait deux fils, dont l'un prédécédé, le fils survivant obtiendra la moitié de l'hérédité et les enfants de son frère se partageront l'autre moitié. A défaut de descendants, la loi appelle à la succession ensemble les père et mère du défunt, ainsi que les collatéraux privilégiés ; le partage se fait ainsi : la moitié pour les ascendants, l'autre moitié pour les collatéraux. Mais si le père ou la mère sont morts, l'autre ascendant ne recueille qu'un quart, et les trois quarts sont partagés par les collatéraux. A défaut de collatéraux privilégiés, les père et mère excluent, chacun dans sa ligne, tous les autres parents, c'est-à-dire les autres ascendants et les collatéraux ordinaires. Enfin, les collatéraux viendront, dans chaque ligne, à défaut d'héritiers des autres ordres.

La dévolution de la succession aux héritiers naturels est régie par des principes très différents. En présence d'enfants légitimes, l'enfant naturel n'a droit qu'à la moitié de ce qu'il aurait eu s'il était légitime. Sa situation est meilleure s'il se trouve en concours avec des ascendants ou des collatéraux privilégiés : il aura droit aux trois quarts de l'hérédité. Enfin, en présence de collatéraux ordinaires, il aura l'ensemble de la succession.

Un dernier successeur, le conjoint survivant, héritera de tous les biens du défunt si celui-ci ne laisse aucun proche parent. Il héritera des biens afférents à une ligne s'il n'y a aucun parent dans cette ligne. Si le défunt laisse des héritiers légitimes ou naturels, le conjoint survivant n'aura plus que l'usufruit, dont la quotité variera suivant la qualité des autres héritiers et s'exercera sur le quart, la moitié ou la totalité des biens, suivant qu'il viendra en concours avec des héritiers de plus en plus éloignés.

En l'absence de tout héritier, c'est l'Etat qui recueillera l'héritage en sa qualité de successeur irrégulier. La différence tient au mode de transmission de la succession : les héritiers possèdent la saisine, qui leur permet de se mettre en possession des biens, droits et actions du défunt sans demander l'investiture à l'autorité publique, sans formalités et sans aucun contrôle préalable. Au contraire, l'Etat, successeur irrégulier, devra demander au tribunal de grande instance son envoi en possession.

Le successible n'est jamais obligé d'accepter une succession. Il peut y renoncer et il peut aussi adopter un parti intermédiaire, qui consiste à accepter sous bénéfice d'inventaire. Pour ces deux derniers partis, une déclaration officielle doit être faite au greffe du tribunal de grande instance du lieu d'ouverture de la succession.

Quant à l'acceptation, si elle peut être expresse, elle s'induit tacitement d'un certain nombre d'actes qui, s'ils sont accomplis, témoignent de l'intention d'accepter. Il en est ainsi de tous les actes de disposition. L'acceptation n'est plus facultative mais imposée dans le cas où l'héritier s'est frauduleusement approprié un bien de la succession ; la loi aggrave d'ailleurs la sanction en y ajoutant l'interdiction de prétendre à aucun objet recelé.

L'héritier renonçant est censé n'avoir jamais été héritier.

Mais si l'acceptation est indivisible, c'est-à-dire qu'il est impossible d'accepter pour partie, et irrévocable, sauf à être attaquée pour incapacité ou vice de consentement, la renonciation peut toujours être rétractée, sous réserve de la prescription trentenaire et à condition que la succession n'ait pas été entre temps acceptée par d'autres héritiers.

Le troisième parti offert à l'héritier est l'acceptation sous bénéfice d'inventaire. L'acceptation bénéficiaire permet à l'héritier de liquider une succession obérée sans être tenu du passif héréditaire. Cette acceptation est subordonnée à une double condition : en faire la déclaration au greffe et dresser un inventaire fidèle et exact des biens de la succession. Dès lors, l'héritier deviendra un liquidateur, qui gérera les biens successoraux suivant certaines règles, dans l'intérêt des créanciers et jusqu'à l'épuisement de l'actif.

Le délai d'option entre ces trois partis n'est pas précisé par la loi et ne comporte aucune autre limitation que celle de la prescription trentenaire. Mais les créanciers hâtent le choix de l'héritier en poursuivant le recouvrement de leurs créances. L'héritier devra alors se décider rapidement, faute de quoi il sera réputé acceptant. Il n'a plus que le délai légal très bref de trois mois pour faire inventaire et de quarante jours pour délibérer. Dans le cas où le successible aura recélé ou diverti des effets dépendants de la succession, il sera contraint de l'accepter.

La liquidation d'une succession en cas de pluralité de successibles, c'est la détermination de l'actif et du passif de l'héritage et des droits des différents héritiers. Une fois la liquidation terminée, le partage a lieu, qui met fin à l'indivision successorale et achève les opérations qui ont pris naissance au moment du décès.

L'indivision qui s'instaure entre les héritiers est un état inorganisé et précaire. Le législateur considère avec méfiance la prolongation de l'indivision. C'est pourquoi un des principes fondamentaux du droit successoral permet à chaque héritier de demander le partage, car nul ne peut être contraint de demeurer dans l'indivision. Dans certaines circonstances, les héritiers eux-mêmes, au lieu de demeurer dans cet état instable, consolident au contraire leur entente par la création d'une personne morale. Cette façon d'agir tend à se développer sous l'influence des mœurs modernes, et l'indivision se transforme quelquefois en une société dont les règles sont précises et les prescriptions impératives. Mais, le plus souvent, le partage s'imposera. Cette opération, qui consiste à former et à attribuer les lots, peut se faire par une convention amiable si tous les héritiers sont capables et s'ils sont d'accord sur la composition des parts et le mode d'attribution. Si les héritiers ne s'entendent pas entre eux, ou s'il y a parmi eux des mineurs, des interdits, des absents, le partage devra nécessairement se faire en justice suivant des formalités minutieusement réglées par la loi. La convention d'indivision est possible, à condition qu'elle ne dépasse pas cinq années ; elle peut d'ailleurs être renouvelée.

Si les biens successoraux ne peuvent être commodément partagés, ils seront licités, c'est-à-dire vendus aux enchères publiques ; le prix en sera partagé entre les héritiers. Si, au contraire, le tribunal décide l'attribution des lots sans vente, elle se fera par tirage au sort.

Amiable ou judiciaire, le partage produit un effet déclaratif, ce qui veut dire que chaque héritier est réputé avoir toujours été seul et exclusif propriétaire de sa part, et n'avoir jamais eu de droit sur la part des autres.

Une règle importante doit être notée, c'est celle du rapport des libéralités et des dettes. Elle se fonde sur l'intention présumée du défunt de ne point favoriser l'un de ses héritiers au détriment des autres. C'est ainsi que si une libéralité a été faite de son vivant par le défunt à l'un de ses héritiers présomptifs, on doit supposer que celui-ci a reçu une part de son héritage, appelée avancement d'hoirie, c'est-à-dire avance d'héritage. Dès lors, le successible devra reverser dans la masse partageable la donation qui lui a été faite. Mais le donateur peut avoir voulu avantager le successible ; dans ce cas, il le déclare dans la donation, qui n'est plus alors un avancement d'hoirie, mais une libéralité, qu'on dit avoir été faite par préciput et hors part. Le cohéritier sera dispensé dans ce cas de la rapporter.

Outre les libéralités, chaque cohéritier doit évidemment faire rapport à la masse des sommes dont il est débiteur.

Le partage pourra être attaqué pour incapacité d'un copartageant, pour vice du consentement et pour cause de lésion ; nous verrons dans le chapitre consacré aux obligations ce que sont ces causes d'annulation.

Après avoir liquidé l'actif successoral, l'héritier, continuateur de la personne du défunt, liquidera le passif de la succession. Naturellement, en cas de pluralité d'héritiers, chacun représente pour sa part le défunt, et les dettes de la succession se divisent de plein droit entre tous les héritiers.

Issues d'une double tradition romaine et coutumière, nos institutions successorales se rattachent tant à l'idée des affections présumées du défunt qu'à celle de la cohésion familiale et des devoirs à l'égard des siens. Le code a procédé à une nécessaire transaction entre les deux tendances, ce qui a conduit à un certain affaiblissement de la famille au profit de la toute-puissance de l'individu, qui a été, d'autre part, largement consacrée — nous le verrons au prochain chapitre — par tout notre droit des obligations.

VI. — LES LIBERALITES

La libéralité est un acte juridique par lequel une personne dispose de ses biens au profit d'autrui dans une intention de générosité ou de bienfaisance. La libéralité est toujours un acte à titre gratuit. Elle suppose le transfert du bien du patrimoine du disposant dans celui du gratifié. Le code permet de disposer de ses biens à titre gratuit par donation entre vifs ou par testament. Mais il existe encore certaines libéralités à caractère familial, comme le partage d'ascendant ou l'institution contractuelle.

D'une façon générale, le législateur s'est montré hostile à l'égard des libéralités, d'abord parce qu'elles tendent à faire sortir les biens des familles au profit d'étrangers, ensuite parce que, même au sein des familles, elle rompent le principe de l'égalité. C'est dans cet esprit que le code a attribué aux descendants et, à défaut de ceux-ci, aux ascendants, une part de la succession qui s'appelle la réserve. Le défunt ne pourra jamais dépouiller ses héritiers de cette part. Mais, si la réserve est une portion intangible, on est toujours en droit de disposer de la partie des biens complémentaire qui porte le nom de quotité disponible. Comme tout notre système successoral, la réserve tire son origine à la fois des idées romaines et coutumières.

Les héritiers réservataires sont les descendants légitimes, les enfants naturels et les ascendants légitimes. On peut considérer qu'un développement souhaitable de nos mœurs familiales devra tôt ou tard aboutir à l'institution de la réserve du conjoint survivant.

La réserve des enfants légitimes varie suivant leur nombre. Elle est de la moitié des biens si le défunt laisse un enfant, des deux tiers s'il en laisse deux, et des trois quarts s'il en laisse trois ou davantage. La réserve des enfants naturels se calcule selon les principes de leurs parts héréditaires dans la succession. La réserve des ascendants légitimes est du quart de la succession pour chaque ligne.

La donation entre vifs doit être passée par-devant notaire, car c'est un acte solennel. L'acceptation du donataire constitue elle aussi une solennité. Tout acte de donation d'effets mobiliers ne sera valable que s'il est accompagné d'un état estimatif. La donation irrégulière sera nulle d'une nullité absolue.

Mais si les formes solennelles sont indispensables pour la validité de l'acte de donation, aucune formalité n'est requise lorsqu'il y a donation déguisée ou indirecte, ou encore lorsqu'il y a don manuel. La donation déguisée est généralement dissimulée sous la forme d'un acte à titre onéreux. Cette dissimulation a pour but de cacher la donation aux héritiers présomptifs ou de frauder le fisc, qui prélève d'importants droits de mutation sur les libéralités. Les donations déguisées sont valables sous certaines conditions, de même que sont valables les donations indirectes, qui résultent de certains actes n'ayant rien de commun avec la donation en soi.

L'exemple type est celui de la remise de dette, qui est évidemment une donation, mais d'une nature particulière. Le don manuel, enfin, a pour objet de transférer la propriété des meubles corporels ou des titres au porteur. C'est le fait de la simple remise de la main à la main qui réalise la libéralité.

Quelle qu'elle soit, la donation est essentiellement irrévocable ; le donateur doit, aux termes de la loi, se dépouiller actuellement et irrévocablement de la chose donnée. Mais, par exception, la donation sera révoquée aux cas d'inexécution des charges, d'ingratitude du donataire et de survenance d'un enfant au donateur.

Des règles spéciales s'appliquent aux donations faites entre époux pendant le mariage ; la plus frappante est celle qui dispose que ces donations sont toujours révocables.

La donation, je l'ai dit, est une façon de faire des libéralités ; le testament en est une autre. C'est l'acte unilatéral et solennel, révocable jusqu'à la mort, par lequel l'auteur dispose de tout ou partie des biens qu'il laissera en mourant. Par rapport à notre système successoral, le testament est un peu le contrat de mariage comparé au régime légal. De même que l'un modifie le système légal des biens des époux, de même l'autre transforme selon la volonté du testateur les règles de la dévolution successorale.

Le testament est un acte unilatéral et strictement personnel, le testament conjonctif, c'est-à-dire fait par plusieurs personnes, étant prohibé. C'est aussi un acte solennel : il doit être rédigé dans certaines formes, dont l'absence le rend radicalement nul. C'est également un acte qui ne contient que des legs, c'est-à-dire des actes de disposition du patrimoine. C'est enfin un acte essentiellement révocable, qui peut être transformé ou remplacé jusque sur le lit de mort.

Il existe trois sortes de testaments : olographe, authentique et mystique. Certains autres sont privilégiés, comme rédigés dans des circonstances spéciales.

Le testament olographe n'est assujetti à aucune autre forme que d'être entièrement écrit, daté et signé de la main du testateur. C'est donc le testament le plus simple

et le moins coûteux. C'est celui qui peut être le plus
facilement refait ou détruit. C'est aussi celui qui permet
de conserver le plus profond secret sur les dispositions
qu'on entend prendre. Il peut être déposé chez un notaire
ou gardé chez soi, ou confié à un ami, ou même remis
à la personne en faveur de qui on a testé. Si les trois
formalités indiquées, écriture autographe, date et signature, sont nécessaires à peine de nullité absolue, elles
sont suffisantes et emportent foi pleine et entière, sauf
contestations purement matérielles, d'ailleurs rares.

Le testament authentique est rédigé sous la dictée du
testateur par un notaire, en présence de témoins ou d'un
second notaire. Ce testament par acte public présente
certaines supériorités sur le testament olographe, spécialement parce qu'il fait foi de sa véracité jusqu'à inscription de faux.

Le testament mystique est rarement utilisé. C'est un
acte écrit par le testateur ou par un autre que le testateur
et présenté clos et scellé devant témoins à un notaire
qui en dresse un acte de suscription authentique. En
réalité, cette forme n'a aucune supériorité sur celle d'un
testament olographe déposé chez le notaire ; simplement
elle est à la portée des illettrés.

Les testaments privilégiés sont dispensés de l'obligation des formes légales en raison des circonstances
exceptionnelles. Tels sont les testaments militaires, ceux
rédigés en temps de peste ou autres maladies contagieuses,
ou sur une île où il n'existe pas d'office notarial, quand
il y aura impossibilité de communiquer avec le continent.
Tels sont aussi le testament fait durant un voyage maritime, celui rédigé devant les agents diplomatiques et celui,
enfin, qui se présente sous les formes usitées dans le
pays étranger où il est confectionné.

La volonté du testateur doit s'être exprimée d'une
façon certaine. Mais les termes légaux utilisés de façon
erronée par des testateurs ne connaissant pas la termi-
nologie juridique n'influent en rien sur la validité des
legs ni sur le sens des dispositions.

Il existe trois sortes de legs : les legs universels, à titre
universel, et particuliers. La loi définit le legs universel
comme étant celui par lequel le testateur donne à une

ou plusieurs personnes l'universalité des biens qu'il laissera à son décès. Le legs à titre universel porte, d'une façon générale, non sur la totalité, mais sur une quote-part de l'universalité du patrimoine. Tel est le cas où le testateur lègue la moitié, ou le quart de ses biens. Le légataire universel se distingue du légataire à titre universel essentiellement parce qu'il possède la saisine. Les légataires particuliers sont ceux qui reçoivent des objets déterminés de la succession. Le testateur peut instituer dans le testament un exécuteur testamentaire, qui aura pour mission de veiller à l'exécution des dernières volontés du défunt, et en particulier d'assurer la délivrance des legs.

Le testament peut être révoqué à tout moment. Mais il peut aussi se révéler caduc indépendamment de la volonté de son auteur. Il peut aussi être judiciairement révoqué s'il y a inexécution des charges ou ingratitude.

Je ne veux pas terminer cette division sans parler de l'institution contractuelle et du partage d'ascendants. L'institution contractuelle est un contrat par lequel l'instituant promet à l'institué de lui laisser à sa mort toute sa succession, une quote-part de sa succession ou une chose déterminée. C'est une institution hybride qui est assez insolite, car elle contredit la règle « donner et retenir ne vaut » et enfreint l'interdiction des pactes sur successions futures. Mais elle a été permise, uniquement dans les contrats de mariage, dans l'intérêt d'une famille qui se fonde. C'est une possibilité pour celui qui désire gratifier un futur époux sans se dépouiller de son vivant, de l'instituer d'une façon définitive et irrévocable comme son successible.

Le partage d'ascendant est l'acte par lequel l'ascendant partage lui-même, par un testament ou par une donation entre vifs, tout ou partie de ses biens entre ses descendants. C'est ainsi qu'il existe un testament-partage, à la vérité fort simple, à côté de la donation-partage, dont les règles sont un peu plus complexes. La donation-partage faite en forme notariée est irrévocable, et elle peut avoir pour objet certains biens seulement. Elle peut être faite conjointement par les deux parents. Mais le donateur doit comprendre tous ses enfants dans l'acte,

et la répartition des biens doit obéir à la règle de l'égalité
des lots. Il n'est cependant pas douteux que, dans la
limite de la quotité disponible, l'ascendant donateur peut
avantager un ou plusieurs descendants en leur donnant
certains biens par préciput et hors parts.

CHAPITRE IV

LES OBLIGATIONS

I. — LE CONTRAT

Dans l'activité juridique des hommes, image de leur activité technique et économique, tous les jours des liens se nouent pour la réalisation de certains objectifs que désirent atteindre deux ou plusieurs personnes. Depuis les êtres les plus primitifs jusqu'aux membres des sociétés les plus évoluées, l'obligation réciproque est la loi fondamentale du droit. Nous n'avons pas hésité à inscrire parmi les premiers principes l'idée que le respect d'une convention est chose sacrée.

Le contrat pour le particulier correspond au traité lorsqu'il s'agit de hautes parties contractantes, c'est-à-dire d'Etats, et c'est parce qu'il est l'expression de volontés convergentes que ses prescriptions, étudiées, débattues et signées, font la loi des signataires.

De longues et savantes discussions ont eu lieu à propos d'une célèbre théorie de l'autonomie de la volonté humaine, créatrice d'obligations. A la vérité, c'est le libéralisme du xixe siècle qui en a été l'origine, et l'idée que seul le contrat réalise la justice n'a pu s'établir que

dans une société en évolution très lente. En revanche,
dans une collectivité d'Etats européens extrêmement
riches et florissants, tirant des avantages d'une science
toute neuve appliquée à l'exploitation intensive et exten-
sive des métropoles et de vastes colonies, le sentiment
d'interdépendance, de faiblesse et d'un certain désarroi
consécutifs aux guerres mondiales que l'humanité a
subies, joint à l'accession d'immenses territoires à l'indépendance nationale, ont permis de penser qu'au-dessus
des volontés individuelles devait se trouver une volonté
directrice et correctrice, et que la liberté contractuelle
devait être réglementée, dans l'intérêt de ceux qui ne
savent ou ne peuvent pas toujours se défendre. En d'autres termes, l'expérience a montré que la liberté absolue
du droit de contracter conduisait trop souvent à l'exploitation du pauvre par le riche, du faible par le puissant.

Le monde moderne ne cherche pas à consolider les
conquêtes de l'individu sur la collectivité, mais bien à
transformer l'individu en un citoyen conscient de ses
devoirs vis-à-vis de la société dont il fait partie. Si donc,
en principe, l'accord unanime est exigé de tous les
contractants, des contrats de plus en plus nombreux se
forment aujourd'hui sans que tous ceux qu'ils lieront y
soient intervenus ; c'est ainsi notamment que se forment
les contrats dits d'adhésion qui, dans les matières les plus
diverses, nécessitent seulement l'accord d'une majorité,
tel le concordat accordé au commerçant qui a obtenu le
règlement judiciaire ou la convention collective dans le
droit du travail. J'y reviendrai d'ailleurs, le moment venu.

Mais l'idée de la souveraineté de la volonté de l'homme
a pris aujourd'hui une signification particulière. C'est
— dans la mesure où cette volonté peut encore sa manifester — le respect absolu de la parole donnée. Le consen-
sualisme, en cédant du terrain, s'est purifié et cristallisé
dans le modeste domaine qui est encore le sien : celui
des rapports contractuels les plus élémentaires. Il ne s'agit
plus de vouloir régler tous les problèmes humains par
le contrat, il s'agit, dans tous les contrats, de faire preuve
d'une absolue rectitude. Et c'est ainsi que nous en venons
à affirmer, à la suite du code, que les conventions légalement formées tiennent lieu de loi à ceux qui les ont faites.

Toute convention qui se forme, pour être valable, doit avoir un objet et une cause ; tous ceux qui contractent doivent être capables et consentants.

Je dirai peu de chose de l'objet, puisque c'est la matière même de l'obligation. Il doit être déterminé, présenter une certaine utilité et, surtout, il doit se trouver dans le commerce, c'est-à-dire pouvoir faire l'objet d'une transaction.

La cause de l'obligation, c'est le but poursuivi par celui qui s'oblige. La loi précise que l'obligation sans cause, ou sur une fausse cause, ou sur une cause illicite, ne peut avoir aucun effet. Certes, la cause peut n'être pas exprimée, mais elle doit exister et elle doit être licite.

J'en viens maintenant aux contractants eux-mêmes. Seules les personnes capables peuvent contracter des obligations. Elles devront essentiellement exprimer leur consentement, car c'est lui qui, en quelque façon, scellera l'accord. Il faut donc voir dans le consentement la commune intention des parties ou la manifestation de la volonté de la personne qui s'oblige.

L'accord n'a pas besoin d'être précisé sur tous les points, car la loi édicte des règles très générales qui viendront suppléer les lacunes de la convention ou même enrichir le contenu du contrat par l'inclusion de certaines obligations réputées assumées par les signataires de la convention. Ainsi, par exemple, l'obligation de conduire le voyageur sain et sauf à destination n'a pas besoin d'être exprimée dans un contrat de transport pour y être sous-entendue et pour lier le voiturier.

Des contrats se forment souvent sans qu'une libre discussion soit possible. Il n'est nul besoin de discuter ni de la pièce qu'on a le désir de voir jouer ni du prix qu'on désire débourser pour acheter un billet au guichet d'un théâtre. On voit mal aussi le particulier entrant en pourparlers avec la S. N. C. F. ou l'E. D. F. sur le prix du transport ou du courant électrique. Ces comparaisons précisent les caractères du contrat d'adhésion. C'est l'acceptation d'une offre permanente, générale et rigide. Cela signifie que le contrat est émis sans retrait possible de la part de l'offrant, qu'il s'adresse à un nombre illimité de personnes indéterminées et qu'il ne souffre pas de discussion. Des contrats de plus en en plus nombreux correspondent aujourd'hui à cette définition. C'est l'Etat qui d'une façon générale veille à ce que ces conventions, restant jusqu'au bout soumises aux principes contractuels, ne deviennent lésionnaires pour les particuliers.

Le contrat n'est valable que si le consentement a été librement donné. Mais il ne peut y avoir de consentement libre, donc valable, s'il a été donné par erreur, extorqué par violence ou surpris par dol. La lésion, elle, ne vicie les conventions que dans certains contrats ou à l'égard de certaines personnes.

L'erreur est une représentation inexacte de la réalité. Elle rend la convention annulable lorsqu'elle touche la substance même de la chose, objet du contrat, comme lorsque la matière dont la chose est faite n'est pas celle dont on était convenu. Tel est l'exemple classique d'un meuble acheté chez l'antiquaire comme ancien, et dont on s'aperçoit ensuite qu'il est de fabrication récente.

Le dol est un vice indépendant de l'erreur, encore que le but des manœuvres dolosives soit de provoquer l'erreur de la part du cocontractant. Le dol consiste dans des manœuvres frauduleuses, tromperies, mensonges ou réticences, mais, pour entraîner l'annulation du contrat, il faut que ces artifices soient tels qu'ils aient déterminé le consentement du cocontractant.

Si le dol se rapproche de l'escroquerie, la violence se rapproche du chantage. Elle consiste à provoquer chez une personne un sentiment de crainte afin de l'amener à contracter pour éviter le mal dont on la menace. Il faut évidemment que la violence soit de nature à faire impression sur une personne raisonnable et qu'elle puisse lui inspirer la crainte de s'exposer ou d'exposer sa réputation ou sa fortune à un mal considérable et présent.

Un dernier vice du consentement est la lésion, c'est-à-dire le préjudice subi du fait qu'il n'y a pas équivalence, au moment du contrat, entre les prestations réciproquement stipulées par les cocontractants. Mais si tous les contrats pouvaient être attaqués pour cause de lésion, la vie économique deviendrait singulièrement difficile. Au surplus, n'est-il pas juste de laisser les individus veiller personnellement à leurs intérêts ? C'est donc dans certains cas rares que la lésion pourra être admise comme viciant le consentement. L'annulation pourra alors être prononcée.

L'effet du contrat est semblable à celui de la loi. Il obéira aux mêmes règles d'interprétation et il sera exécuté comme s'il représentait une véritable réglementation légale.

Le respect du contrat s'impose tout d'abord aux parties, et on peut en tirer cette première conséquence, que la rupture unilatérale du contrat est interdite.

Naturellement, ce qu'une partie ne peut faire de son seul gré peut être réalisé par consentement mutuel. Les deux contractants pourront révoquer leur convention soit pour l'anéantir purement et simplement, soit pour lui en substituer une autre.

Le contrat s'impose non seulement au respect des parties qui l'ont conclu, mais aussi à celui du juge qui devra le faire appliquer. De même qu'il n'y a pas lieu d'interpréter une loi claire, de même le juge n'aura pas à interpréter, mais simplement à appliquer une convention dont le sens ne nécessite aucun commentaire. Et cela, même si ses clauses lui paraissent blesser l'équité.

II. — LES CONTRATS USUELS

Les contrats usuels les plus pratiques et les plus répandus sont la vente et le louage de choses, ainsi que le contrat d'assurances. Je ne dirai rien du louage d'ouvrage, pour pouvoir mieux exposer plus tard les principes qui régissent le contrat de travail. C'est à propos de la vie commerciale que je parlerai des sociétés, le nombre des sociétés civiles étant infime depuis que le commerce a en quelque sorte annexé cette forme de contrat. Quant à l'association, j'en ai déjà parlé, en décrivant les personnes morales.

La vente est un transfert de propriété contre un prix

en argent ; ce serait un contrat d'échange si le prix était constitué par un autre objet. La loi définit la vente d'une façon lapidaire en l'appelant une convention par laquelle l'un s'oblige à livrer une chose et l'autre à la payer. Mais il ne faut jamais perdre de vue le caractère strictement consensuel de ce contrat, qui rend la vente parfaite entre les parties dès qu'on est convenu de la chose et du prix, quoique la chose n'ait pas encore été livrée ni le prix payé. Il en découle notamment qu'une promesse réciproque de vendre et acheter, lorsque l'objet et le prix sont connus, n'est plus une simple promesse de vente, mais une vente effective. C'est dans ce sens qu'on dit que la promesse de vente vaut vente.

La chose vendue doit exister ou pouvoir exister un jour. J'ajoute que les textes prohibent la vente de la chose appartenant à autrui.

Le prix doit être déterminé et désigné par les parties et, en matière de vente d'immeuble, il doit être le juste prix, sous peine de rescision pour cause de lésion. Cette action est permise au vendeur seul, lorsque la lésion est de plus de sept douzièmes. Mais l'acheteur ne peut jamais se plaindre d'avoir acheté trop cher, car si les circonstances peuvent forcer à vendre, on n'est en principe jamais obligé d'acheter.

Une fois la vente réalisée, le vendeur délivre la chose dont il doit garantie. La délivrance de la chose doit se faire immédiatement, sauf convention contraire. S'il s'agit d'un immeuble, la livraison s'effectue par la remise des clefs ou des titres de propriété ; si la chose vendue est un meuble, la délivrance s'effectue par la remise matérielle de l'objet. La livraison se fait chez le vendeur, sauf pour celui-ci à retenir la chose jusqu'au paiement du prix. En effet, si le vendeur doit garantie, il a aussi droit à la garantie : je dirai à la fin du chapitre ce que sont le privilège sur la chose vendue et le droit de revendication du vendeur impayé. Celui-ci possède en outre l'action en résolution de la vente.

L'acheteur, de son côté, a également des obligations : il doit payer le prix et les frais de la vente et il doit enlever la chose. Une fois ces opérations terminées, le contrat prend fin.

Ce type général de vente peut présenter des modalités, d'ailleurs prévues par le code. C'est ainsi qu'il existe la vente à réméré, qui est la faculté de rachat du bien vendu par le vendeur repenti moyennant restitution du prix et remboursement des frais. C'est ainsi encore qu'il existe la vente d'hérédité, qui est la cession à titre onéreux des droits successifs par un cohéritier à un tiers ou à un autre cohéritier. On peut rapprocher de cette vente celle qui concerne les droits litigieux, véritable cession de créance, dont je traiterai plus tard.

Le contrat de louage de choses a fait l'objet dans le code d'une réglementation fort simple, qui constitue ce qu'on appelle le droit commun. Mais une législation spéciale, le plus souvent d'ordre public, c'est-à-dire imperméable à toute modification conventionnelle, est venue se greffer sur les textes du code, ajoutant ainsi aux principes élémentaires toute une floraison de conséquences nouvelles. L'activité du législateur s'est exercée en trois domaines distincts : les baux d'habitation et professionnels d'une part, les baux commerciaux d'autre part, et enfin les baux ruraux. Je ne décrirai pour l'instant que les baux à loyer, dont la grande charte résulte d'une loi de 1948 ; les baux commerciaux et ruraux seront traités respectivement dans les chapitres consacrés au commerce et au travail.

Comme pour tous les contrats, la formation du bail suppose l'accord des parties sur les éléments essentiels, c'est-à-dire sur la nature du bail et la chose qui en fait l'objet, sur le prix de la location et sur sa durée. C'est sur ces derniers points que la liberté contractuelle a été le plus souvent mise en échec par les prescriptions impératives de la récente législation. Dans sa formation, ce contrat est pleinement inspiré par son origine consensuelle ; les baux peuvent être écrits ou verbaux et la promesse de bail vaut bail lorsque l'accord est réalisé sur la chose et sur le prix, exactement comme en matière de vente.

Mais la durée du bail, qui, en principe, dépend de la volonté des parties, a été singulièrement transformée par une série de dérogations. La première est traditionnelle ; elle interdit les baux perpétuels. Les autres concernent au contraire la durée minimum du bail, et surtout la possibilité pour le locataire de rester dans les lieux après expiration du bail, en vertu d'un droit nouveau qui s'appelle le droit au maintien. Ce droit, expressément prévu par la législation sur les loyers, est un bénéfice légal grâce auquel, après l'expiration du bail, les locataires, sous-locataires et cessionnaires de baux ont le droit de rester dans les lieux loués sans limitation de durée, aux clauses et conditions du contrat primitif. Cette faculté, accordée de plein droit et sans l'accomplissement d'aucune formalité, est d'ordre public, et elle a un caractère permanent. C'est ainsi que la tendance moderne va dans le sens opposé à celle du code et tend à perpétuer la location en allongeant démesurément la durée de l'occupation des lieux. Mais, pour bénéficier du maintien dans les lieux, il faut être occupant de bonne foi, c'est-à-dire posséder à l'origine un titre régulier et exécuter normalement les obligations résultant du contrat, spécialement le paiement du loyer.

Le prix du bail est le dernier élément constitutif du contrat. Il doit être sérieux et certain, encore qu'aucune rescision du contrat, semblable à celle qui menace une vente lésionnaire, ne puisse avoir lieu. Mais si, sous l'empire du code, le prix du loyer pouvait être librement débattu et fixé, la législation spéciale a singulièrement diminué là encore la liberté contractuelle. Le prix du loyer est réglementé à la fois pour éviter les loyers spéculatifs et pour assurer la rémunération du service rendu par le logement.

L'obligation essentielle du bailleur consiste à assurer au preneur la jouissance paisible de la chose louée pendant toute la durée du contrat. Après l'avoir délivrée, le bailleur entretiendra la chose en bon état, il s'abstiendra de troubler le locataire et le garantira contre les vices cachés de la chose et contre les troubles qui pourraient provenir des tiers. De nouvelles obligations ont été ajoutées à celles-ci par la récente législation ; c'est ainsi par exemple qu'une affectation obligatoire peut frapper certains locaux, et qu'il est interdit de transformer les locaux d'habitation pour les soustraire à leur destination. De son côté, le preneur doit user de la chose louée en bon père de famille et payer le prix aux termes convenus. Le locataire doit également garnir suffisamment les lieux et restituer la chose à la fin de la location.

Les causes de cessation du bail sont aujourd'hui profondément transformées par la possibilité pour le propriétaire, sous certaines conditions, d'exercer le droit de reprise contre un locataire maintenu dans les lieux ou de s'opposer légalement à son maintien. Ce droit de reprise est généralement accordé au bailleur en vue de pourvoir à son habitation personnelle ou à celle de sa famille ; ses modalités sont différentes suivant que le propriétaire pourra ou non reloger le locataire expulsé.

Le contrat de bail immobilier présente de multiples variétés. C'est ainsi que le métayage ou bail à colonat partiaire, connu depuis l'antiquité romaine, est une des formes d'exploitation du sol dont il sera parlé plus tard ; c'est ainsi qu'on trouve également le bail à convenant ou à domaine congéable, plus particulièrement utilisé en Bretagne, le bail à complant d'un terrain planté en vigne, les baux de chasse ou de pêche, et bien d'autres encore. Enfin, le contrat de louage mobilier est très répandu avec la location de coffres-forts, le bail à nourriture et les différents contrats à cheptel.

Je vais maintenant passer en revue beaucoup plus rapidement quelques autres contrats usuels.

Le contrat d'assurance est, depuis 1930, l'un des contrats les mieux organisés. Sa définition est la suivante : contrat par lequel, moyennant le versement d'une prime ou cotisation, l'assuré se fait promettre par l'assureur une prestation pécuniaire au cas de réalisation d'un risque déterminé. Les éléments du contrat sont donc le risque, la prime et la prestation de l'assureur. Le risque est l'élément incertain et indépendant de la volonté des parties. La prime, appelée cotisation dans les sociétés à forme mutuelle, est la rémunération à laquelle l'assureur a droit en contrepartie du risque qu'il assume. Enfin, la prestation de l'assureur sera versée au cas où le risque se sera réalisé.

Les assurances sont extrêmement variées. Les assurances de dommages garantissent contre les événements pouvant causer un dommage au patrimoine de l'assuré, les assurances de choses l'indemnisent pour les pertes

matérielles qu'il peut subir, les assurances de responsabilité le garantissent contre les recours exercés par des
tiers. Les assurances de personnes comprennent les assurances sur la vie, qui garantissent en général le risque de
mort, et les assurances contre les accidents corporels, qui
indemnisent l'assuré en cas d'atteinte corporelle ; les
assurances contre la maladie sont plus rares.

Le contrat d'assurance se présente sous la forme d'une
police contenant des mentions multiples, et ses conditions
de validité sont celles de tous les contrats. La police doit
prévoir une certaine durée, mais elle peut aussi être faite
pour une durée indéterminée. Elle doit délimiter les
risques assurés.

Le prêt est un contrat dans lequel l'emprunteur reçoit
du prêteur une chose qu'il s'engage à restituer après s'en
être servi. Le prêt à usage oblige à la restitution de l'objet
même ; dans le prêt de consommation, le débiteur rendra
des choses semblables. Dans le prêt à usage, l'emprunteur
doit veiller à la conservation de la chose, et il doit aussi
se borner à l'usage convenu ; dans le prêt de consommation, il doit rendre des choses de même espèce, quantité
et qualité, que celles reçues.

Le dépôt est un contrat par lequel le déposant confie
une chose mobilière à la garde du dépositaire, qui s'oblige
à la restituer dès la première demande. Le contrat de
dépôt est très répandu ; c'est une des branches notamment
de l'activité bancaire. Il en existe des variétés, comme le
séquestre, qui est le dépôt entre les mains d'un tiers d'un
objet en litige, ou le dépôt d'hôtellerie.

Le jeu et le pari, le contrat de capitalisation et de
prévoyance, comme aussi le contrat de rente viagère,
sont des conventions aléatoires, c'est-à-dire que leurs
effets, quant aux avantages et aux pertes, soit pour toutes
les parties, soit pour l'une ou plusieurs d'entre elles,
dépendent d'un événement incertain.

Le mandat, enfin, mérite lui aussi d'être cité parmi les
contrats civils usuels. C'est une convention par laquelle
le mandant donne au mandataire le pouvoir d'accomplir
un ou plusieurs actes juridiques en ses lieu et place. Le
mandat est civil ou commercial suivant la nature de
l'acte à accomplir. C'est un contrat toujours révocable.

Ce tour d'horizon montre combien les conventions sont multiples et variées. Toutes produisent des effets particuliers à chacune d'elles ; toutes produisent aussi des effets généraux en tant qu'obligations. Mais, avant de dire ce que sont ces effets, je dirai ce qu'est la responsabilité civile.

III. — LA RESPONSABILITE CIVILE

C'est principalement le contrat qui crée des obligations, j'ai dit lesquelles et j'ai dit comment. Mais il existe d'autres sources d'obligations. Les liens que tisse la loi entre un délinquant et sa victime ne sont pas moins solides que ceux qui attachent entre elles les parties contractantes. Vous n'aviez jamais vu la personne renversée par votre voiture, mais dès l'instant où l'accident a eu lieu, le cri poussé, vous savez que votre faute ou votre imprudence vous ont lié au blessé : votre victime sera votre créancier et vous aurez à payer le dommage que vous avez causé.

Le problème d'ailleurs est très général et la règle en est simple : on ne doit pas nuire à autrui. Que la faute soit un crime, un délit ou une imprudence, qu'importe. Il faudra réparer cette faute, comme celui qui s'affranchit sans droit du lien contractuel devra réparer la sienne. Dans les deux cas, il y a responsabilité ; elle sera délictuelle ou contractuelle suivant que le dommage causé à autrui est en dehors de toute relation contractuelle, ou au contraire prend sa source dans une convention. Cependant, le régime des deux responsabilités ne sera pas identique, comme on le verra.

La responsabilité délictuelle ne provient pas toujours d'un délit pénal ; un délit civil suffit, de même qu'un dommage causé sans aucune intention de nuire. Les termes de la loi sont très généraux ; je les ai déjà indiqués dans le prologue : tout fait quelconque de l'homme qui cause à autrui un dommage oblige celui par la faute duquel il est arrivé à le réparer. La loi s'empresse d'ailleurs d'ajouter que chacun est responsable du dommage qu'il a causé non seulement par son fait, mais encore par sa négligence ou par son imprudence. On voit ainsi combien est vaste le domaine de la responsabilité civile.

Cependant, on peut se heurter en ces matières à une certaine difficulté, celle de la preuve. En effet, la victime qui réclame un dédommagement aura à prouver non seulement qu'elle a subi un dommage, ce qui est évidemment la condition première de la sanction, et qu'une faute a été commise par celui qu'elle poursuit, mais encore qu'il existe entre la faute et le dommage un rapport de cause à effet.

Le dommage doit être certain, mais il est indifférent qu'il soit purement patrimonial, ou moral, ou que la victime soit atteinte à la fois dans sa personne et dans ses biens. La preuve du rapport de cause à effet ne sera possible que lorsque la faute sera démontrée ; or c'est manifestement la preuve de la faute qui sera la plus difficile.

Il faut noter que la faute peut provenir non seulement d'une action du coupable ou de l'imprudent, mais même d'une abstention, lorsque celle-ci est fautive. Il est impossible de dresser un tableau des principales fautes ; il suffit de souligner qu'elles sont aussi bien la violation d'une règle légale qu'un acte illicite, un simple défaut d'habileté ou de prudence. Une catégorie importante de fautes est constituée par les manquements professionnels. Si la preuve de la faute, je l'ai dit, n'est pas très aisée, il nous faut cependant remarquer qu'elle pourra être administrée par tous les moyens, car il s'agit d'établir un simple fait matériel.

Mais prouver le caractère illicite ou imprudent de l'acte fautif n'est pas suffisant. Il faut encore que la faute soit imputable à une personne en pleine possession de ses facultés. Peut-on dire que le dément, ou l'enfant en bas âge ont commis une faute ? Certes non. Un fou qui tue un passant inoffensif, un enfant qui crève l'œil de son camarade sont tenus pour irresponsables. La seule ressource de la victime sera — si elle le peut — de prouver que la personne chargée de la garde de ces irresponsables a commis une faute dans la surveillance qui lui incombe.

Mais ici nous touchons déjà à un autre problème, celui de la responsabilité pour autrui.

Si en effet, on est responsable de son propre fait, il y a des cas où l'on est responsable des personnes dont on doit répondre ou des choses que l'on a sous sa garde. Le texte de la loi qui précise cette responsabilité a permis à la jurisprudence de construire un édifice solide de la responsabilité pour faute présumée. S'il faut prouver la faute dans la plupart des cas, ce qui est souvent malaisé, les tribunaux ont admis que dans certaines hypothèses, limitativement énumérées par le code, la faute était tenue pour établie d'avance, c'est-à-dire présumée. Mais cette présomption de faute n'est pas identique dans toutes les hypothèses. Dans certains cas, la preuve contraire est admise, et alors la présomption de faute, et par conséquent la responsabilité disparaît. Dans certaines autres circonstances, le défendeur n'aura pas le droit de justifier qu'il n'a commis aucune faute et la présomption qui pèsera sur lui sera alors irréfragable. Ces cas méritent d'être notés.

La responsabilité des parents du fait de leurs enfants mineurs habitant avec eux est une présomption simple que les parents combattent par la preuve qu'ils n'ont pu empêcher le fait dommageable. Tel est aussi le cas des artisans lorsqu'il s'agit du dommage causé par un apprenti. La responsabilité des instituteurs ne sera plus mise en cause pour le dommage subi par leurs élèves, l'Etat s'étant substitué aux maîtres de l'enseignement. Cependant, l'Etat aura un recours contre le maître si celui-ci a commis une faute personnelle dans la surveillance des enfants.

En revanche, la loi n'admet pas que les maîtres et commettants dont la responsabilité est retenue du fait des actes dommageables commis par leurs domestiques et préposés puissent se dégager en établissant l'absence de toute faute de leur part. La présomption de la loi est absolue, et c'est la raison pour laquelle l'assurance de la responsabilité née du fait des préposés est particulièrement utile. Le législateur a considéré que le maître commet une erreur punissable en procédant à un choix irréfléchi de son personnel. Mais le commettant ne sera

responsable que sous la double condition que la faute
du préposé soit établie et que cette faute ait été accomplie
dans l'exercice de ses fonctions.

Telles sont les grandes lignes de la responsabilité pour
autrui. Il me reste à dire ce qu'est la responsabilité du
fait des choses. En premier lieu, je note la responsabilité
du propriétaire d'un animal pour les dommages causés
par celui-ci, ainsi que celle du propriétaire d'un bâtiment
lorsque le dommage est causé par la ruine de cet immeuble. Mais les applications les plus intéressantes du texte
légal ont été faites en ce qui concerne la garde des choses
inanimées. Les simples mots qui indiquent qu'on est
responsable du fait des choses que l'on a sous sa garde
ont permis la construction par les tribunaux d'une présomption générale de faute dans la garde des choses
inanimées. Le législateur qui, il y a cent cinquante ans,
créait cette forme de responsabilité n'aurait jamais pu
supposer l'importance qu'elle allait acquérir au siècle des
progrès mécaniques et plus particulièrement de l'automobile. C'est que la multiplication des accidents de voie
publique ne laissait pas d'être inquiétante. Il fallait tout
au moins garantir les victimes et leur réserver un recours
sérieux en les dispensant notamment de la charge de la
preuve, principale difficulté de la matière. C'est à cela
que les tribunaux ont abouti en déclarant que la loi s'applique à toute chose inanimée et que le responsable est
le gardien de celle-ci.

La responsabilité civile est une des institutions les plus
remarquables de tout notre droit des obligations. Les
deux articles du code civil qui portent respectivement les
numéros 1382 et 1384, quelques lignes à peine de ce texte
admirable qui enchantait Stendhal, ont produit une floraison de commentaires unique dans les annales du droit,
pour aboutir à une théorie parfaitement construite et
dont l'utilité, dans les procès qui aujourd'hui forment la
majorité des causes soumises aux tribunaux, est tout à
fait évidente.

La sanction de la responsabilité consiste dans une juste
réparation. La loi n'a pas voulu et n'a pas pu en préciser
le mode, qui est laissé à la prudence du magistrat. Le
juge choisit la façon la plus adéquate de réparer, et seul

doit le guider le souci de proportionner la réparation au dommage subi.

Tels sont les principes de la responsabilité délictuelle qui — je l'ai dit — sont différents de ceux de la responsabilité contractuelle. En effet, l'inexécution du contrat est par elle-même fautive, de sorte que la responsabilité contractuelle sera encourue par la simple abstention d'exécuter la convention. C'est celui qui n'a pas exécuté qui aura à prouver l'absence de faute pour échapper à la responsabilité. Car si le dommage est évidemment prouvé par l'inexécution du contrat, il restera au demandeur à déterminer le genre de faute commise par le contractant infidèle. Cette faute peut être un dol, ou une faute légère. La responsabilité peut varier de degré, elle n'en est pas moins acquise.

Mais, en matière contractuelle, les juges ont depuis longtemps établi une distinction que je dois indiquer, celle qui consiste à séparer nettement les obligations de résultat et les obligations de moyens. Je m'explique. Si je plaide le procès d'un client, je ne lui promets pas d'avoir gain de cause, de même que je ne puis lui promettre la guérison si je suis médecin et que j'aie à le soigner. Je lui garantis simplement que je mettrai tout en œuvre pour faire triompher son point de vue dans la contestation qui l'oppose à son adversaire, ou pour lui rendre la santé. C'est cela, une obligation de moyens ; elle consiste à faire de son mieux. La responsabilité de l'avocat ou du médecin ne sera engagée que si leur client démontre qu'ils ont commis une faute. Au contraire, le transporteur, par exemple, s'oblige à un résultat : transporter tel objet à tel endroit. Si le transport n'est pas effectué, l'inexécution de l'obligation est démontrée, puisque le résultat promis n'a pas été atteint. C'est alors au voiturier qu'il appartiendra de justifier son attitude et de s'exonérer de sa responsabilité, s'il le peut, en démontrant que l'exécution de l'obligation a été empêchée par un cas fortuit ou par la force majeure, ou encore par le fait d'autrui.

La sanction de la responsabilité contractuelle ne peut intervenir si le créancier n'a, avant tout, mis en demeure son débiteur, c'est-à-dire s'il ne lui a pas adressé sommation d'avoir à réaliser la prestation promise. Mais, une fois la mise en demeure effectuée, l'exécution devra avoir lieu, soit directement lorsque cela sera possible, soit par équivalent, c'est-à-dire par l'attribution de dommages et intérêts qui devront correspondre au préjudice intégral subi par le créancier et couvrir à la fois la perte subie et le gain manqué.

Les parties peuvent d'ailleurs, par convention, aggraver ou alléger le régime de la responsabilité contractuelle ; par la clause pénale notamment, c'est-à-dire par la fixation dans le contrat même du chiffre de dommages et intérêts dûs par le débiteur pour non-exécution de son obligation ; par la clause d'exonération partielle ou totale de responsabilité ou par l'assurance dans l'hypothèse où les parties désirent alléger leurs responsabilités respectives.

On voit ainsi que les deux responsabilités sont nettement séparées et obéissent à des règles différentes. Cela tient à ce que les deux institutions, tout en étant l'une et l'autre des sources d'obligations, présentent cette différence fondamentale que la responsabilité contractuelle provient d'une convention, c'est-à-dire d'un acte volontaire, tandis que la responsabilité délictuelle a pour base un lien extracontractuel.

Mais ces deux régimes ne sont pas seuls à créer des obligations. Il existe encore une autre catégorie d'institutions qui mettent à la charge de certaines personnes des restitutions. C'est essentiellement des cas d'enrichissement injuste qu'il s'agit. L'enrichissement injuste peut se produire plus spécialement lorsque, en l'absence du propriétaire, un ami ou un voisin gère le bien abandonné. Cette immixtion dans les affaires d'autrui qui s'appelle gestion d'affaires aboutit à certaines conséquences créatrices d'obligations de la part du géré à l'égard du gérant. Un paiement indû est sujet à la restitution ou, comme on le dit, à répétition. Enfin, indépendamment de la gestion d'affaires et de la répétition de l'indû, une technique particulière, valable pour toutes circonstances, permet à l'appauvri de réclamer restitution à celui qui s'est enrichi sans cause à ses dépens. Il faut pour cela que l'enrichissement et l'appauvrissement soient en corrélation et qu'aucun autre moyen de droit ne puisse être employé.

La diversité du droit des obligations apparaît ainsi. Nous en avons examiné jusqu'ici les sources. J'aborderai maintenant un problème particulièrement important et pratique en traitant de la preuve des obligations.

IV. — LA PREUVE DES OBLIGATIONS

Le problème de la preuve se pose dans toutes les circonstances de la vie courante, mais plus particulièrement encore en justice lorsqu'il faut faire la démonstration d'un droit. Sans doute eût-il été plus scientifique de détacher cette étude du droit des obligations pour l'inclure dans la vie judiciaire, car c'est devant le juge qu'on doit prouver ses allégations. Mais on peut dire aussi que ce n'est pas sans raison que le code s'est préoccupé de la preuve sous la rubrique des obligations, puisque, en pratique, c'est surtout celles-ci qui demandent à être démontrées. Il en est ainsi même en matière de droits réels. Ce n'est pas la propriété qu'on prouve, mais le contrat de vente en vertu duquel on a acquis tel immeuble.

La charge de la preuve incombe au demandeur, je l'ai déjà dit à propos de la responsabilité civile. Mais si le défendeur, de son côté, allègue quelque chose, une quelconque exception, c'est lui qui, à son tour, aura la charge de la preuve. Les preuves sont administrées devant le juge suivant une certaine technique, le juge étant en principe neutre. Mais s'il ne lui appartenait jamais autrefois de prendre la moindre initiative et s'il était totalement étranger au conflit qui opposait entre elles deux prétentions rivales, sa mission aujourd'hui n'est plus simplement de jouer le rôle d'arbitre et de dire si les preuves réunies démontrent la prétention du plaideur. Les transformations de la procédure et plus particulièrement la réforme de 1958 ont élargi ses pouvoirs et le juge est aujourd'hui l'élément moteur du procès.

Les prescriptions légales n'ont jamais à être prouvées.

Le juge connaît le droit par hypothèse. La preuve porte uniquement sur le fait. Mais il est essentiel d'opposer le simple fait matériel à l'acte juridique. Le premier pourra être prouvé par tous les moyens, du fait que sa constatation dans un écrit est le plus souvent impossible. Le second est en général soumis au système de la preuve préconstituée, c'est-à-dire de la production d'un écrit établi d'avance et dans certaines formes.

L'administration de la preuve peut être quelquefois fort difficile ; c'est alors que la loi intervient pour la faciliter en établissant des présomptions, qui consistent à induire d'un fait connu l'existence du fait qu'il s'agit de prouver. La présomption est donc une dispense légale de la preuve et l'admission d'une probabilité pour une certitude. Cependant la présomption, sauf si elle est déclarée irréfragable par la loi, permet toujours la preuve contraire. La présomption sera anéantie si le fait contraire a été démontré.

Deux ordres de preuve s'opposent dans tout système judiciaire : celui de la preuve morale, en usage dans notre procédure criminelle, et celui de la preuve légale, en usage dans notre procédure civile. L'intime conviction du juge, si importante devant la justice répressive, joue moins devant les tribunaux civils, car la loi prévoit non seulement les procédés de la démonstration, mais aussi la valeur des preuves fournies. Cependant, le caractère transactionnel de la justice civile est souligné par le fait que, si la preuve est légale, le juge a toute liberté, une fois qu'elle a été administrée, pour en apprécier la valeur, sauf si la force probatoire — celle d'un acte authentique, par exemple — est expressément imposée par les textes.

Les modes de preuve en matière civile sont, en dehors de la preuve par écrit, la preuve par témoins ou par présomptions, ainsi que l'aveu et le serment.

La preuve par écrit n'est utilisée que pour établir l'existence d'actes juridiques ; il est rare qu'elle établisse des faits matériels, à moins que leur importance soit considérable, comme c'est le cas pour les actes de l'état civil. Toute la matière de la preuve littérale est dominée par une double règle inscrite dans le code : d'abord un acte juridique ne peut être prouvé qu'au moyen d'un écrit toutes les fois qu'il s'agit d'une valeur supérieure à une certaine somme prévue par le code et d'ailleurs modeste, ensuite aucune preuve par témoins ne peut être reçue contre et outre le contenu de l'écrit.

La première règle se comprend par son seul énoncé. La loi veut que tout acte d'une certaine importance soit constaté par écrit, et que le créancier soit muni d'une preuve toute faite de sa créance. Quelques exceptions existent bien entendu, et notamment le principe de la liberté de la preuve en matière commerciale.

La seconde règle signifie que la loi donne la préférence absolue à l'écrit, et c'est en ce sens qu'il faut entendre l'impossibilité de prouver contre et outre le contenu d'un acte. On ne pourra combattre par témoignage une preuve écrite, même s'il s'agit d'une somme minime. C'est toujours l'écrit qui l'emporte.

L'écrit peut être un acte authentique, un acte sous seings privés ou enfin un écrit non signé.

L'acte authentique est celui qui est dressé par un officier public, notaire, huissier, greffier, consul ou tel autre. En matière d'obligation, on peut dire que c'est surtout le notaire qui reçoit les conventions authentiques. L'acte est dressé en minute ou en brevet. Dans le premier cas, la minute reste à l'étude et il en est délivré des copies ou expéditions dont la première, appelée grosse, est revêtue de la formule exécutoire. C'est le titre authentique justifiant de l'acte passé. Dans le cas du brevet, c'est l'acte lui-même qui est remis aux parties. La foi qui s'attache aux constatations de l'officier public vaut jusqu'à inscription de faux, celle qui s'attache aux faits relatés par les parties, jusqu'à preuve du contraire.

Les actes sous seings privés sont des écrits dressés et signés par les parties. Les énonciations de tels actes valent jusqu'à la preuve contraire, mais la sincérité de l'écriture et des signatures ne peut être contestée qu'au moyen d'une procédure spéciale, celle de la vérification d'écriture. Cependant la force probante de ces actes s'attache à leur régularité. Les formes des actes sous seings privés sont différentes suivant que l'acte doit constater une convention unilatérale ou réciproque. Dans ce dernier cas, l'écrit doit être rédigé en autant d'originaux qu'il y a de parties ayant un intérêt distinct au contrat. Chaque écrit doit être signé par toutes les parties et contenir l'indication du nombre d'originaux. Dans le cas d'un acte unilatéral, il doit être entièrement écrit et signé de la main du débiteur ou — s'il est dactylographié ou écrit par un tiers — la signature devra être précédée de l'indication en toutes lettres de la somme avec la mention « bon pour ». J'ajoute que le destinataire d'une lettre missive peut s'en servir pour faire la preuve des faits articulés par lui.

Je me suis quelque peu étendu sur ces matières réglementaires, parce qu'elles sont pratiques. Un mot encore sur les écrits non signés. Ils sont de plusieurs espèces : les livres de commerce, les registres et papiers domestiques, les écritures mises par le créancier en marge et au dos des titres, les tailles et les copies des titres. Leur force probante — sauf particularités concernant les livres de commerce — est très faible.

Venons-en au témoignage. C'est la déposition faite en justice par des personnes qui ont assisté aux faits qu'elles relatent. Ce mode de preuve ne lie pas le juge et ne dépend pas du nombre de témoins entendus. Remarquons à ce propos que la preuve par témoins et par présomptions n'est admise que dans certaines hypothèses. D'abord, bien entendu, quand la valeur de la cause n'excède pas la somme prévue par le code. Ensuite, au-dessus de cette somme quand la preuve a péri par cas fortuit ou quand il a été impossible de se procurer une preuve écrite, même si l'obstacle a été purement moral. Enfin, quand il existe un commencement de preuve par écrit, c'est-à-dire tout acte émanant de celui contre lequel la demande est formée et qui rend vraisemblable le fait allégué.

Il ne faut pas confondre le témoignage avec l'expertise ni avec la commune renommée. L'expert documente le juge sur l'interprétation technique qui peut être donnée de certains événements ou de certaines circonstances ; celui qui rapporte la commune renommée n'a pas assisté aux faits eux-mêmes mais les connaît par ouï-dire.

La présomption est une induction. En général, une seule présomption a peu de valeur probante. Il faut un certain nombre de présomptions et il faut aussi qu'elles soient

graves, précises et concordantes pour entraîner la conviction. Il existe aussi des présomptions de droit qui sont
absolues et dont la valeur est considérable. Elles ne peuvent être renversées par la preuve contraire. Il en est
ainsi, par exemple, dans le cas le plus connu et le plus
important, celui de la présomption de vérité qui s'attache
à la chose jugée.

L'aveu est la reconnaissance par le défendeur du droit
du demandeur au cours d'une instance en justice. Si
l'aveu est irrévocable, il peut cependant être annulé pour
erreur de fait. L'aveu est aussi indivisible : on ne peut
retenir une partie de l'aveu et en rejeter une autre.

Le serment est déféré par une partie à l'autre en
désespoir de cause. Si vraiment il est impossible de
prouver une obligation, on en fait juge la partie adverse.
Si celle-ci refuse le serment, elle avoue par là même et
perd son procès. Si elle le prête, c'est le demandeur qui
a perdu. Le défendeur peut aussi référer le serment
au demandeur, c'est-à-dire s'en remettre à son tour
à celui qui le lui a déféré. Mais le serment peut être
également déféré par le juge. Si celui-ci a réuni un certain
nombre de présomptions qui lui paraissent cependant
insuffisantes pour entraîner sa conviction, il peut les
compléter en déférant le serment à l'une des deux parties
à son choix. Mais, même prêté dans ces conditions, le
serment n'aura qu'un effet appelé supplétoire ; il ne lie
pas le juge.

Telles sont les grandes lignes de notre système probatoire légal. Rédigé par le législateur à propos des obligations et inclus dans le code civil, il reste encore aujourd'hui un modèle pour toutes les branches de notre droit
et pour bien des législations étrangères.

V. — LES REGIMES PARTICULIERS ET LA FIN DES OBLIGATIONS

L'obligation n'est pas toujours simple, en ce sens qu'elle
peut être affectée d'une modalité comme le terme ou la

condition ; elle peut aussi comprendre plusieurs objets
ou sujets, être principale ou simplement accessoire. Tous
ces régimes particuliers méritent qu'on en explique le
mécanisme ; je dirai ici, en outre, ce qu'est la transmission des obligations.

Le terme et la condition sont deux événements futurs,
mais si le terme doit nécessairement arriver, la réalisation
de la condition n'est jamais une certitude. Le terme peut
être suspensif lorsque l'exigibilité de l'obligation est
reculée à l'échéance, ou extinctif lorsque l'échéance met,
au contraire, fin à l'obligation. Le débiteur à terme ne
doit rien avant l'arrivée du terme, mais la loi prévoit la
déchéance du terme, c'est-à-dire l'exigibilité immédiate
de la créance, dans le cas de la faillite du débiteur et
aussi dans l'hypothèse où celui-ci a, par son fait, diminué
les sûretés fournies au créancier.

La loi distingue trois sortes de conditions. La condition
est casuelle lorsque son arrivée dépend du hasard. Elle
est potestative lorsque son arrivée dépend de l'une des
parties au contrat. Elle peut aussi être mixte, c'est-à-dire
dépendre à la fois de la volonté d'une des parties et de
la volonté d'un tiers, comme par exemple dans la stipulation : si vous épousez telle personne, je vous ferai telle
donation. Quels que soient son nom et sa nature, la
condition est suspensive ou résolutoire, suivant que les
parties ont entendu subordonner à sa réalisation l'exécution ou la résolution de l'obligation.

Certaines conditions sont nulles. Il en est ainsi si la
condition est impossible ou contraire aux bonnes mœurs,
ou prohibée par la loi, car le texte pose pour principe que
l'inclusion d'une telle condition dans un contrat rend
nulle la convention qui en dépend. Si cette règle — différente de celle qui joue en matière de libéralités, où les
conditions impossibles, immorales ou illicites sont réputées non écrites — était appliquée d'une façon rigide, on
aboutirait, contrairement au vœu du législateur, à procurer au contractant qui l'impose la même satisfaction
que si la condition était valable. Un exemple nous
éclairera. Supposons que je loue ma maison à un couple
de jeunes mariés sous la condition résolutoire et immorale qu'ils n'auront pas d'enfants. Admettons que la

condition se réalise et qu'un enfant naisse : ou bien la condition sera jugée valable et le locataire sera expulsé en vertu du contrat, ou bien la condition immorale aura annulé le contrat de louage tout entier et le locataire sera alors expulsé comme occupant sans titre. C'est pour éviter ces conséquences que les juges scrutent attentivement la convention et, tout en annulant la condition immorale ou illicite, maintiennent l'ensemble du contrat.

Les obligations à objet complexe sont, en dépit de leur nom, d'une grande simplicité. Ce sont celles où le débiteur devra exécuter cumulativement plusieurs prestations ou, au contraire, pourra se libérer en exécutant alternativement telle ou telle autre obligation. L'obligation facultative est bien claire aussi ; c'est celle qui permet au débiteur de se libérer d'une obligation déterminée par l'exécution d'une autre. Quelques précisions sont nécessaires sur les obligations à sujets complexes : c'est en effet une question pratique qui se pose tous les jours devant les tribunaux et dans les affaires.

La principale obligation à sujets complexes est l'obligation solidaire, c'est-à-dire celle qui suppose qu'une chose est due au créancier par plusieurs débiteurs, de telle sorte que le paiement intégral puisse être réclamé à l'un d'entre eux au gré du créancier. On comprend l'intérêt de rendre une obligation solidaire entre plusieurs personnes : c'est protéger d'autant mieux le créancier contre l'insolvabilité du débiteur.

La solidarité peut être conventionnelle ou légale, car elle ne se présume jamais, en dehors des matières strictement commerciales. Elle est conventionnelle lorsque le créancier qui traite avec plusieurs personnes à la fois leur demande de signer un engagement solidaire. Elle est légale dans un grand nombre de circonstances expressément prévues par les textes.

Mais, légale ou conventionnelle, la solidarité se caractérisera toujours par des effets découlant de sa définition même, qui postule l'unité de l'objet et la pluralité des liens de l'obligation.

Il résulte de ce qu'un seul objet est dû, que le créancier peut poursuivre un codébiteur solidaire quelconque pour en obtenir le paiement intégral, mais aussi que le codébiteur poursuivi pourra invoquer pour se défendre tous les moyens tenant à la dette. De ce qu'il y a pluralité de liens, il résulte que le créancier qui n'a obtenu du débiteur condamné qu'un paiement partiel peut poursuivre d'autres codébiteurs pour la somme qui reste due ; il en résulte également qu'on peut diviser les poursuites entre deux ou plusieurs codébiteurs.

Lorsque l'un des codébiteurs a payé la totalité de la dette, il aura évidemment le droit de se retourner contre les autres codébiteurs solidaires pour se faire rembourser leur quote-part de la dette. Ou bien il usera de son action personnelle comme mandataire ou gérant d'affaires, ou bien, mieux encore, il sera substitué, en vertu de la subrogation légale, dans les droits du créancier désintéressé.

Cette subrogation personnelle est en réalité un mode de transmission de la créance, car il n'est pas nécessaire que le subrogé soit un codébiteur solidaire. N'importe quel tiers ayant payé peut, sous certaines conditions, être subrogé aux droits du créancier désintéressé.

La subrogation s'opère soit en vertu d'une convention, soit de plein droit, mais, qu'elle soit légale ou conventionnelle, ses effets sont identiques et peuvent se résumer dans ce très simple principe que le subrogé acquiert la créance avec tous les accessoires qui en garantissent le paiement. C'est d'ailleurs le principe même de la cession de créance, institution voisine, également destinée à transmettre les obligations.

Cependant le subrogé ne pourra poursuivre le débiteur pour une somme supérieure à celle qu'il a effectivement payée. Il existe une autre conséquence assez curieuse de la subrogation, spécialement en matière de codébiteurs solidaires : si en effet le subrogé n'est pas un tiers, s'il a été lui-même un codébiteur exécuté par le créancier, il perd le droit de poursuivre pour le tout l'un des autres débiteurs à son choix. Il devra obligatoirement diviser son recours entre tous les autres codébiteurs. La loi le veut ainsi pour éviter une cascade de recours, qui serait de nature à retarder considérablement la solution du litige.

La subrogation n'est pas le seul mode de transmission des obligations. J'ai dit tout à l'heure que la cession de créance en était un autre. Elle consiste à transmettre au cessionnaire une créance du cédant ; cette créance se comportera dans le nouveau patrimoine exactement comme elle se comportait dans l'ancien, c'est-à-dire que le cessionnaire deviendra seul créancier.

Il faut remarquer que la cession de créance est une opération en quelque sorte spéculative. C'est en cela qu'elle se distingue de la subrogation ; dans le cas le plus général où une cession de créance a été faite pour une somme inférieure à sa valeur nominale, le cessionnaire qui essaie d'effectuer une opération fructueuse pourra, contrairement au subrogé, réclamer le montant intégral de la créance.

J'achèverai maintenant l'ensemble de ces régimes spéciaux en disant ce qu'est le cautionnement, institution dont l'importance pratique est considérable. La caution est une personne qui intervient par un engagement personnel pour garantir la dette d'autrui.

Si la caution, par son engagement, est tenue de la dette, il existe des circonstances assez curieusement agencées par nos lois où elle peut se soustraire au paiement, l'ajourner ou enfin payer partiellement.

Une fois que la caution a payé partiellement ou totalement, elle pourra recourir à son tour contre le débiteur. Elle aura une action personnelle de mandat ou de gestion d'affaires, exactement comme un codébiteur solidaire qui se retourne contre ses coobligés ; mais elle aura aussi l'action du créancier, dans laquelle elle est subrogée de plein droit.

L'obligation, quelle que soit sa source, après avoir pris naissance sous certaines conditions, s'être développée, tend à sa fin. L'extinction se produira dans la plupart des cas par le paiement. Mais il existe d'autres causes d'extinction des obligations, dont la remise de dette, la confusion, la compensation, la novation et la prescription extinctive, qu'on appelle encore libératoire. Je n'expliquerai que le paiement et la prescription.

Le paiement est effectué par le débiteur de l'obligation ou par un tiers qui le fait au nom du débiteur, à moins que l'obligation ne soit contractée en considération de la personne. Il doit être fait au créancier ou à son man-

dataire. L'objet du paiement doit être celui-là même dont
on est convenu. C'est ainsi que la dette d'un corps certain
doit être éteinte par la livraison de la chose même, avec
ses accessoires ; c'est ainsi encore que la dette des choses
de genre s'effectuera en choses conformes à la qualité
moyenne ; c'est ainsi enfin que la dette d'une somme
d'argent sera éteinte par le règlement en monnaie ayant
cours légal. Pour ce qui concerne du reste ce dernier
genre de paiement, il faut noter que le règlement par
un moyen fiduciaire, c'est-à-dire par chèque bancaire
ou postal, est admis sous certaines conditions, et que ce
mode de paiement est obligatoire lorsque les sommes
dues dépassent un montant déterminé. Enfin, le paiement
doit être intégral et effectué à l'échéance convenue, sauf
lorsque le contrat prévoit le paiement fractionné ou
lorsque le juge a accordé des délais de grâce, qui ne
peuvent dépasser un an et qui sont octroyés en considération de la position du débiteur ou de la situation
économique générale. Le terme de grâce est exposé à
certaines déchéances et ne peut jamais être accordé aux
souscripteurs d'effets de commerce ni aux débiteurs du
Crédit foncier.

Si — comme cela peut arriver en cas de mésentente —
le créancier refuse le paiement, le débiteur, qui a intérêt
à se libérer, ne fût-ce que pour arrêter les intérêts de sa
dette, recourra à la procédure des offres réelles et à la
consignation de la chose due. Un officier public, en
possession de l'objet du paiement, somme le créancier de
recevoir son dû. Sur refus, les deniers seront déposés à
Paris à la Caisse des dépôts et consignations, en province
à la trésorerie générale ou chez le receveur particulier
des finances. Le jugement déclarant les offres réelles
bonnes et valables libérera le débiteur.

Sauf convention, le lieu de paiement ayant pour objet
un corps certain est l'endroit où se trouvait la chose lors
du contrat ; celui ayant pour objet les choses de genre et
spécialement les sommes d'argent, au domicile du débiteur, car la dette est quérable et non portable. Cependant
il faut excepter le cas de vente, le prix étant alors toujours réglé au domicile du vendeur, c'est-à-dire du
créancier. Quant à la preuve du paiement, elle résultera

en dernière analyse de la quittance signée et délivrée par le créancier.

De même que la prescription acquisitive anéantit le droit du propriétaire indolent, de même la prescription extinctive libère le débiteur de son obligation. L'inaction du créancier est assimilée, quant à ses effets, à l'inaction du propriétaire. Le fondement de la prescription est à peu près le même : d'abord, un intérêt d'ordre public : éviter la chicane et les interminables discussions sur un droit qui vieillit et devient de plus en plus difficile à établir ; ensuite, l'idée que le créancier a sans doute renoncé à son droit, puisqu'il s'est abstenu de l'exercer.

Mais notre système de prescription acquisitive est complexe et se complique encore du fait que, par de nouvelles lois s'appliquant à de nouvelles matières, le législateur établit des délais différents de ceux qui existent dans le code. Ces derniers sont eux-mêmes multiples et compliqués.

Le délai de prescription de droit commun est de trente ans, comme pour l'usucapion. Toutes les obligations et les actions en justice qui les sanctionnent se prescrivent par ce vaste espace de temps. Mais la loi a abrégé ces délais dans des cas très nombreux, dont le premier est la prescription décennale des actions en nullité.

Un texte prévoit ensuite la prescription quinquennale. Se prescrivent par cinq ans toutes les dettes payables par termes périodiques, comme les arrérages des rentes et des pensions, les loyers des maisons, les fermages et les intérêts des sommes prêtées.

Enfin, d'autres articles du code établissent de courtes prescriptions allant de deux ans à six mois et fondées sur une présomption de paiement. C'est ainsi que se prescrivent par deux ans les créances des médecins, dentistes, sages-femmes et pharmaciens, celles des avoués et celles des commerçants à raison des marchandises vendues aux particuliers ; c'est ainsi encore que se prescrivent par un an les créances des huissiers pour les actes signifiés, des maîtres de pension et des domestiques qui louent leurs services à l'année ; c'est ainsi enfin que se prescrivent par six mois les créances des hôteliers et traiteurs, celles des maîtres et instituteurs pour les leçons données au mois et enfin celles des salariés.

Le délai de prescription commence à courir à dater de l'échéance du terme ou de la réalisation de la condition, mais le jour qui sert de point de départ n'est pas compris dans le délai, alors que le dernier jour y est inclus. Les délais sont interrompus ou suspendus par les mêmes circonstances que ceux de l'usucapion.

Le débiteur ne peut ni renoncer d'avance à la prescription, ni accepter conventionnellement l'allongement des délais, faute de quoi l'institution même de la prescription serait compromise. En revanche, il lui est loisible d'accepter par convention l'abréviation des délais, sauf en matière de contrat d'assurance, où la prescription de deux ans est d'ordre public.

VI. — LES SURETES

Avant de pénétrer dans le domaine des privilèges et des hypothèques, où seule règne une froide technique, je voudrais faire comprendre au lecteur les raisons qui ont guidé le législateur lorsqu'il a créé les sûretés. Les nouvelles possibilités organisées par la loi ont été essentiellement dirigées contre les insuffisances de la protection du créancier, car, à la vérité, le droit de gage général qu'il a sur le patrimoine de son débiteur le garantit très peu. Le créancier, quelle que soit l'ancienneté de sa créance, n'a aucun droit de préférence par rapport aux créanciers plus récents et ils exerceront tous ensemble les mêmes droits sur le patrimoine du débiteur, leur gage commun. Il n'a non plus aucun droit de suite sur les objets composant ce patrimoine, et bien souvent le débiteur pourra s'appauvrir sans que le créancier puisse l'en empêcher, donc se protéger.

Certes, deux actions particulières existent dans notre code et viennent en aide au créancier ; elles s'appellent respectivement l'action oblique et l'action paulienne. L'une permet au créancier d'exercer au nom de son débiteur

les droits que celui-ci néglige de faire valoir, l'autre lui
permet d'attaquer les actes frauduleux du débiteur. Mais,
dans les deux cas, le créancier qui agit a souvent l'impression de « travailler pour le roi de Prusse », car les
valeurs qui grossiront le patrimoine du débiteur ou qui
y reprendront leur place deviendront ou redeviendront
le gage de tous les créanciers. Au surplus, les difficultés
qui hérissent la poursuite de ces actions sont considérables, puisque, dans la première, seules les actions patrimoniales peuvent être exercées, tandis que, dans la
seconde, les conditions sont multiples et délicates : il
appartiendra en effet au créancier poursuivant de démontrer le préjudice réalisé et non seulement menaçant, la
fraude du débiteur et souvent la complicité du tiers
acquéreur.

Voilà pourquoi la loi a organisé des sûretés véritables,
afin de garantir plus sérieusement certaines créances :
d'une part, elle a établi les privilèges mobiliers, d'autre
part, les privilèges immobiliers et les hypothèques.

Les privilèges mobiliers sont des sûretés réelles, qui
donnent au créancier le droit de se faire payer, avant
tous les autres, sur le prix d'objets mobiliers appartenant
au débiteur. Ces privilèges sont établis par la loi, mais
aussi, comme en matière de gage, par la convention. En
principe, sauf pour le gage, la loi s'occupe de la créance
et de l'intérêt social qu'elle présente, et non du créancier.
D'autre part, les privilèges mobiliers peuvent être généraux lorsqu'ils s'étendent à tous les meubles du débiteur,
ou spéciaux lorsqu'ils n'en grèvent que certains.

Les privilèges immobiliers et les hypothèques sont deux
droits réels immobiliers qui garantissent une créance et
confèrent au créancier un droit de suite sur l'immeuble
grevé et un droit de préférence sur le prix de cet immeuble. Ces deux droits sont complémentaires, car le premier
permet de suivre l'immeuble s'il est aliéné et de le saisir
dans un autre patrimoine que celui du débiteur, alors que
le second lui donne le droit — après vente — d'être payé
par préférence sur le prix réalisé. On conçoit par conséquent que le gage du créancier hypothécaire est beaucoup
plus efficace que celui du créancier ordinaire, dont nous
avons dit la situation au début de cette division.

Le privilège immobilier diffère de l'hypothèque essentiellement par son rang, qui est indépendant de la date d'inscription, et par la circonstance importante qu'il prime l'hypothèque s'il est en conflit avec elle. On peut dire que le privilège immobilier est une sorte d'hypothèque privilégiée établie en considération de la qualité de la créance protégée. La publicité des hypothèques et des mutations immobilières — condition essentielle d'un bon régime hypothécaire, car les tiers ont besoin de savoir à chaque instant si l'immeuble de leur débiteur est grevé ou non —, après avoir été organisée fort incomplètement par le code et rajeunie par une loi de 1855, a été totalement transformée, cent ans après, par un décret de 1955.

Le caractère essentiel des hypothèques et des privilèges, c'est le fait qu'ils sont des droits réels accessoires ; ils ne peuvent exister en dehors de l'obligation qu'ils garantissent.

Si les privilèges résultent de la loi seule, les hypothèques sont d'origine légale, judiciaire ou contractuelle. La loi accorde l'hypothèque de plein droit à certains créanciers dont la situation est particulièrement digne d'intérêt. C'est ainsi que la femme mariée possède une hypothèque sur les immeubles de son mari, destinée à garantir toutes ses créances, à condition qu'elles aient pour origine le lien matrimonial. Mais il lui est loisible de ne pas l'inscrire ou d'en donner mainlevée au profit d'un acquéreur de l'immeuble grevé. Cette hypothèque n'est donc pas très gênante pour le crédit du mari. Une autre hypothèque légale appartient aux incapables sous tutelle et grève les biens de tous ceux qui administrent le patrimoine des pupilles. Il faut encore mentionner spécialement l'hypothèque de l'Etat, des départements, des communes et des établissements publics qui grève les immeubles de leurs comptables. D'autres hypothèques légales existent encore : l'hypothèque des légataires, celle qui appartient à la masse des créanciers du commerçant failli ou en règlement judiciaire, celle qui appartient au syndicat des propriétaires et quelques autres.

L'hypothèque judiciaire, qui garantit la créance en justice, résulte de plein droit de toutes les décisions contentieuses.

Enfin, l'hypothèque conventionnelle est un contrat unilatéral par lequel le créancier obtient de son débiteur ou d'un tiers la constitution de la sûreté en garantie de sa créance. En cette matière, outre les conditions habituelles des contrats, la forme solennelle est prescrite à peine de nullité absolue.

Les effets des hypothèques et des privilèges immobiliers sont, je l'ai déjà dit, le droit de suite et le droit de préférence. Le droit de suite suppose que l'immeuble grevé a été aliéné, que la créance du créancier hypothécaire est exigible et que la publicité de la sûreté a été effectuée conformément à la loi. Si ces conditions sont réunies, le créancier doit signifier au débiteur un commandement de payer, et il doit aussi signifier au tiers détenteur un commandement de payer ou délaisser. C'est seulement trente jours après l'accomplissement de ces formalités que l'action hypothécaire pourra être exercée. Le tiers détenteur paie, et c'est la situation la plus commune. Il peut aussi laisser exproprier ou délaisser l'immeuble, deux partis qu'il adoptera bien plus rarement.

En revanche, avant même que l'action du créancier hypothécaire ne commence, le tiers acquéreur peut procéder à une formalité qui s'appelle la purge de l'hypothèque et qui est extrêmement fréquente. C'est une procédure intéressante qui consiste à prévenir ou à arrêter l'action hypothécaire en affranchissant l'immeuble des hypothèques ou des privilèges qui le grèvent. Le tiers qui veut purger l'immeuble doit publier son titre. Il doit ensuite notifier aux créanciers inscrits la situation exacte de l'immeuble. Il doit signifier des offres par lesquelles il s'engage à distribuer entre eux le prix de l'acquisition. Les créanciers ont alors un délai de quarante jours pour prendre parti. S'ils acceptent, la purge est faite et l'immeuble libéré ; le droit des créanciers se transporte alors sur le prix payé, qui sera distribué par une procédure d'ordre. Mais si les offres leur paraissent insuffisantes, elles peuvent être refusées. Le créancier insatisfait devra alors requérir la mise aux enchères de l'immeuble en faisant une surenchère du dixième, c'est-à-dire en s'engageant à faire monter les enchères d'un dixième au-dessus de l'offre du tiers détenteur. Il devra

aussi fournir caution. L'adjudication réalisée, le prix
sera distribué et la purge acquise.

Le droit de préférence est le second et le plus important
effet de la sûreté. Mais il n'appelle guère d'observations.
Il s'exerce sur le prix qui se distribue entre tous les
créanciers au cours d'une procédure d'ordre et c'est lui
qui fixe le rang des créanciers hypothécaires et privilégiés.

J'ai dit l'importance de l'inscription de la sûreté. Elle
se fait à la conservation des hypothèques sur présentation
du titre constitutif d'hypothèque et de deux bordereaux,
dont l'un est rendu au requérant, l'autre conservé par
le bureau. Les inscriptions se périment par dix ans et
doivent être renouvelées.

J'achève ici le récit des institutions civiles et économiques de la France. Nous avons maintenant parcouru un
vaste domaine et, sans doute, le plus important quant au
droit privé. Ces institutions représentent ce qu'on pourrait
appeler le droit commun. Les branches qui, peu à peu, en
ont été détachées sont toutes de création récente ; elles
apparaissent au fur et à mesure que se développe telle
activité humaine ou telle autre. Le commerce, le travail,
les diverses professions, l'agriculture, tout est virtuelle-
ment inclus dans le vieux code civil, base de la vie sociale
et économique du Français. Les divers droits professionnels auxquels seront consacrés les deux chapitres suivants
n'ont de règles particulières que dans la mesure où ils
dérogent au droit commun. Mais on verra que leur fondement est le même.

LA VIE PROFESSIONNELLE

CHAPITRE V

LE COMMERCE

I. — LE COMMERÇANT ET SON DOMAINE

Le droit commercial régit la plus grande partie de la vie professionnelle ; il se bornait autrefois à compléter le droit civil ; il tend aujourd'hui de plus en plus à s'y substituer en développant des règles qui lui sont propres. Son rayonnement est plus universel et ses prescriptions peuvent être plus facilement généralisées que les lois civiles, celles-ci étant plus étroitement nationales, parce que consacrées à des matières concernant la vie privée.

Suivant l'article liminaire du code de commerce, les commerçants sont ceux qui exercent des actes de commerce et en font leur profession habituelle. Qu'est-ce qu'un acte de commerce ? Il est difficile d'en trouver un critère général. Par tâtonnements, nous aboutirons à l'idée qu'un acte de commerce est tout d'abord un acte de spéculation, c'est-à-dire celui qui a pour but la réalisation d'un bénéfice ; mais c'est aussi l'acte accompli d'une façon générale par tous les intermédiaires entre le producteur de richesses et le consommateur de biens. C'est

ainsi que seront commerciales les activités d'échange,
comme l'achat pour revendre, l'achat pour louer, toutes
entreprises de fournitures ou d'exploitation. C'est ainsi
encore que les activités industrielles entreront également
dans la catégorie des actes de commerce, de même que
toutes les activités financières, comme les opérations de
banque, de change, d'assurance et de crédit. C'est ainsi,
enfin, qu'on peut grouper dans les activités des intermédiaires — commission, représentation, courtage — l'ensemble des opérations commerciales dont l'objet très
général est le mandat. On voit que, sous la dénomination
un peu restrictive de commerce, on sous-entend en réalité
l'essentiel de la vie économique du pays. D'autre part,
on considérera que l'ensemble des opérations faites par
un commerçant est effectué pour les besoins de son
commerce. C'est ainsi que la profession de commerçant
exercera à son tour une influence sur les actes accomplis
par celui qui s'en réclame.

Le commerçant a un statut légal, qui s'est greffé sur
un principe fondamental ancien de notre droit privé : la
liberté du commerce. Cette liberté absolue, comme tous
les principes de liberté et d'autonomie de la volonté, est
aujourd'hui restreinte par une réglementation qui tend
à limiter l'entrée dans cette profession, comme dans
beaucoup d'autres. En premier lieu, les incompatibilités
établies pour les autres professions limitent l'entrée de
ceux qui les exercent au sein du milieu commerçant ; il
en est ainsi de ceux qui exercent des professions libérales
ou de ceux qui font partie du corps des fonctionnaires.
En second lieu, de nombreuses et très sévères restrictions
sont intervenues en ce qui concerne les étrangers. Enfin,
d'importantes lois sur l'assainissement des professions
commerciales en ont interdit l'accès aux personnes ayant
des antécédents judiciaires ou poursuivies à l'occasion
d'infractions d'ordre fiscal ; d'autres lois ont réglementé
certains commerces, qui seront accessibles à ceux qui
produisent des autorisations spéciales, des licences, des
cartes professionnelles ou des diplômes.

Depuis une récente loi, qui a profondément réformé les
règles du registre du commerce, toute personne qui y
est immatriculée pourra se prévaloir des prérogatives

attachées à la qualité de commerçant. Au contraire, même non immatriculé au registre, le commerçant n'échappera pas à ses obligations, qui sont multiples, et dont le but est d'assurer la rapidité des transactions, la probité dans les affaires et la protection du public.

Le registre du commerce est une sorte de répertoire de toutes les personnes physiques ou morales qui exercent le commerce. Il sert à réunir et à rendre publics un certain nombre de renseignements sur le commerçant : c'est une sorte d'état civil commercial, dont les extraits sont fournis librement à tous ceux qui en font la demande. Les diverses inscriptions au registre sont publiées, en outre, par extraits, dans un bulletin officiel, qui assure une grande diffusion aux diverses mentions concernant les commerçants immatriculés. Ceux-ci doivent requérir l'immatriculation dans les deux mois de la date à partir de laquelle ils ont commencé leur activité commerciale. Il est nécessaire de fournir un certain nombre de pièces, qui permettent l'inscription des mentions de toute nature concernant le commerçant lui-même et les activités exercées par lui. Des inscriptions complémentaires ou modificatives doivent être faites chaque fois qu'un changement s'effectue dans la situation professionnelle ou privée du commerçant immatriculé. En cas de cessation de son activité, le commerçant doit requérir sa radiation du registre du commerce.

L'immatriculation au registre du commerce affirme la qualité de commerçant. Mais immatriculé ou non, celui-ci a un certain nombre d'obligations. Une des plus importantes concerne la gestion de son entreprise ; c'est la tenue de la comptabilité. Ce n'est pas une facilité donnée aux commerçants, mais une obligation légale inscrite dans le code. La tenue d'une comptabilité sérieuse est imposée tout d'abord dans l'intérêt du commerçant, qui peut l'utiliser comme preuve dans des procès et qui se tient ainsi au courant des bénéfices qu'il réalise ou des pertes qu'il subit. Mais l'obligation de tenir des livres est aussi imposée dans l'intérêt général : en cas de faillite, la comptabilité renseignera le juge sur l'actif et le passif de l'entreprise et sur la façon dont le fonds a été géré ; elle servira aussi aux vérifications fiscales, et la statis-

tique y puisera, enfin, les éléments nécessaires à une
saine organisation de l'économie.

La réglementation actuelle impose au commerçant la
tenue de deux livres obligatoires : le livre-journal et le
livre d'inventaire. Le livre de copies de lettres, prévu par
le code, est tombé en désuétude depuis la généralisation
de la dactylographie ; la loi ne prescrit plus que la conservation pendant dix ans des copies de lettres, ainsi que
de la correspondance reçue. Le livre-journal doit contenir,
au jour le jour, le relevé de toutes les opérations de
l'entreprise, avec une récapitulation mensuelle des totaux.
Le livre d'inventaire est celui sur lequel on porte tous les
ans l'inventaire de tous les biens et de toutes les dettes
du commerçant. Il sert à l'établissement du compte des
profits et pertes, qui explique les résultats bénéficiaires
ou déficitaires de l'entreprise ; ce compte sera la base du
bilan, tableau contenant l'exposé des résultats de l'inventaire par actif et passif.

L'obligation pour le commerçant-individu ne s'étend
que sur l'inventaire, et il ne lui est pas prescrit par la
loi de rédiger le bilan. Mais le devoir de l'établir découle
aujourd'hui de l'application des lois fiscales, qui imposent le commerçant sur les bénéfices industriels et
commerciaux, donc sur ceux de l'exercice qui sont
déterminés par le bilan. Il faut noter que le bilan est un
document comptable secret ; il n'est communiqué aux
tiers que dans le cas où le tribunal fait produire des
livres de commerce. Mais cette règle concerne seulement
le commerçant particulier. Il en est tout autrement en
matière de sociétés, où les administrateurs doivent communiquer le bilan aux commissaires aux comptes et aux
actionnaires, et en matière d'établissements de banque,
qui doivent le publier.

Les livres obligatoires sont tenus par le commerçant
un peu comme l'officier d'état civil tient ses registres,
c'est-à-dire chronologiquement, sans blancs ni altérations
d'aucune sorte. Cotés et paraphés, c'est-à-dire numérotés
et authentifiés par une signature abrégée du juge au tribunal de commerce, les livres qui nous intéressent, comme
les documents qui les appuient, doivent être conservés
pendant dix ans. J'ajoute qu'il existe un certain nombre

de livres obligatoires pour des commerces particuliers :
agents de change, courtiers en valeurs mobilières, chan-
geurs ou entrepreneurs de transport, et que beaucoup de
commerçants tiennent des livres facultatifs, comme le
grand livre, le livre de caisse ou le livre de magasin.

II. — LE FONDS DE COMMERCE

Le véritable domaine du commerçant, c'est l'entreprise,
ou plus modestement, le fonds de commerce, qui n'est
autre chose qu'un ensemble de biens et de moyens agencés
dans le but d'exploiter un commerce déterminé. Ces biens
et moyens sont des éléments de nature très diverse, les
uns corporels, les autres incorporels. Enumérés par la
loi de 1909, ils ne se trouvent pas nécessairement tous
réunis dans un même fonds, mais un certain nombre
d'éléments de base sont indispensables pour que le fonds
puisse fonctionner.

Parmi les éléments corporels, je citerai le matériel et
les marchandises. Le matériel se compose de tout l'outillage, de toutes les machines, de tout le mobilier du
bureau, de l'usine ou de l'atelier, mais il est important
de souligner qu'aucun bien immobilier ne peut en faire
partie. Le matériel est donc toujours composé de meubles
corporels destinés à rester dans le fonds. Au contraire, les
marchandises sont les meubles destinés à être vendus ;
c'est l'objet même du commerce.

Les éléments incorporels du fonds sont principalement
la clientèle et l'achalandage. A la vérité, il s'agit d'une
même notion enfermée dans deux mots qui se complètent,
encore qu'on ait cru pouvoir distinguer entre la clientèle,
qui serait composée de personnes ayant l'habitude de
s'adresser au fonds, et l'achalandage, qui serait l'aptitude
du fonds à attirer le public. Le droit à la clientèle est
la possibilité pour le commerçant de défendre sa clientèle
contre la concurrence qui chercherait à se l'approprier
par des moyens déloyaux. C'est, en allant plus loin, le

droit pour l'acheteur d'un fonds de protéger la clientèle contre le vendeur lui-même qui, comme tout vendeur, doit garantie.

Un autre élément incorporel du fonds est le nom commercial, également protégé, de même que l'enseigne. Les droits de la propriété industrielle constituent évidemment d'autres éléments, mais ils peuvent ne point se rencontrer dans tous les commerces. Enfin, un dernier élément mérite l'attention : c'est le droit au bail.

Le bail commercial est le contrat de louage qui lie un propriétaire d'immeuble à son locataire commerçant, et qui est consenti en vue de l'exploitation dans les lieux d'un fonds de commerce. L'importance de ce bail est très grande, spécialement dans le commerce de détail, où le fonds sera souvent d'autant mieux achalandé que son emplacement sera plus avantageux. Il est des cas où le droit au bail est l'élément le plus important du fonds et confère toute sa valeur à celui-ci. A l'origine de la législation qui devait conduire à la création de la propriété commerciale se trouvait la possibilité légale pour le bailleur de ruiner son locataire en lui refusant le renouvellement de son bail. Les locataires commerçants n'ont cessé de demander que leur droit au bail soit protégé, afin que soit par là même protégée leur propriété sur le fonds qu'ils ont créé. Une loi de 1926 leur a donné satisfaction en leur octroyant ce que le texte lui-même appelle la propriété commerciale. C'est le droit accordé au commerçant locataire d'obtenir le renouvellement de son bail ou, à défaut, une indemnité compensatrice du préjudice subi par son éviction. A plusieurs reprises modifiés et amendés, les textes sur la propriété commerciale ont subi et subissent constamment des retouches qui concernent tantôt le renouvellement des baux, tantôt leur révision.

Pour avoir droit au renouvellement, il faut être Français ; quelques étrangers pourront y prétendre s'ils sont ressortissants de pays où il existe une institution semblable et qui ont signé avec la France des conventions de réciprocité. Il faut être locataire, sous-locataire ou cessionnaire régulier. Il faut évidemment être propriétaire du fonds de commerce et il faut aussi qu'il s'agisse

des locaux où le fonds est exploité, sauf extension aux
locaux accessoires mais indispensables à l'exploitation
de l'entreprise. Le renouvellement du bail suit une procédure compliquée et formaliste, comme celle qui est imposée aux plaideurs lorsqu'il s'agit des baux d'habitation.
Le propriétaire peut toujours refuser le renouvellement.
Mais il paiera alors une indemnité d'éviction égale au
préjudice causé au locataire et qui peut être souvent
considérable.

La loi permet une révision triennale des loyers commerciaux ; elle établit certaines normes de variations
économiques qui permettront ou empêcheront la révision
des prix en vigueur. Je note, d'autre part, que contrairement à ce qui se passe en matière de baux à loyer, la
cession d'un bail commercial est parfaitement licite ;
toute clause tendant à interdire au locataire la cession
d'un tel bail est nulle, d'une nullité absolue.

Tels sont les éléments du fonds. J'ai souligné chemin
faisant ceux qui étaient les plus importants, et j'ai
insisté sur la propriété commerciale, qui est souvent le
plus caractéristique et, matériellement, le plus intéressant.
Cependant, les éléments essentiels restent la clientèle et
l'achalandage, sans lesquels il n'y a pas de fonds de
commerce.

Le fonds de commerce est à la fois une universalité et
un meuble incorporel : une universalité, c'est-à-dire une
entité juridique ayant une nature propre et indépendante
des éléments qui la composent ; un meuble, parce qu'il
tombe en communauté si le commerçant se marie sans
avoir pris la précaution de faire rédiger un contrat de
mariage.

Je dirai maintenant comment le fonds est exploité et
quelles sont les opérations juridiques dont il peut être
l'objet.

C'est le plus souvent le propriétaire du fonds qui le
gère et l'exploite. Il en assure la direction, il en tire les
bénéfices et en supporte les pertes. Mais il peut aussi en
confier à des tiers la gérance ; nous nous trouvons alors
en présence de la gérance salariée ou de la gérance libre,
suivant la forme du contrat.

La gérance salariée est un contrat par lequel le proprié-

taire du fonds, tout en conservant les risques de l'exploitation, et tout en gardant le contrôle, charge un tiers de
la direction du fonds. C'est alors le propriétaire du fonds
qui reste commerçant, le gérant pouvant être un salarié lié
par contrat de travail ou un mandataire, recevant quelquefois une participation aux bénéfices. Le gérant est
alors, d'une façon générale, un employé dont le statut
est celui de tous les travailleurs salariés.

Mais le propriétaire du fonds peut aussi le donner à
bail, en concéder la location à un gérant qui l'exploite à
ses risques et périls. La loi a réglementé cette seconde
forme de gérance d'une façon assez sévère, afin d'éviter
les spéculations qui consistaient dans l'achat d'un fonds
par des détenteurs de capitaux, non commerçants, dans
le seul but de le donner en location-gérance et d'en tirer
ainsi profit. C'est la raison pour laquelle la récente législation concernant cette forme particulière de bail exige
que la location-gérance ne puisse être consentie que par
des commerçants ayant exploité personnellement et pendant plus de sept ans une entreprise commerciale, et
pendant deux ans le fonds même qu'ils donnent en
gérance. Le propriétaire du fonds, qui est commerçant
par hypothèse, fera mentionner au registre du commerce
la mise en location-gérance. Le locataire-gérant doit
également être immatriculé, car il n'est jamais un simple
salarié, mais un commerçant qui exerce pour son compte.
Il doit exploiter le fonds mis à sa disposition en bon père
de famille. Il paiera une location, qui porte le nom de
redevance. Il aura d'ailleurs versé au préalable un cautionnement, pour garantir le propriétaire de l'exécution
de ses obligations. Il faut noter, qu'à l'expiration de son
contrat le locataire-gérant n'aura pas droit au renouvellement de la location du fonds. La propriété commerciale
ne s'étend pas à lui.

La location-gérance peut être considérée comme une
première opération juridique dont le fonds est l'objet.
Une autre est la vente du fonds ; c'est le contrat le plus
important et le plus répandu. Cette vente obéit à certaines
règles, dont la première exige qu'un acte soit passé, acte
qui contient des mentions indispensables, lesquelles protègent l'acquéreur en le renseignant. En pratique, dès que

les parties sont d'accord, un compromis de vente est d'abord rédigé ; il est suivi d'une régularisation définitive par la rédaction de l'acte de vente. La vente du fonds de commerce, comme d'ailleurs toute autre vente, peut priver les créanciers du cédant d'une partie de leur gage, et en l'occurrence le péril est grand, car la dissimulation des espèces est facile. Au surplus, dans la plupart des cas, le fonds représente pour le commerçant l'essentiel de son avoir. C'est pour protéger les créanciers du vendeur que la loi a prévu une publicité qui leur permet de faire des oppositions sur le prix. D'autre part, toute vente de fonds de commerce devra être deux fois publiée dans un journal d'annonces légales. La dernière publication ouvre un délai de dix jours, pendant lequel les oppositions pourront être faites par exploit d'huissier contenant le chiffre et les causes de la créance. Le prix devient alors indisponible entre les mains de l'acquéreur ; il sera distribué aux créanciers à l'amiable ou sur procédure de distribution par contribution, semblable à celle qui est utilisée en matière de purge des hypothèques, en cas de désaccord. La surenchère du sixième est instituée pour protéger le créancier contre une vente à prix réduit. Les obligations du vendeur d'un fonds de commerce seront semblables aux obligations de tout vendeur : il devra livrer et garantir.

Un dernier contrat relatif au fonds de commerce peut être conclu, c'est le nantissement, qui permet aux commerçants de donner leur fonds en garantie tout en en conservant la possession. Ainsi, le nantissement s'apparente moins au gage qu'à l'hypothèque, sans cependant présenter les mêmes avantages qu'une véritable hypothèque immobilière. Le nantissement judiciaire a été créé en 1955 pour protéger les créanciers lorsqu'il y a urgence et que le recouvrement de la créance semble en péril.

III. — LES SOCIETES PAR INTERETS

J'ai déjà eu l'occasion, en décrivant la personnalité morale, de dire l'importance de ces personnes morales

de droit commercial que sont les sociétés. J'en ai donné
la définition. J'ai dit que les sociétés civiles étaient peu
répandues, encore que la renaissance de la copropriété
augmente aujourd'hui constamment leur nombre. Les
sociétés commerciales, dont je vais maintenant expliquer
le fonctionnement, ont, dans notre vie économique, une
importance capitale. La plupart des grandes entreprises
sont en effet établies sous forme des sociétés par actions.
La plupart des entreprises moyennes ou même petites sont
des sociétés par intérêts. La mainmise de la personnalité
morale sur la vie économique, voire sociale, de notre pays
est indéniable, et l'on peut dire que, si la civilisation
féodale avait pour base la terre, c'est la société qui est le
fondement du régime capitaliste. La prolifération des
pactes sociaux au XIXᵉ siècle, leur extraordinaire développement aujourd'hui, et la concentration des moyens
financiers, qui en décuple la puissance, en sont la preuve.

On sait ce qu'est le contrat de société : c'est un contrat
par lequel deux ou plusieurs personnes conviennent de
mettre quelque chose en commun afin de partager les
bénéfices qui pourront en résulter. Le contrat n'est pas
toujours ce pacte de droit privé signé par tous les participants. Dans les sociétés par actions, par exemple, où
les participants peuvent se chiffrer par milliers, les statuts
sont établis par les fondateurs, et les membres y adhèrent
en devenant actionnaires. La notion classique du contrat
a été ainsi battue en brèche par les nécessités de la vie
économique moderne. Mettre quelque chose en commun
suggère l'idée des apports qui sont faits par les associés ;
leur réunion constituera le capital social. Les apports ne
sont pas nécessairement des espèces. En dehors des
apports en numéraire, il existe des apports en nature :
on peut, entre autres, apporter un fonds de commerce
en société, mais, dans ce cas, les formalités de publication
doivent avertir les tiers de la nouvelle destination
donnée au fonds.

La recherche des bénéfices à partager distingue la
société de l'association, on le sait déjà. Mais il n'est nullement interdit de limiter la participation aux pertes, et
c'est sur la base de la responsabilité jusqu'à concurrence
de leurs apports que seront tenus, comme on le verra tout

à l'heure, les commanditaires, les membres des sociétés à responsabilité limitée et les actionnaires des sociétés anonymes. Enfin, toutes les sociétés sont fondées sur une volonté commune de collaboration ; le contrat de société groupe, non pas ceux dont les intérêts opposés cherchent à se rapprocher par la création d'obligations mutuelles, mais ceux dont les intérêts sont communs dès l'origine du pacte social.

Les sociétés commerciales peuvent être classées en deux grands groupes. C'est le premier, celui des sociétés par intérêts, que nous exposons pour le moment : il comprend les sociétés en nom collectif, en commandite simple et à responsabilité limitée. J'expliquerai dans la division suivante le fonctionnement du second groupe, composé des sociétés anonymes et en commandite par actions. Les types secondaires ne retiendront pas notre attention ; on peut y classer les sociétés à capital variable, les sociétés d'investissement, l'association en participation et quelques autres.

La société en nom collectif groupe des commerçants qui font des affaires sans que soit limité leur risque individuel. La société en commandite est celle qui est composée des commandités, véritables associés en nom collectif, et des commanditaires, bailleurs de fonds, responsables seulement dans la limite des capitaux apportés à l'affaire. Ces deux sortes de sociétés sont actuellement détrônées par la société à responsabilité limitée qui, comme son nom l'indique, limite le risque de perte.

Les deux sociétés traditionnelles, et de plus en plus rares à l'heure actuelle, se caractérisent par le fait qu'elles sont constituées en considération de la personne, d'où le nom, sous lequel elles sont également connues, de sociétés de personnes. Il en résulte que les parts sociales sont intransmissibles, sauf accord unanime des associés. Il en résulte encore que la mort ou la faillite d'un associé dissout la société, et que le commerce se fait sous une raison sociale groupant les noms des associés ou de certains d'entre eux, suivis des mots : « et compagnie ».

Les règles de fond pour constituer ces sociétés n'ont guère de particularités, et le droit commun des contrats recevra pleine application en ce qui concerne le consentement, la capacité et la licéité de l'objet et de la cause. En revanche, les règles de forme sont assez strictes : l'acte devra être écrit et enregistré, la publicité devra être faite par dépôt du contrat social au greffe du tribunal de commerce et la société sera immatriculée au registre du commerce.

Les sociétés en nom collectif et en commandite simple sont en général gérées par un gérant, le plus souvent choisi parmi les associés, mais pouvant être une personne étrangère à la société. Le gérant désigné par le pacte social est dit statutaire ; il ne peut être révoqué sans cause légitime. Au contraire, le gérant désigné par une délibération des associés sera dit non statutaire et ses pouvoirs pourront être révoqués comme un simple mandat. Nous retrouverons ces règles dans le fonctionnement des sociétés à responsabilité limitée.

Les pouvoirs du gérant sont grands : il peut accomplir tous les actes nécessaires à l'exploitation normale de l'entreprise. Mais s'il exerce des pouvoirs étendus, les associés ne sont pas exclus de la vie sociale. C'est ainsi que tous les associés ont droit de contrôle et de conseil. Ils ont aussi droit au respect du contrat qui, dans ces sociétés, est intangible, sauf si l'unanimité des associés en souhaite la transformation.

La principale obligation des associés est de contribuer aux pertes. Si les commanditaires, comme je l'ai dit, ne sont tenus des dettes sociales que dans la mesure de leurs apports, les commandités et les associés en nom collectif sont tenus indéfiniment et solidairement pour tous les engagements de la société. C'est cette obligation sévère qui a raréfié ces formes de sociétés, spécialement depuis l'apparition de la société à responsabilité limitée.

La société à responsabilité limitée a rencontré le plus franc succès. Elle a rapidement remplacé les autres sociétés de personnes et on peut dire que, placée à l'intersection des sociétés par intérêts et par actions, elle a groupé sous sa bannière tout le moyen et le petit commerce, qui cherche à la fois à éviter la complication des sociétés anonymes et à limiter le risque des associés.

La dénomination sociale doit être obligatoirement suivie ou précédée de la mention en toutes lettres : « société à responsabilité limitée », avec l'indication du montant du capital social dont le minimum est fixé par la loi. Les règles de constitution des sociétés à responsabilité limitée sont plus simples que celles des autres sociétés par intérêts. Le nombre des associés est au minimum de deux et peut être illimité ; en fait, il est généralement réduit, d'autant plus que les sociétés groupant plus de vingt membres sont soumises à quelques règles particulières.

Les associés n'ont pas besoin d'être commerçants, et leur responsabilité est limitée au montant de leur apport. L'apport en numéraire doit être intégralement versé, l'apport en nature est évalué dans l'acte constitutif, qui est écrit et enregistré. Tous les associés doivent intervenir à l'acte qui indique comment sont réparties les parts entre les associés. Il est expressément déclaré dans l'acte que les parts ont été réparties et qu'elles sont intégralement libérées. Le régime des parts est quelque peu spécial. Tous titres négociables, comme dans les sociétés par actions, sont interdits ; les parts ne pourront être cédées que par le mode civil de la cession de créance. Si la cession est faite à un tiers, elle est subordonnée à l'autorisation de la majorité en nombre des associés représentant trois quarts au moins du capital social. C'est d'ailleurs la majorité requise pour les modifications aux statuts.

Les décisions des associés sont prises obligatoirement en assemblée lorsque la société compte plus de vingt participants. Dans le cas le plus fréquent où les associés sont moins nombreux, la loi permet au gérant de les consulter par écrit. Ceux-ci répondent par un vote écrit. S'il y a assemblée, elle sera convoquée par le gérant, par le conseil de surveillance ou par les associés représentant plus de la moitié du capital social.

Quel que soit le nombre des associés, une assemblée annuelle aura lieu, ne fût-ce que pour recevoir les comptes du gérant et statuer sur le dividende proposé. Des délibérations extraordinaires sont nécessaires pour modifier les statuts. Mais aucune délibération et aucune majorité ne peut jamais ni obliger un associé à augmenter sa part sociale, ni changer la nationalité de la société. En dehors de ces deux points, les associés sont souverains dans la transformation de leur société.

Je dirai maintenant comment meurent les sociétés par intérêts. Certaines causes de dissolution sont communes à toutes les sociétés : l'expiration du temps prévu dans les statuts ou la consommation de la négociation qui constituait l'objet de la société ; d'autres sont accidentelles, comme la dissolution volontaire ou judiciaire. Pour ce qui concerne les sociétés en nom collectif et en commandite simple, certaines causes fondées sur la considération de la personne jouent pour leur dissolution ; il en est ainsi de la mort d'un associé, de sa faillite ou de sa déconfiture, de la survenance d'une incapacité, ainsi que de la révocation du gérant statutaire. Toutes ces causes très spéciales de dissolution ne jouent pas en matière de société à responsabilité limitée ; en revanche, celle-ci disparaît s'il y a perte des trois quarts du capital social.

La dissolution des sociétés par intérêts doit toujours être publiée dans un journal d'annonces légales. On y insère également les noms et adresses des liquidateurs ainsi que leurs pouvoirs. La liquidation ressemble à celle de la succession d'une personne physique. Il s'agit de terminer les affaires de la société, de réunir les éléments de son actif, de payer ses dettes et de partager entre les associés l'actif net qui pourra subsister. La société dissoute conserve sa personnalité pour les besoins de cette liquidation et jusqu'à l'achèvement de toutes les opérations. C'est le gérant qui peut être chargé de liquider la société, mais un tiers peut être également investi de cette mission, notamment, dans les grandes villes, des spécialistes officiellement nommés par les tribunaux, appelés liquidateurs de sociétés.

Une fois la liquidation terminée, le partage intervient. La loi prescrit l'application des règles du partage des successions : le partage sera amiable ou judiciaire, chaque associé aura le droit de réclamer sa part en nature et le partage aura l'effet déclaratif. Mais, dans l'immense majorité des cas, le liquidateur aura réalisé l'actif social et il ne restera qu'à faire une simple distribution des deniers. La valeur de leur apport sera répartie entre les associés. Un excédent d'actif, appelé boni de liquidation, qui représente des bénéfices accumulés, pourra également être distribué entre les associés. Si au lieu d'avoir réalisé des bénéfices, la société a subi des pertes, leur répartition se fera suivant le pacte social ou, à défaut, proportionnellement aux apports des associés.

IV. — LES SOCIETES PAR ACTIONS

Si la considération de la personne joue un rôle essentiel dans les sociétés par intérêts, seuls comptent dans les sociétés par actions les capitaux apportés. C'est pourquoi on les nomme aussi sociétés de capitaux, par opposition aux sociétés de personnes. Deux types sont connus : la commandite par actions et la société anonyme. La première est en voie de disparition ; elle est composée d'actionnaires commanditaires et de commandités responsables indéfiniment et solidairement du passif social. La seconde s'est considérablement développée au xixe et surtout au xxe siècle. Forteresse de l'organisation sociale et économique actuelle, elle est, en même temps, un puissant moyen d'action.

Cependant, c'est dans l'accroissement même de la puissance de ces organismes qu'on a pu déceler des périls. D'abord, le danger pour les tiers, qui ne trouvent pas facilement les vrais responsables des affaires sociales, d'où une minutieuse élaboration des règles constitutives de ces sociétés ; ensuite, le danger pour l'épargne, dont la protection contre les hommes d'affaires peu scrupuleux est assurée par une série de mesures très sévères ; enfin, le danger pour l'intérêt général, car on pouvait redouter la naissance d'une véritable ploutocratie, d'où, en dehors des nationalisations, une réglementation stricte de l'administration de ces sociétés. Mais ces périls ne doivent pas faire perdre de vue le fait que les sociétés anonymes pouvant faire appel à l'épargne sont peu nombreuses et qu'elles sont en général bien administrées.

La constitution de la société anonyme est beaucoup plus complexe que celle des sociétés par intérêts. La loi impose d'abord un acte constitutif, sous forme d'un écrit qui prend le nom de statuts. Ce n'est pas un véritable contrat, comme dans les sociétés de personnes où il est signé par les participants, c'est un projet signé par les fondateurs. Les souscripteurs adhèreront par la suite à ces statuts.

Une fois les formalités préalables achevées il sera procédé à la réunion du capital social, ce qui se fait en deux temps, par la souscription et par la libération des parts sociales, qui s'appellent actions. La loi ne fixe pas le montant légal maximum ou minimum du capital social, mais elle impose à l'action un taux minimum, qui est sa valeur nominale. La souscription est un engagement de réaliser un apport à la société. C'est une promesse. La société n'est pas valablement constituée tant que son capital n'est pas entièrement souscrit, c'est-à-dire tant que les souscripteurs ne se sont pas engagés d'une façon ferme, sincère et irrévocable à tenir leur promesse et à libérer le capital social, c'est-à-dire à effectuer leur apport. La règle de la souscription intégrale interdit l'émission des actions au-dessous du pair ; il est en revanche permis d'exiger du souscripteur le paiement d'une prime d'émission, qui s'ajoute au montant nominal de l'action. C'est par la voie de bulletins de souscription que la promesse est faite. Le nombre d'actionnaires ne peut être inférieur à sept. Afin d'écarter les spéculateurs, la loi exige, dès la signature du bulletin de souscription, la libération d'une partie de l'apport ; le versement à la souscription ne peut être inférieur au quart de la valeur nominale, le reste devant être réclamé plus tard, dans un délai maximum de cinq ans. On stipule souvent, dans les importantes sociétés qui font appel à l'épargne, un versement total immédiat. Les fonds sont déposés à la Caisse des dépôts et consignations, ou chez un notaire. Les actions ainsi libérées sont des actions en numéraire ; les actions d'apport, qui correspondent aux apports en nature, doivent être intégralement libérées à la souscription. La réunion du capital social souscrit et libéré s'achève par une déclaration notariée qui certifie que les bulletins de souscription ont été présentés au notaire et les fonds déposés.

Une fois ces formalités accomplies, les assemblées constitutives vont se réunir pour achever la formation de la société. Tout actionnaire, même ne possédant qu'une seule action, pourra voter. Aucun actionnaire n'aura plus de dix voix. La majorité est des deux tiers des actions présentes ou représentées. L'assemblée générale constitutive doit, pour délibérer valablement, réunir au moins la moitié du capital social, qu'on appelle quorum, et qui est calculé uniquement sur le capital en numéraire.

L'assemblée constitutive a pour mission de vérifier la sincérité de la déclaration notariée et de nommer les premiers administrateurs de la société, ainsi que les premiers commissaires de surveillance. Le procès-verbal de la séance constate leur acceptation, et la société est constituée sans qu'aucune autre formalité soit nécessaire. En pratique, les associés approuvent les statuts et déclarent la société constituée. S'il s'agit d'une société où il existe des apports en nature ou d'une société qui accorde des avantages à certains associés en rémunération de services particuliers, la vérification et l'approbation de ces apports ou avantages devra être faite par deux assemblées générales constitutives, une seule n'étant pas suffisante aux yeux de la loi. La société devra être enregistrée dans le mois de sa constitution ; une publicité par dépôt et insertions aura lieu, ainsi que l'immatriculation au registre du commerce.

Le fonctionnement de la société anonyme est assuré par trois catégories d'organes : ceux de gestion, ceux de surveillance et de contrôle, ceux enfin de délibération, c'est-à-dire les assemblées d'actionnaires.

La société anonyme est administrée par un conseil d'administration, composé de trois administrateurs au moins, de douze au plus. Les pouvoirs du conseil, en général très étendus, sont définis par la loi et précisés par les statuts. Les administrateurs sont pris parmi les actionnaires ; ils doivent posséder un nombre déterminé d'actions nominatives, inaliénables, affectées à la garantie de la gestion et déposées dans la caisse sociale. Le président du conseil d'administration, nommé par les membres du conseil, remplit, seul, les fonctions de directeur général. Un directeur général adjoint peut être

162   LES INSTITUTIONS FRANÇAISES

désigné pour l'assister. Il ne faut pas confondre ces
personnalités avec les directeurs techniques qui, employés
supérieurs de la société, liés à elle par contrat de travail,
ne sont en rien mandataires du conseil.

Les administrateurs, ou certains d'entre eux, au gré du
tribunal, sont partiellement obligés au passif social en
cas de faillite ou de règlement judiciaire de la société.
Une responsabilité civile lourde pèse sur eux, de même
qu'une responsabilité pénale pour délits commis lors de
la constitution ou au cours du fonctionnement de la
société. Je note que contrairement à ce qui se passait
autrefois, le quitus donné aux administrateurs par l'assemblée ne met pas obstacle à une éventuelle action en
responsabilité.

La surveillance et le contrôle sont exercés par les
commissaires aux comptes, délégués permanents des
associés, qui peuvent à toute époque de l'année opérer
des vérifications de la comptabilité, de la caisse et du
portefeuille. Mais les actionnaires exercent personnellement leur contrôle par le moyen du droit de communication qui leur permet de prendre connaissance à toute
époque des procès-verbaux des assemblées tenues dans
les trois années précédentes. Ils peuvent avoir communication, dans les quinze jours qui précèdent l'assemblée,
de tous documents qui y seront présentés. Le comité
d'entreprise, dont je parlerai dans le chapitre consacré
au travail, a également un droit de contrôle, qui s'exerce
avec une grande efficacité par la présence à toutes les
séances du conseil d'administration de deux délégués
permanents.

Les assemblées d'actionnaires en dehors des assemblées
constitutives, peuvent être ordinaires ou extraordinaires.
Les assemblées ordinaires sont toutes celles qu'on réunit
au cours de la vie sociale pour un but autre que la
modification des statuts. Pour délibérer valablement,
l'assemblée doit réunir le quorum du quart du capital
social. A défaut, une nouvelle assemblée sera convoquée
pour laquelle aucun quorum n'est exigé. Les délibérations
sont prises à la majorité absolue, c'est-à-dire à la moitié
plus une des voix. L'assemblée délibère sur son ordre
du jour, qui peut être varié. En général, elle réélit ou

remplace les administrateurs et les commissaires aux comptes, elle autorise certains actes du conseil, reçoit les comptes, règle l'emploi des bénéfices.

Les assemblées extraordinaires sont réunies pour statuer sur les modifications aux statuts ; tout actionnaire a droit d'entrée et a autant de voix que d'actions, sauf limitations pour empêcher l'écrasement de la minorité. La majorité et le quorum ont été uniformisés et les règles sont impératives. L'assemblée extraordinaire est omnipotente ; seuls lui sont interdits les changements qui ne sont possibles dans aucune société et dont j'ai déjà entretenu le lecteur. Les modifications des statuts peuvent porter sur l'objet ou la forme de la société, sur sa durée, sur l'augmentation ou la réduction du capital social.

Telle est la configuration de la société anonyme, dont la dissolution obéit aux règles des sociétés par intérêts ; mais la société anonyme sera encore dissoute dans le cas où le nombre des actionnaires serait réduit à moins de sept.

J'ai déjà dit le rôle que jouent dans notre organisation économique les sociétés en général et la société anonyme en particulier. Dans la division suivante, j'aurai l'occasion d'y revenir à propos des valeurs mobilières.

V. — LES VALEURS MOBILIERES ET LA BOURSE

Les opérations juridiques du commerce sont réalisées par la circulation de titres, qui présentent le double avantage de la constatation certaine d'un droit et de sa cession facile. Le titre, quel qu'il soit, est essentiellement négociable, c'est-à-dire cessible de façon rapide et dans des formes bien plus simples que la cession de créances civile. Les titres se composent des effets de commerce, dont je parlerai plus tard, et des valeurs mobilières, actions, parts de fondateur, obligations émises par les sociétés anonymes et négociables à la bourse des valeurs.

Les sociétés par actions émettent nécessairement des actions qui représentent les droits des associés. Le seul devoir de l'actionnaire est de réaliser son apport, c'est-

à-dire de tenir la promesse par lui souscrite. Les droits
des actionnaires sont multiples et se rattachent aux
caractères mêmes de l'action. C'est d'abord le droit, qui
n'appelle aucune observation, de collaborer à la gestion
et au contrôle de la société. C'est surtout le droit à des
prestations pécuniaires, droit semblable à celui que possèdent tous les associés dans toutes les sociétés. L'actionnaire a droit à une part des bénéfices qui est distribuée
annuellement par division entre les actionnaires : c'est
la raison pour laquelle on l'a appelée dividende. Les
actionnaires ont en principe des droits égaux.

L'actionnaire a aussi le droit de négocier son titre.
Pour les titres cotés en bourse, dont j'expliquerai tout à
l'heure le fonctionnement, il suffit de passer un ordre
à un agent de change pour les vendre quelques heures
après. Il y a des restrictions au principe de la liberté de
négocier, notamment dans les sociétés où les statuts
subordonnent la vente de l'action à l'agrément du nouveau titulaire par le conseil d'administration. C'est ce
qu'on nomme la clause d'agrément. La loi admet également que la société se réserve, par une clause de préemption, le droit de racheter, par préférence à tous autres, les
actions appartenant à un associé qui désire s'en défaire.

Le droit de souscription et le droit d'attribution sont
également deux importantes prérogatives de l'action. Le
droit de souscription joue lorsqu'une assemblée générale
extraordinaire a voté une augmentation du capital social.
Les anciens actionnaires auront alors le droit de souscrire à cette augmentation par préférence. Le délai de
souscription est en pratique d'un mois, sans pouvoir être
inférieur à quinze jours. Les actionnaires ont le droit de
souscrire à titre irréductible un certain nombre d'actions
nouvelles auxquelles les actions qu'ils détiennent déjà
leur donnent arithmétiquement droit. Ainsi, il sera précisé qu'on pourra souscrire à une action nouvelle pour
deux anciennes, pour trois anciennes, et ainsi de suite.
Mais les actionnaires ont également droit de souscrire à
titre réductible. Il s'agira alors de l'attribution à leur
profit des actions auxquelles d'autres actionnaires n'auront pas souscrit et qui seront partagées au prorata des
actions souscrites à titre irréductible. Il faut noter que

les actionnaires peuvent négocier en bourse le droit qu'ils ont de souscrire, et qui est communément matérialisé par un coupon.

L'augmentation du capital peut encore se faire par incorporation de réserves. Les sociétés qui disposent d'importantes réserves, lorsque celles-ci sont facultatives, peuvent, par un jeu d'écritures, augmenter leur capital. C'est une opération en général très lucrative pour les actionnaires, car cette incorporation au capital se traduit soit par une élévation de la valeur nominale des actions, soit par une distribution d'actions gratuites. Le droit d'attribution comme le droit de souscription sont cotés en bourse indépendamment de l'action dont ils représentent en général un coupon. Cette négociation permet de compléter des rompus, ce que j'expliquerai par un exemple : un actionnaire possède cinq actions, et une distribution gratuite est faite à raison d'une nouvelle action pour trois anciennes ; l'intéressé pourra, soit vendre deux droits et obtenir une quatrième action gratuite avec les trois qui lui restent, soit, après avoir acquis un droit supplémentaire, se faire attribuer deux actions gratuites.

Outre les actions, les sociétés anonymes peuvent émettre des parts de fondateur, qu'on appelle aussi parts bénéficiaires, ne faisant pas partie du capital social, mais donnant un droit sur les bénéfices de la société. Les parts de fondateur sont généralement émises lors de la constitution de la société et servent à récompenser certains services rendus par les fondateurs de l'affaire ou à rémunérer des apports en nature. Les porteurs de parts ont droit à certaines prestations pécuniaires déterminées par les statuts, généralement à un pourcentage sur les bénéfices distribués. Mais en cas de dissolution de la société, ils peuvent avoir droit à une part du boni de liquidation et à une part des réserves, ainsi qu'à une indemnité en cas de dissolution anticipée. Si les porteurs de parts n'ont pas voix au chapitre dans la gestion de l'entreprise, ils ont un certain droit de regard et un droit de veto pour certaines modifications des statuts. Les porteurs de parts sont groupés en une masse qui se réunit en assemblée sur convocation de la société ou d'un groupe

issu de leur sein et porteur d'un vingtième des parts.
Les règles de ces assemblées sont inspirées par les règles
générales des sociétés ayant trait au quorum et à la
majorité. Souvent les sociétés rachètent les parts ou les
échangent contre des actions.

La société émet aussi des obligations, qui représentent
des créances. Une société qui a besoin d'argent emprunte
en donnant à ses créanciers des titres négociables qui
l'obligent. Ce sont des obligations. Le souscripteur s'engage à verser le taux d'émission, la société en contrepartie
s'engage au remboursement dans un certain délai ; d'ici
là, elle sert à l'obligataire un intérêt. Si donc l'actionnaire
possède une part sociale, l'obligataire possède une créance.
Le premier est sociétaire, le second prêteur. Si le premier
n'a droit qu'à un dividende essentiellement variable, le
second aura un intérêt fixe ; si l'actionnaire a un droit
éventuel sur l'actif net, l'obligataire a droit au remboursement de son titre. Autrefois les intérêts des obligataires
étaient uniformes. Aujourd'hui, de plus en plus souvent,
les entreprises prévoient, en plus d'un intérêt minimum
fixe, un intérêt complémentaire variable en fonction des
bénéfices réalisés ou d'un indice. Dans les années récentes,
une nouvelle institution a surgi de la pratique : l'obligation convertible en action. Les obligataires d'une même
émission, à l'instar des porteurs de parts, sont groupés en
une masse qui tient des assemblées où se débattent les
problèmes qui les intéressent tous.

Les actions, les parts de fondateur et les obligations
ont un caractère commun : ce sont des titres négociables.
Vues sous cet aspect ces valeurs mobilières peuvent être
groupées sous deux rubriques : nominatives ou au
porteur. Ces dernières peuvent être individualisées ou
déposées à la S. I. C. O. V. A. M.

Le titre nominatif est celui qui porte le nom de l'actionnaire. Le titre au porteur est anonyme. Le premier
est garanti contre la perte ou le vol, mais le second est
de circulation plus rapide et il assure mieux le secret. Au
reste, la conversion permet la transformation aisée d'un
genre de titres en un autre. Le titre nominatif est immatriculé sur les registres de la société et le paiement des
intérêts se fait aux guichets des banques habilitées ou au

siège social sur présentation du document qui est alors dûment estampillé dans une case figurant au dos. Le titre au porteur n'est individualisé que par un numéro et le paiement du dividende se fait sur présentation des coupons détachés par le porteur.

Le titre au porteur peut aussi ne pas être individualisé du tout. Voici comment. Durant la guerre, il fut décidé de transformer l'ensemble des valeurs en titres nominatifs. Les derniers titres au porteur devaient être obligatoirement déposés chez un agent de change, chez un banquier ou à la C. C. D. V. T. (Caisse Centrale de Dépôt et Virement de Titres). On faisait ainsi le recensement des fortunes, but avoué des mesures ordonnées. Après la guerre, la C. C. D. V. T. a été liquidée, mais le système de dépôt simplement facultatif a été maintenu et confié à une organisation qui s'appelle Société Interprofessionnelle de Compensation des Valeurs Mobilières (S. I. C. O. V. A. M.). Son objet est tout autre. Il consiste à grouper divers adhérents officiels : agents de change, courtiers en valeurs mobilières et banquiers, et de rassembler leurs dépôts. Le principe est que les valeurs déposées ne sont pas individualisées, la masse des titres étant la propriété collective des déposants. La transmission des titres entre les clients des déposants se fait donc par virement de compte à compte et le paiement des coupons par simples opérations comptables. En définitive, la S. I. C. O. V. A. M. est une sorte de super-banque. Tous les droits afférents aux actions déposées sont exercés d'une façon mécanique par l'organisme ; il crédite ses déposants qui, à leur tour, aussitôt avertis, créditent leurs clients. Les fortunes, représentées autrefois par des pièces métalliques, sont devenues ensuite du papier ; elles s'expriment aujourd'hui simplement par des chiffres.

Les valeurs mobilières se négocient en bourse, marché des titres. Il en existe huit en France, dont la principale est à Paris. Seuls les intermédiaires officiels peuvent faire des opérations à la bourse ; ce sont les agents de change et les courtiers en valeurs mobilières. Les agents de change sont en même temps officiers ministériels et commerçants. Liés par le secret professionnel à l'égard des personnes qui les chargent des négociations, ils ont le privilège de la négociation des valeurs admises à la cote, c'est-à-dire inscrites sur une liste officielle. Ce sont les courtiers en valeurs mobilières, anciennement appelés coulissiers, qui ont le privilège de la négociation des valeurs non inscrites à la cote officielle. Leur statut, actuellement, se rapproche beaucoup de celui des agents de change. Les uns et les autres perçoivent un courtage officiel, dont le montant est prévu par des décrets.

Le marché en bourse peut être au comptant ou à terme. Le premier est une véritable transaction, qui s'exécute par la livraison réelle des titres contre paiement du prix. Il n'existe aucune limitation du nombre des valeurs échangées, et les ordres peuvent être passés par le client « au mieux » ou au cours limité. Si l'ordre est donné « au mieux », il est exécuté au premier cours sans considération du prix de la valeur ; si l'ordre est donné « à tel cours », l'exécution ne sera faite qui si la cote du titre descend jusqu'au prix auquel l'acheteur désire acheter ou monte jusqu'au prix fixé par le vendeur pour vendre.

Le marché à terme est essentiellement spéculatif, en ce sens que l'achat réel ou la vente des titres n'intéressent pas le joueur. La livraison et le paiement se font à terme, et ce terme lui permet d'espérer racheter entre temps les mêmes titres en baisse s'il est vendeur et de revendre en hausse, s'il est acheteur. A la liquidation, qui a lieu à la fin de chaque mois, il s'établit nécessairement une « différence » ...mais pas toujours dans le sens espéré par le spéculateur.

L'opération à terme peut se compliquer encore par celle du « report », lorsque, le jour de la liquidation, l'une des parties décide de ne pas terminer l'opération par un règlement. Tant le vendeur que l'acheteur ont la faculté « de se faire reporter », c'est-à-dire de faire renvoyer le règlement à la prochaine liquidation. C'est donc la possibilité pour le spéculateur de tenter une nouvelle chance de rattraper une mauvaise opération.

J'ajoute que le marché à terme peut aussi servir à des opérations non spéculatives, les courtages et impôts étant moins élevés dans le marché à terme que dans le marché au comptant.

VI. — LES EFFETS DE COMMERCE

Parmi les effets de commerce, instruments de paiement ou de crédit, une place importante est tenue par la lettre de change, plus communément appelée traite, et dont l'idée, assez ancienne et d'une grande simplicité, consiste à mettre en présence un créancier qui fait acquitter par son débiteur ce qu'il doit à son propre créancier.

Suivant ce schéma élémentaire, qui permet d'éteindre deux dettes par un même écrit, la lettre de change peut se définir comme un document écrit, par lequel une personne, qu'on appelle le tireur, donne mandat à une autre, le tiré, de payer une somme d'argent à l'ordre d'une troisième, le bénéficiaire. La lettre de change constitue en soi un acte de commerce.

Dans sa rédaction habituelle, la lettre de change est un document rectangulaire portant en haut et à droite un « bon pour » telle somme. Trois lignes de texte : A telle date, veuillez payer contre la présente lettre de change, la somme de tant à l'ordre de M. Untel. Il suffit alors au tireur de dater et de signer. Le plus souvent la traite est présentée à l'acceptation. Le tiré exprimera son acceptation par le mot « accepté » écrit en marge de la traite et suivi de sa signature.

La lettre de change est soumise à des conditions de fond et de forme. Les conditions de fond ont trait à la capacité des parties, qui doivent être capables d'accomplir des actes de commerce, et à la licéité des opérations. Mais, même si le contrat est illicite, ce fait ne pourra pas être opposé au porteur de bonne foi. Les conditions de forme obligent à un certain nombre de mentions précises à défaut desquelles la lettre de change ne vaudra plus que comme reconnaissance de dette. Parmi ces mentions, la loi prescrit que devront figurer la dénomination « lettre de change » insérée dans le texte même du document, la somme à payer, la date d'échéance, le lieu où se fera le paiement, enfin, l'indication de la date et du lieu où la lettre a été créée. Il va de soi que les indications relatives aux parties et leurs signatures sont aussi indispensables.

J'ai expliqué au début de cette division le fonctionnement de la lettre de change et le rôle respectif de ses
trois acteurs. Mais plusieurs personnages peuvent intervenir si le bénéficiaire de la traite est débiteur d'un tiers.
La lettre pourra alors passer entre plusieurs mains avant
que l'échéance n'arrive. Ces transmissions successives se
feront par « endossement », simple mention écrite au dos
de la traite. Par l'endossement, le nouveau porteur de la
lettre de change, qu'on nomme endossataire, acquiert
l'effet, qu'il achète en quelque sorte à l'endosseur. Tel est
évidemment le cas classique du banquier, acquérant
au comptant un effet qui ne lui sera remboursé que plus
tard, à l'arrivée de l'échéance. Les endossataires successifs, devenus à leur tour porteurs de bonne foi, bénéfi-
cieront tous du privilège selon lequel les exceptions ne
leur sont pas opposables.

Au jour dit, le paiement doit s'effectuer. Une importante
garantie du paiement établie par la loi est la solidarité :
tous les signataires sont codébiteurs solidaires, et cette
qualité commune à tous les participants rend particulièrement sérieuse la garantie de la créance du porteur. Une
garantie supplémentaire peut résulter de l'aval. Le don-
neur d'aval est une caution solidaire. Il donne sa garantie
sur la lettre de change même, en la signant et en faisant
précéder sa signature des mots : « Bon pour aval ». Il
peut aussi avaliser la traite par un acte séparé. L'aval peut
être donné pour le compte d'un signataire quelconque ;
il faut alors le préciser car, à défaut de précision, l'aval
est réputé donné pour le compte du tireur.

Le paiement doit être fait à présentation. Si le paiement
est refusé, le porteur exercera un recours contre les
divers signataires de l'effet. Il doit montrer de la diligence
dans la procédure, ce qui veut dire qu'il doit réclamer le
paiement en temps voulu et faire dresser, dans les délais
légaux, ce qu'on appelle un protêt : acte authentique
dressé par un huissier le jour de l'échéance, ou l'un des
deux jours ouvrables qui suivent, et qui constate le défaut
de paiement. La loi a institué la publicité des protêts
par la remise d'une copie au greffe du tribunal de commerce. Toute personne peut se faire délivrer un extrait
officiel de l'état nominatif qui mentionne tous les protêts

dressés depuis un an contre un commerçant. Cette sorte de casier commercial rend de grands services pour l'appréciation de la solvabilité d'une personne.

Le porteur diligent qui a fait dresser protêt a un recours contre les signataires de la traite. Il peut les assigner, il peut effectuer une saisie conservatoire sur leurs biens, il peut user de la procédure simplifiée du recouvrement des créances, qui est l'injonction de payer. Le porteur négligent, en revanche, subit des déchéances, qui peuvent lui être fort préjudiciables.

La lettre de change est l'instrument de crédit le plus répandu. Le billet à ordre est beaucoup moins employé ; c'est un effet semblable à celui dont je viens de décrire les modalités, sauf que l'engagement émane du souscripteur : « A telle date, je paierai à M. X..., ou à son ordre, telle somme. » Cette forme est surtout employée dans les ventes de fonds de commerce lorsque le paiement est échelonné. Le billet à ordre est alors un billet de fonds. Les règles d'endossement et de paiement de cet effet sont identiques à celles de la lettre de change. J'ajoute qu'il ne peut être ici question d'acceptation puisque le signataire est précisément celui qui s'engage, mais l'inopposabilité des exceptions joue dans ce cas autant que dans celui de la lettre de change.

Le warrant est un billet à ordre très particulier. Il est souscrit par un commerçant qui donne, en garantie de sa signature, des marchandises déposées dans un magasin général, ou qu'il s'engage à conserver chez lui.

Je vais achever la division que j'ai consacrée aux effets de commerce en expliquant comment fonctionne le chèque. Un chèque, c'est l'ordre de payer donné à son banquier, ou au service des chèques postaux, par le tireur qui a, au préalable, constitué une certaine provision. Le banquier sera ici le tiré et celui au profit de qui le chèque a été tiré, le bénéficiaire.

Le chèque n'est jamais un instrument de crédit mais, payable à vue, c'est toujours et uniquement un instrument de paiement. On le barre quelquefois de deux traits ; en ce cas le bénéficiaire ne peut l'encaisser aux guichets de la banque du tireur, mais doit le remettre à son propre banquier, qui l'encaissera par virement au compte de son client. La forme du chèque comme celle des autres effets est imposée. La sanction des insuffisances formelles est la nullité en tant que chèque, mais la pièce vaudra, bien entendu, comme reconnaissance de dette. Les conditions de fond sont très simples : le tireur du chèque n'étant pas nécessairement commerçant, une capacité générale suffit : le tiré ne peut être qu'un banquier ou un établissement assimilé.

La provision du chèque est, comme celle de la lettre de change, une créance d'argent. Mais la loi prévoit en matière de chèque que la provision devra être préalable à l'émission du titre. Elle devra également être disponible, en ce sens que le tiré doit pouvoir en disposer afin de l'utiliser pour le paiement. L'émission de chèque sans provision est un délit qui donne lieu à des poursuites judiciaires devant les tribunaux correctionnels. Le délit est constitué dans les trois hypothèses suivantes : si on émet un chèque sans provision préalable et disponible, ou avec une provision insuffisante ; si on retire tout ou partie de la provision après l'émission du chèque ; si on fait défense au tiré de payer le chèque. La transmission du chèque se fait par endossement selon des règles qui ne diffèrent guère de celles qui régissent la lettre de change.

Le chèque doit être présenté au paiement dans des délais assez brefs ; huit jours seulement pour les effets émis et payables en France. Comme pour la lettre de change, le porteur du chèque peut exercer, s'il est diligent, le recours contre tous les signataires. Pour garantir ses droits, il doit faire dresser protêt avant l'expiration du délai de présentation ; il peut aussi, plus simplement, obtenir du tiré une attestation établissant le défaut de paiement.

Les chèques postdatés sont interdits par la loi pénale ; cette fraude, découverte, conduit devant le tribunal correctionnel non seulement le tireur qui a besoin de gagner du temps, mais aussi le bénéficiaire de mauvaise foi trop soucieux de se garantir.

VII. — LA BANQUE ET LE CREDIT

Les banques sont les sociétés les plus puissantes : la croissance des autres a été conditionnée par leur épanouissement. Certes, la banque n'intervient pas directement dans le cycle économique habituel qui va de la production à la distribution des richesses, mais elle organise toutes les étapes de ce cycle en fournissant aux sociétés le crédit dont elles ont besoin pour s'étendre et faire prospérer le commerce et l'industrie.

Les banques sont connues depuis la plus haute antiquité. Dès l'apparition de la monnaie, la profession de banquier est apparue, qui avait pour objet le prêt et le transport de l'argent. Au Moyen Age, et surtout à l'orée des temps modernes, les grandes banques se sont multipliées grâce à la naissance des dépôts et au développement de l'escompte des traites. Mais le véritable épanouissement des établissements de crédit date du XIXe siècle, c'est-à-dire du triomphe du capitalisme libéral. L'organisation du monde moderne est liée à l'industrie et à la découverte, mais l'invention, la production accrue des biens, la modification dans les normes du bien-être des sociétés civilisées, tout cela eût été impossible sans des investissements de capitaux considérables, et ceux-ci ne pouvaient être fournis que par la banque. Au fur et à mesure que les hommes s'enrichissent, l'argent qu'ils économisent est de nouveau collecté par les banques, remis à la disposition du commerce, et recommence à tourner dans un cycle sans fin.

En même temps, des relations se sont nouées entre banques françaises et banques étrangères, qui ont permis de décupler la puissance des unes et des autres, par un soutien mutuel et par le financement des entreprises les plus rentables. C'est ainsi qu'est née ce qu'on est convenu d'appeler la finance internationale.

Mais cette croissance capitaliste, en vertu des lois qui sont les siennes, a souvent amené des crises économiques graves. D'où l'idée que la banque mérite plus que tout autre organisme d'être contrôlée par l'Etat, d'où l'idée

aussi, après la Libération, qu'en dehors de plusieurs
établissements utiles à la nation, il convenait de natio-
naliser, avant tout, les grands établissements de crédit.
C'est ainsi qu'aujourd'hui les banques se classent en deux
catégories, celles du secteur public et celles du secteur
privé.

Le secteur public comprend en premier lieu la Banque
de France et la Banque d'Algérie, nationalisées toutes
deux, bien entendu, et dont l'importance est d'autant plus
grande qu'elles exercent le contrôle de l'enregistrement
des banques et règlent le crédit par la fixation du taux
de l'escompte. Je note en second lieu les banques nationalisées, qui sont au nombre de quatre : le Comptoir
National d'Escompte de Paris, le Crédit Lyonnais, la
Société Générale et la Banque Nationale pour le Commerce et l'Industrie. Cependant, ces établissements conti-
nuent à demeurer des entreprises à caractère commercial.
Enfin, il existe des banques placées sous la direction ou
le contrôle de l'Etat, telles que les banques d'émission des
territoires d'Outre-Mer, le Crédit Foncier, le Crédit National, et certains établissements publics qui sont les
caisses publiques de crédit, telles que la Caisse des Dépôts
et Consignations, la Caisse Nationale des Marchés de
l'Etat, la Caisse Nationale de l'Energie, la Caisse Centrale
du Crédit hôtelier et quelques autres encore. Appartiennent également à cette catégorie les Caisses d'Epargne et
les Caisses de Crédit Municipal.

Les banques du secteur privé sont classées en trois
catégories : banques de dépôt, banques d'affaires et banques de crédit à long ou moyen terme. Les banques
étrangères peuvent également exercer leur activité en
France.

Les opérations bancaires sont multiples, mais elles
dépendent toutes de ce qu'on peut appeler le « compte
en banque » qui est comme l'expression des diverses
opérations qui peuvent se traiter dans les établissements
de crédit. Le compte en banque est la convention entre le
client et sa banque par laquelle celle-ci gère le compte
de celui-là. Toutes les opérations sur titres, sur effets de
commerce, passent par le compte du client et plus particulièrement par les écritures comptables qui matérialisent

ce compte. La société commerciale et sa banque forment aujourd'hui une symbiose qui permet aux deux de vivre l'une de l'autre sans qu'aucune monnaie soit comptée.

Chaque banque traitant un volume considérable d'affaires, une Chambre de compensation a été créée. C'est la réunion des banquiers permettant de régler par compensation, sous une certaine forme, les créances et les dettes existant entre eux du fait des opérations de leurs établissements. Puisque le total des soldes créditeurs est égal au total des soldes débiteurs, toutes les opérations faites entre banquiers étant portées à la Chambre, il est évident qu'un règlement général peut être opéré sans user d'autre chose que de chiffres. Par la même opération que je signalais tout à l'heure entre la banque et son client, les relations entre banques deviennent elles aussi purement mathématiques. Ce système, appelé clearing, a été utilisé également dans les règlements internationaux.

Les opérations bancaires, encore qu'elles portent sur divers contrats très ordinaires, transforment complètement les constructions juridiques valables dans les rapports entre particuliers en de nouvelles institutions très différentes de celles qui sont déjà connues du lecteur. C'est ainsi que le dépôt bancaire n'est pas le dépôt civil et que le prêt effectué par la banque se rapproche fort peu du contrat dont j'ai expliqué les modalités.

En tout premier lieu, les opérations bancaires concernent la monnaie. Je rappelle que le privilège d'émission des billets de banque appartient à la Banque de France, notre institut national d'émission. Les banques sont aussi chargées du change, opération qui consiste à procurer à un client de l'argent sur une place étrangère. Les opérations de change proprement dites, qui dépendent aujourd'hui d'une institution spéciale appelée Office des Changes, sont actuellement en dehors du droit privé.

Le dépôt de fonds en banque est la principale attribution du banquier en fait de monnaie. C'est tout simplement un contrat par lequel un client remet à sa banque une certaine somme d'argent, la banque s'engageant à la restitution sur première demande. Assurer la garde de l'argent d'autrui est aussi une des plus anciennes fonctions du banquier. Une autre importante attribution de la banque en matière de monnaie est l'opération de crédit. Des opérations bancaires très différentes entrent dans cette catégorie : ainsi la banque peut avancer des fonds, ou cautionner l'obligation de son client ; dans les deux cas, elle aura crédité celui-ci.

L'avance de fonds par la banque est un prêt. Mais seuls les commerçants obtiennent ce prêt à découvert, c'est-à-dire sans une garantie réelle. L'ouverture de crédit est également un prêt, mais d'une nature plus spéciale, puisque dans ce cas la banque s'engage à mettre à la disposition du client un certain crédit pour un temps limité. En général, ce crédit est garanti par une avance sur titres, sur marchandises ou sur effets de commerce. Enfin, comme je viens de le dire, le crédit par cautionnement est très répandu, la banque servant de caution au commerçant. Il va de soi que tous ces contrats sont toujours commerciaux, et donnent lieu au prélèvement du bénéfice de la banque, en général sous forme d'un pourcentage.

Le rôle des banques est considérable dans les opérations sur effets de commerce dont elles assurent le recouvrement. L'essentiel de leur travail en cette matière est l'escompte des effets dont j'ai parlé à propos de la lettre de change : la banque paie immédiatement un effet dont elle ne récupérera la valeur que dans un avenir plus ou moins lointain.

Enfin, les banques se chargent aussi du dépôt et de la garde des valeurs mobilières, ainsi que de toutes les opérations sur ces titres. C'est encore un dépôt régulier, prévu par le code civil, comme le dépôt d'argent. Le client peut déposer ses titres individualisés, dans quel cas ce sont ces titres mêmes qui devront être restitués à première réquisition, ou il peut déposer ses titres en compte courant, dans quel cas leur individualisation disparaît et le client ne pourra plus prétendre qu'à la même quantité du même titre. Ces opérations expliquent d'ailleurs la formation de la S. I. C. O. V. A. M., dont on a reconnu l'idée directrice. Le banquier touche une rémunération, qui est le droit de garde, mais il a l'obligation de gérer les titres, c'est-à-dire de détacher les coupons et de verser les dividendes au compte de son client. Il doit aussi surveiller les augmentations de capital des sociétés pour pouvoir avertir le déposant et lui faire éventuellement effectuer des spéculations financières.

Avant de terminer ce tour d'horizon sur les opérations bancaires, dont je n'ai rappelé que les plus courantes, je citerai encore la location des coffres-forts, contrat par lequel le client d'une banque a accès à un coffre personnel où il pourra en toute sécurité, déposer des valeurs, des métaux précieux ou des bijoux.

VIII. — LES TRANSPORTS

Autrefois, les transports se faisaient surtout par voie maritime. C'est la raison pour laquelle le droit maritime s'est développé dès l'Ancien régime. Les transports routiers, en revanche, étaient tout à fait rudimentaires, surtout à longue distance. D'où la décentralisation de l'économie française : les marchandises devaient être créées sur place.

En même temps que se développent les grandes fabriques du début du XIXᵉ siècle, les inventions multiplient les moyens de transport, qui restent cependant précaires. Puis, c'est la création du bateau à vapeur et du chemin de fer. Enfin, le perfectionnement des routes et la naissance de l'automobile, ainsi que l'apparition des transports aériens donnent au commerce et à l'industrie une impulsion nouvelle.

Il était difficile de faire tenir toute cette floraison sous la rubrique des quelques articles consacrés par le code de 1804 aux voituriers. Aussi, à chaque nouveau moyen de transport correspondait une nouvelle législation. C'est ainsi que les chemins de fer sont régis par une grande loi du milieu du siècle dernier, et bien entendu, par les tarifs, qui sont des règlements d'ordre public ayant force de loi. C'est ainsi, également, que les transports par air seront régis par la loi du 31 mai 1924. Récemment, afin d'éviter la concurrence, le législateur a tenté la coordination des transports, problème qui est en pleine évolution.

Je passerai plus rapidement sur les transports terrestres et aériens que sur les transports maritimes, aux règles plus anciennes, plus rodées par le temps et par l'usage, et dont les termes techniques sont si puissamment évocateurs.

Quel que soit le genre de transport, les parties sont toujours les mêmes : le transporteur d'abord, appelé par le code civil voiturier, l'expéditeur ensuite, qui expédie la marchandise, le destinataire qui la recevra, et enfin le voyageur s'il s'agit du transport de personnes. Le contrat se prouvera par la lettre de voiture ou plus simplement par un récépissé des marchandises. Le paiement se fera soit au départ en port payé, soit à l'arrivée en port dû. La prescription de toutes les actions naissant du contrat de transport est courte : un an seulement.

Dans le transport des marchandises, le principe de la responsabilité du transporteur est assez sévère, puisque le code de commerce déclare le transporteur garant de la perte et des avaries des objets transportés. Cette responsabilité commence au moment où les marchandises ont été remises au voiturier et finit au moment où elles ont été délivrées au destinataire. Toute clause d'exonération de responsabilité est nulle, mais la clause limitative de responsabilité demeure valable.

Les transports ferroviaires ont subi d'importantes variations depuis la modification de l'exploitation des voies ferrées. L'exploitation par les compagnies concessionnaires n'ayant pas été très heureuse, diverses conventions furent négociées après la constitution des six grands réseaux, qui aboutirent à la création de la Société nationale des chemins de fer français (S. N. C. F.), société d'économie mixte. Ce sont les tarifs publiés par le livret Chaix qui sont aujourd'hui la grande charte des chemins de fer. Mais la multiplication des transports ferrés internationaux a incité les gouvernements à souscrire une convention internationale à Berne. La France y a adhéré ; c'est cette convention qui règle aujourd'hui tous transports internationaux.

Le même bipartisme législatif s'observe en matière aérienne, et c'est la France qui a pris l'initiative d'une convention internationale en matière de transports

aériens. Celle-ci a été souscrite à Varsovie en 1929 : si
notre navigation aérienne interne est régie par une loi
de 1924, dont l'objet a été de soustraire les transports
aériens aux règles trop sévères du droit commun, seules
s'appliquent, en matière de transports internationaux, les
règles posées par la Convention de Varsovie.

J'ai laissé pour la deuxième partie de cette division
le problème du transport maritime, branche particulièrement importante, ancienne et d'ailleurs autonome du
droit commercial.

Le plus souvent, aujourd'hui, le propriétaire d'un
navire effectue des transports de marchandises pour le
compte d'autrui. Ce contrat de transport s'appelle l'affrètement, d'où proviennent les mots fret, prix du transport,
et affréteur, nom du propriétaire des marchandises. Ces
termes sont restés dans la langue maritime, mais le sens
du contrat de transport a changé depuis une convention
internationale du 25 avril 1924 et une loi de 1936 qui a
modifié notre droit interne, afin de le mettre en harmonie
avec la convention. Cette loi ne s'applique que depuis
la prise en charge des marchandises sous palan jusqu'à
leur remise sous palan au destinataire, — le palan est
l'instrument qui sert à charger la marchandise sur le
navire. La loi de 1936 a créé un sectionnement en trois
parties du contrat de transport maritime, et c'est ainsi
que les règles qui régissent la marchandise transportée
seront différentes selon que cette marchandise se trouve
sous palan ou selon qu'elle est encore ou déjà sur le quai
de départ ou d'arrivée, de sorte que le droit commun
sera applicable dans une première phase, la loi de 1936
ensuite, puis de nouveau, dans le troisième sectionnement, le droit commun.

Le contrat de transport est constaté par une charte-
partie ou par un connaissement. La charte-partie est le
titre par lequel on constate l'affrètement du navire. Elle
doit être rédigée en double original et signée par les deux
parties. Le connaissement est une reconnaissance fournie
par le capitaine que la marchandise se trouve à bord ; il
est rédigé en deux exemplaires, et celui du capitaine est
le connaissement-chef.

L'exécution du contrat d'affrètement est entièrement

régie par les conventions des parties, spécialement par les
clauses imprimées des chartes-parties et des connaisse-
ments. Les opérations matérielles sont multiples : d'abord
le chargement avec ses frais, ses risques et sa manu-
tention ; ensuite — mais c'est le domaine du capitaine —
l'arrimage, qui exclut en principe le chargement en
pontée, c'est-à-dire le transport de la marchandise sur le
pont du navire ; puis le transport proprement dit ; enfin,
le déchargement et la délivrance.

Dans les transports maritimes, les délais sont d'une
grande importance, mais le retard est moins à craindre
pour l'affréteur que pour l'armateur, dont le navire
représente un capital considérable. Aussi l'armateur
stipule-t-il toujours des délais pour les opérations de
chargement et de déchargement, délais qu'on appelle
staries ; s'il y a retard, le contrat prévoit le paiement
d'indemnités, appelées surestaries.

Ce qu'il y a de plus remarquable dans le contrat de
transport maritime, c'est le rapport entre le chargeur et
le destinataire. Simple dans le transport terrestre, il se
complique dans le droit maritime du fait que les opérations de transport et de vente sont mêlées. Les ventes
maritimes se divisent en deux grandes catégories, l'une
plus ancienne : la vente au débarquement, l'autre plus
moderne : la vente caf. C'est celle-ci qui est devenue
courante. Composée de trois éléments, coût, assurance et
fret (dont les initiales en forment la dénomination), cette
vente est un contrat dans lequel l'acquéreur recevra la
marchandise moyennant un prix global représentant le
prix de la marchandise, le montant de l'assurance et le
tarif du transport. C'est ainsi que le transport se fera,
dans ce contrat, pour le compte de l'acheteur, qui devient
propriétaire de la marchandise au moment où le vendeur
la livre à bord du navire.

La responsabilité du transporteur est ici assez particulière. La pratique, puis la plus récente législation, l'ont
soustraite aux règles du droit commun. Dès l'apparition
des chartes-parties excluant la responsabilité contractuelle
dans certains cas, les armateurs ont pris l'habitude de
spécifier de plus en plus fréquemment des cas d'irresponsabilité, jusqu'à en généraliser l'emploi d'une manière

qui a donné lieu à des abus. Aussi la convention, puis la
loi de 1936, sont-elles venues interdire les clauses d'irresponsabilité et déterminer les obligations du transporteur.

Le transport maritime implique aussi ce qu'on appelle
les événements de mer, qui sont les événements exceptionnels nécessitant une règlementation particulière : en
premier lieu, l'abordage, c'est-à-dire la collision entre
bâtiments, ensuite l'assistance prêtée à un navire en péril,
enfin, l'avarie commune, qui est l'avarie volontairement
causée par le capitaine, dans l'intérêt de l'expédition
maritime. Ces divers événements de mer sont en général
réglementés par des conventions internationales ratifiées
par la France.

Enfin, l'assurance maritime a une importance considérable. Ici l'idée de sécurité est d'autant plus ancienne que
le transport maritime a toujours été périlleux. L'assurance
maritime existe depuis le Moyen Age, et certains histo-
riens veulent même la faire remonter au droit romain. Il
n'y a guère aujourd'hui de bâtiment qui quitte le port
ou de marchandise qui prenne place dans la cale d'un
navire sans une sérieuse assurance. Mais la France n'a
que peu développé son industrie d'assurance maritime ;
la patrie de cette institution et la grande place où elle
se pratique est Londres.

IX. — LA FAILLITE ET LE REGLEMENT JUDICIAIRE

La faillite est l'état légal d'un commerçant qui a cessé
ses paiements. Elle est déclarée par jugement du tribunal
de commerce ; elle dessaisit celui qu'elle atteint de
l'administration de son patrimoine et le frappe de certaines déchéances. C'est un mandataire de justice, qu'on
appelle syndic de faillite, qui procédera à la vente des
biens du commerçant failli pour régler ses dettes.

La faillite ne peut être assimilée à la déconfiture,
situation d'un non-commerçant qui ne peut faire face
à ses dettes, car la déconfiture n'a aucune organisation
légale. Au reste, les dettes des particuliers ne sont en

général ni très importantes ni très dangereuses pour les
créanciers. Au contraire, les défaillances du commerçant
entraînent parfois de véritables désastres, non seulement
pour l'entreprise mal gérée elle-même, mais aussi pour
les fournisseurs, les correspondants et en général pour
tous ceux qui sont en affaires avec elle.

Dans l'ancien droit la faillite était toujours une procédure pénale, et ne différait pas de la banqueroute. Le
code de commerce la réglementait encore assez sévèrement, mais une loi de 1838 a beaucoup adouci les prescriptions que Napoléon Iᵉʳ avait fait adopter. En 1889,
une faillite atténuée est entrée dans nos mœurs par la
création de la liquidation judiciaire. L'ensemble des lois
touchant cette matière a été refondu en 1955 en un texte
important qui, laissant de côté la procédure pénale de
la banqueroute telle qu'elle a été prévue par le code, a
organisé la faillite et le règlement judiciaire, cette dernière institution remplaçant la liquidation judiciaire.

La faillite, comme le règlement judiciaire, ne peuvent
s'ouvrir que si l'intéressé a la qualité de commerçant et
s'il est en état de cessation des paiements. Il n'est pas
nécessaire, pour que la première condition soit réalisée,
qu'il soit inscrit au registre du commerce ; il suffit qu'il
fasse des actes de commerce. Il faut, pour que la deuxième
condition soit remplie, que le commerçant se trouve dans
l'impossibilité d'exécuter ses engagements commerciaux
à leur échéance. Cette notion de cessation des paiements
semble relativement simple, mais elle est tout de même
assez particulière pour mériter une brève explication.
Ainsi il ne faut pas la confondre avec l'insolvabilité. Le
commerçant insolvable est celui dont le passif dépasse
l'actif. Il ne peut par cela seul être déclaré en état de
faillite, et il suffit qu'il continue ses paiements pour
échapper à toute poursuite. Inversement, il peut avoir un
actif bien supérieur au passif et se trouver dans l'impossibilité de régler aux échéances, par exemple faute de
pouvoir réaliser à temps : il encourt alors la faillite. La
cessation des paiements est révélée par un certain nombre
de faits, comme la multiplication des poursuites ou
l'accumulation des protêts ; le tribunal appréciera ces
circonstances et les énumérera dans son jugement.

Il est des hypothèses où le tribunal devra nécessairement prononcer la faillite : par exemple si l'intéressé a exercé son commerce en contravention avec une interdiction légale, s'il n'a pas tenu une comptabilité conforme et, à plus forte raison — puisque nous sommes alors dans les cas de banqueroute — s'il a soustrait sa comptabilité ou détourné son actif ou s'est frauduleusement et faussement reconnu débiteur. Si le commerçant malheureux a régulièrement déposé son bilan et ne se trouve dans aucun des cas de faillite, le règlement judiciaire est obligatoire. Dans toutes les autres hypothèses, il appartiendra au tribunal de choisir entre les deux solutions.

La faillite de fait qui existait autrefois a été supprimée, et une procédure régulière est aujourd'hui de rigueur. L'initiative de la procédure peut être prise par le débiteur lui-même. Le commerçant qui a cessé ses paiements est tenu dans le délai de quinze jours d'en faire la déclaration au greffe. Il joint à sa déclaration son bilan, son compte de profits et pertes et un état chiffré de ses créances et de ses dettes. C'est ce qu'on appelle déposer son bilan. Le dépôt du bilan ouvre la procédure de faillite ou de règlement judiciaire. Bien plus souvent d'ailleurs l'initiative sera prise par les créanciers, qui poursuivront leur débiteur devant le tribunal.

L'instance engagée, le tribunal peut statuer aussitôt, mais en général il commet un de ses membres pour recueillir tous renseignements sur le commerçant. Le juge se fait assister d'un syndic, et c'est sur le rapport rédigé par le magistrat que le tribunal statuera. S'il prononce la faillite, le jugement déclaratif contiendra un certain nombre de points importants. Il devra en premier lieu constater à la fois la qualité de commerçant de l'intéressé et son état de cessation de paiements. Il devra ensuite nommer un juge commissaire ainsi qu'un syndic de faillite ou un administrateur, suivant qu'il s'agit d'une faillite ou d'un règlement judiciaire. Il devra enfin fixer dans le passé la date de la cessation des paiements, qui ouvre la période suspecte, dont j'entretiendrai tout à l'heure le lecteur.

Le jugement déclaratif de faillite a des effets à l'égard

de tout le monde, et non seulement entre les parties à
l'instance. Il doit donc être porté à la connaissance de
tous, ce qui se réalise par l'affichage dans la salle des
audiences, par l'insertion dans un journal d'annonces
légales et par la mention qui en est faite au registre du
commerce et au Bulletin officiel du registre du commerce. Ce jugement, comme la plupart des décisions de
justice, est susceptible des voies de recours, dont je
parlerai dans la vie judiciaire.

Les divers personnages qui interviennent en cette matière ont des attributions très précises ; le syndic administre les biens du failli, l'administrateur aide et assiste
le commerçant qui a obtenu le règlement judiciaire, le
juge commissaire surveille et accélère les opérations,
convoque les assemblées de créanciers et les préside,
statue sur diverses réclamations dirigées contre les actes
du syndic ou de l'administrateur, nomme les contrôleurs
et arrête l'état des créances. Les créanciers groupés en
une assemblée délèguent des contrôleurs nommés par le
juge commissaire ou — en cas de règlement judiciaire —
des commissaires chargés de surveiller l'exécution du
concordat dont il sera question tout à l'heure.

La procédure préparatoire s'étend du jugement déclaratif jusqu'à la clôture de l'état des créances. Dès le début
de la procédure, le syndic clôt et arrête les livres en
présence du débiteur. Il procède à un inventaire et, en
cas de besoin, fait apposer les scellés. Il y aura ensuite
lieu à l'administration de l'actif et à la constatation du
passif. Le syndic recevra les sommes dues, vendra les
marchandises périssables, puis procédera à la liquidation
de tous les autres biens du failli. L'administrateur, en
cas de règlement judiciaire, fera exploiter le commerce
sous sa surveillance. D'autre part, la constatation du
passif se fera par la procédure de vérification des créances, qui débutera par la remise au syndic des pièces
justificatives des créances, se poursuivra par la vérification de celles-ci et finira par leur admission ou leur
rejet. L'admission est irrévocable. Le rejet peut donner
lieu à des contestations, qui feront l'objet de discussions
contentieuses et de jugements particuliers.

La faillite et le règlement judiciaire produisent de

graves effets tant sur la personne du commerçant que sur ses biens. La faillite conserve son caractère infamant légué par l'ancien droit. Le failli encourt certaines déchéances : il cesse d'être électeur et éligible à toutes les assemblées politiques, et il ne peut plus être juré ; il se voit interdire toute profession commerciale et toute fonction de direction, de gérance ou d'administration dans les sociétés ; il est déchu de la qualité de membre de la Légion d'honneur ou de médaillé militaire, et le jugement déclaratif de faillite figure au casier judiciaire. Les sanctions sont moins graves pour le commerçant qui se trouve en état de règlement judiciaire et qui ne perd que le droit d'éligibilité aux fonctions politiques ou professionnelles.

Seule, la réhabilitation relève le failli de ces déchéances. Elle doit nécessairement être prononcée par une décision du tribunal de commerce à la suite d'une procédure spéciale. Elle est de droit lorsque le débiteur a payé tout son passif, elle est facultative pour le commerçant de probité reconnue qui a obtenu son concordat et payé les dividendes promis.

Le jugement déclaratif exerce de profonds effets sur le patrimoine du débiteur et, en premier lieu, il dessaisit le failli de l'administration de ses biens. Ce dessaisissement, d'ailleurs général et portant sur tous les biens présents et à venir, est nécessaire pour que le syndic puisse arrêter toutes les opérations du débiteur et procéder aux règlements dont je viens de parler. A l'égard du failli lui-même, le dessaisissement entraîne la conséquence importante que ses actes seront dorénavant inopposables à ses créanciers. Dans le règlement judiciaire, le dessaisissement n'est que partiel, puisque le débiteur n'abandonne pas la gestion de son patrimoine.

Une autre conséquence du jugement déclaratif est la détermination de la période suspecte, dont le point de départ sera la date de la cessation des paiements. La période suspecte est celle au cours de laquelle il est à craindre que le débiteur n'ait agi dans le but de léser ses créanciers. C'est pourquoi la loi a prévu que certains actes effectués par le débiteur durant cette période seront inopposables à ses créanciers et pourront donc être attaqués par le syndic. Mais l'inopposabilité peut être de droit ou simplement facultative. Elle est de droit et le tribunal est obligé de la prononcer, lorsque l'acte réunit les conditions prévues par la loi ; tels sont certains paiements anormaux, les libéralités faites par le failli, bien entendu, car il est plus normal qu'il paie ses dettes avant de se montrer généreux, et aussi les sûretés constituées pour des dettes antérieurement contractées et manifestement favorables à un créancier au détriment des autres. L'inopposabilité facultative, c'est-à-dire celle qui est laissée à la prudente appréciation des magistrats, peut frapper beaucoup d'actes accomplis durant la période suspecte. Les tribunaux sont en général sévères dans leur appréciation.

Si la faillite produit ces effets sur le failli et sur son patrimoine, elle exerce aussi une influence considérable sur l'ensemble de ses créanciers. Elle tend essentiellement à faire régner l'égalité entre eux. Cependant cette égalité n'est complète qu'entre les créanciers chirographaires, c'est-à-dire ceux qui n'ont qu'un droit de gage général sur le patrimoine de leur débiteur. La situation sera évidemment meilleure pour les créanciers qui ont des sûretés, et à plus forte raison pour les créanciers privilégiés.

Une fois les opérations de la faillite terminées, une solution doit intervenir. Depuis les récentes mesures, le règlement judiciaire admet plusieurs solutions, mais la faillite ne peut s'achever que par l'union, ainsi appelée parce que les créanciers sont unis en une masse dont le but est de réaliser et de distribuer entre eux l'actif de la faillite. Les opérations se déroulent, comme dans toutes les procédures de distribution, par la réalisation de l'actif et la répartition des deniers. La répartition se fait au marc le franc, mais on commence par prélever les frais d'administration de la faillite, les secours accordés au débiteur ainsi que les sommes dues aux créanciers privilégiés. C'est le reliquat seul qui sera partagé par la masse. Une fois les opérations terminées, une assemblée se tient au cours de laquelle le syndic rend ses comptes, après quoi l'union est dissoute.

Les solutions du règlement judiciaire sont plus nombreuses. L'achèvement normal est le concordat entre les créanciers et le débiteur, qui est remis à la tête de ses affaires après un vote favorable et l'homologation par le tribunal. Le concordat met fin au règlement judiciaire, et l'administrateur dont les fonctions se terminent rend au débiteur en présence du juge commissaire les comptes de sa gestion pendant la période du semi-dessaisissement qui a précédé le concordat.

Les autres solutions du règlement judiciaire sont le concordat par abandon d'actif, l'union, dont les règles sont les mêmes que celles de la faillite, et enfin la conversion du règlement judiciaire en faillite, qui se produit lorsque des faits révélés au cours de la procédure prouvent que le débiteur ne mérite pas d'indulgence.

Ces solutions sont fréquentes. Mais il peut arriver qu'avant toute solution, les opérations de la faillite ou du règlement judiciaire soient clôturées. La clôture peut se produire soit par insuffisance d'actif, soit pour défaut d'intérêt de la masse.

Dans le premier cas, les opérations sont clôturées parce que, l'actif étant complètement épuisé, les opérations ne peuvent se poursuivre. La clôture pour insuffisance d'actif est une solution malheureuse qui suspend les opérations et ne les termine pas. La clôture pour défaut d'intérêt de la masse est au contraire une solution bénéfique. Si, au cours des opérations, grâce à des concours de parents ou d'amis, le débiteur réunit les fonds nécessaires et désintéresse ses créanciers, le tribunal prononcera la clôture qui, cette fois, n'est pas une simple suspension, mais un achèvement mettant définitivement fin à la procédure par le rétablissement du débiteur dans tous ses droits.

CHAPITRE VI

LE TRAVAIL

I. — LE TRAVAILLEUR ET SES DROITS

J'ai dit dans le précédent chapitre combien foudroyant a été le développement du grand commerce et de l'industrie à partir des découvertes de la fin du XVIIIᵉ siècle et des transformations sociales consécutives à la Révolution. Cet immense essor n'a été possible que grâce au travail humain, et c'est une des raisons essentielles qui expliquent que le monde du travail ait pu s'émanciper du carcan des corporations médiévales.

A la veille de la Révolution, la France était encore un pays patriarcal, dont la richesse principale était la terre, dont le commerce était peu important et l'industrie inexistante. Le travail était essentiellement servile et l'artisanat corporatif. Mais la liberté du travail, proclamée par un décret de 1791, et suivie, quelques mois plus tard, par la destruction du régime corporatif due à la loi Le Chapelier, intéressait en réalité beaucoup moins le travailleur que le bourgeois : libéré du servage qui attache à la glèbe, le travailleur allait pouvoir se placer dans les entreprises et servir de nouveaux maîtres. Ces maîtres, obéissant en

général au fameux mot d'ordre : « Enrichissez-vous »,
s'efforcèrent aussitôt d'exploiter à outrance cette nouvelle main-d'œuvre à peine sortie d'une oppression sécu-
laire, réduite à la misère et, au surplus, totalement
inorganisée. La véritable signification des mots « liberté
du travail », au commencement du XIXᵉ siècle, n'était que
le droit pour l'entreprise d'embaucher tous ceux qui se
présentaient. Qu'on songe que la première loi sociale est
promulguée en 1841 et qu'elle a pour objet d'interdire le
travail des enfants âgés de moins de... huit ans. Elle
limite en même temps à un maximum de douze heures par
jour le travail des enfants de huit à douze ans...

Le système économique et politique ajoute la contrainte
à la misère et prohibe tout groupement, au nom de la
liberté. Si le code civil ne connaît que le contrat individuel
de louage de services, fondé sur la vieille conception
patriarcale du maître et de son serviteur, l'industrie
développera un contrat d'adhésion brutal et un règlement
d'atelier fondé sur une discipline extrêmement sévère,
que l'ouvrier acceptera sous peine de mourir de faim.
C'est le Second Empire qui reconnaîtra le droit de grève
et tolérera les premières chambres syndicales ouvrières,
c'est la IIIᵉ République qui organisera l'inspection du
travail et proclamera le droit syndical, mais il faudra
attendre le XXᵉ siècle pour que la classe ouvrière, plus
puissante, plus organisée et surtout plus consciente de ses
droits et de ses besoins, obtienne successivement la réduction des heures de travail, les retraites, les assurances
sociales, les allocations familiales, les conventions collectives, les congés payés, l'organisation des comités d'entreprises.

La constitution de 1946 a posé quelques principes d'ordre social qui sont d'une grande importance et qu'on
trouvera dans le préambule. Ce sont ces principes qui me
fourniront les intitulés des divisions de ce chapitre. Le
premier est le devoir qu'a tout homme de travailler et son
droit à obtenir un emploi, droit inviolable quelles que
soient les origines, les opinions et les croyances de son
titulaire.

La liberté du travail suppose à la fois la liberté de
travailler et de ne pas travailler et, surtout, elle suppose

le libre choix du travail. La liberté de travailler est aujourd'hui très générale et les exceptions sont peu nombreuses. La première et la plus importante est celle qui interdit le travail des enfants âgés de moins de seize ans. C'est d'ailleurs présentement l'âge où se terminent les obligations scolaires. Cependant, malgré le contrôle confié à l'inspection du travail, cette première limitation n'est pas toujours très scrupuleusement observée ; l'agriculture y échappe souvent, par le travail des enfants durant les vacances, et aussi les emplois domestiques. La tendance législative est dans le sens de l'élévation de l'âge d'admission au travail, et une convention internationale prévoit la fixation de l'âge minimum à seize ans ; au surplus, l'embauchage du mineur devra être soumis au contrôle médical. Une deuxième limitation, dont l'objet est également une mesure de protection, est celle qui se fonde sur l'état de santé de la femme et lui interdit les travaux particulièrement pénibles ou malsains.

Ces deux exceptions à la liberté du travail sont protectrices. Une dernière exception est discriminatoire, c'est celle qui frappe les étrangers. Ceux-ci n'obtiendront l'autorisation de s'établir en France qu'après une enquête de l'Office national d'immigration, et leur embauchage fera l'objet d'un contrôle administratif et policier.

J'ai dit que le droit au travail est complémentaire du devoir de travailler, inscrit dans la constitution ; il complète aussi la notion de liberté du travail. Il a bien fallu reconnaître dès le siècle dernier qu'il existait, dans notre société capitaliste, un véritable marché du travail, soumis aux fluctuations de l'offre et de la demande. Ce marché a abouti à une institution officielle, qui est le Service public de la main-d'œuvre. Le service public organisé après la Libération fonctionne sous les ordres de la direction de la main-d'œuvre du ministère du Travail et existe à l'échelon départemental. Son attribution principale est le contrôle du marché du travail par la gestion, à peu près monopolisée, du service du placement, par le recensement des chômeurs, par la surveillance du reclassement, par la coordination de l'orientation professionnelle et, plus spécialement encore, par le contrôle des embauchages et des licenciements.

De son côté, la formation professionnelle est profondément influencée par les offres de travail qui existent dans certaines branches. L'apprentissage et le perfectionnement professionel canalisent l'embauche dans la mesure où elle s'adresse à des spécialistes. La priorité d'embauchage a été créée au profit de trois catégories de salariés : les mutilés et les prisonniers de guerre, les bénéficiaires du droit de réintégration qui n'ont pu être réintégrés, et les pères de famille ayant plus de trois enfants.

Le droit au travail touche enfin à la question du chômage. Le chômeur est, selon la définition légale, le travailleur, habituellement occupé et rémunéré par un employeur, qui a perdu son occupation et à qui il ne peut être procuré d'emploi, bien qu'il ait la capacité et la volonté de travailler. En certaines circonstances, une allocation de chômage lui est octroyée, mais c'est un expédient avilissant pour le citoyen et dispendieux pour la collectivité. Comment lutter contre le chômage ? Par la diminution de la durée légale du travail, la limitation de la main-d'œuvre étrangère ? Ce sont de simples palliatifs. C'est surtout la politique des grands travaux qui a, jusqu'ici, le plus efficacement résorbé les troupes de travailleurs inemployés, tout en amplifiant et en perfectionnant l'équipement de la nation.

II. — LE SYNDICAT

Les cadres institutionnels fondamentaux des relations du travail sont l'entreprise, où le travailleur exerce son activité, et le syndicat, groupement permanent destiné à la défense des intérêts professionnels. Je commencerai par le syndicat, qui a joué, dans les victoires sociales des ouvriers, un rôle prépondérant.

L'action syndicale et l'adhésion au syndicat de son choix sont les prérogatives constitutionnelles de tout homme, qui a ainsi la possibilité légale de défendre ses droits et ses intérêts. La vie syndicale rudimentaire en tant que groupement de travailleurs est d'origine ancienne. En France, dès le Moyen Age on trouve des « compagnonnages » ou des « confréries », dont les attributions étaient, entre autres, de contrôler l'embauchage et le placement. Tout le système corporatif fut jeté bas par la Révolution, dont la tendance individualiste et libérale considérait le groupement comme une tentative de reconstitution des privilèges disparus ; la corporation paraissait en outre attentatoire à la liberté du travail. La loi pénale interdit en conséquence les coalitions et en général toute association de plus de vingt personnes. A l'aube du capitalisme naissant, ces restrictions permirent le développement des entreprises industrielles par la fourniture d'une main-d'œuvre bon marché qui ne savait pas se défendre contre l'exploitation. Malgré certains compagnonnages clandestins florissant vers le milieu du XIXᵉ siècle, la triste situation du travailleur français durera jusqu'à la transformation du Second Empire. L'Empire libéral supprime le délit de coalition et tolère les groupements ouvriers. Mais il a fallu attendre la loi Waldeck-Rousseau du 21 mars 1884 pour que — avant même la reconnaissance de la liberté d'association — le droit syndical apparaisse dans la vie française et accorde la possibilité aux travailleurs de se grouper en vue de chercher à améliorer leurs conditions de travail et d'existence.

Les idées qui ont présidé à la naissance du droit syndical sont très simples. C'est d'abord la possibilité pour les gens de même profession de se grouper librement et sans avoir besoin d'aucune autorisation. Association volontaire, on y adhère librement et on la quitte quand on le veut ; en outre, le syndicat n'a aucune attache avec les pouvoirs publics. Ces conceptions ont conduit au pluralisme syndical, c'est-à-dire à la constitution de plusieurs syndicats pour une même branche professionnelle. La multiplicité des syndicats, si elle affaiblit souvent l'action des salariés dispersés, correspond aux multiples tendances sociales, politiques ou philosophiques qui peuvent se faire jour dans un milieu donné. L'autre conséquence de ce pluralisme est, au contraire, la formation d'unions ou fédérations, groupant des syndicats de même origine ou de même tendance, mais sans souci de la catégorie professionnelle.

Libre d'adhérer ou non à un syndicat, l'ouvrier est libre d'adhérer au syndicat de son choix. Mais il ne peut s'engager par contrat à ne pas faire d'action syndicale, et il ne peut être privé de son travail pour la seule raison qu'il est syndiqué.

Le syndicat peut se former librement et les seules conditions de sa constitution concernent son objet, son cadre et ses formes. Le syndicat se distingue de l'association par son objet ; celle-ci, je l'ai déjà dit, peut poursuivre n'importe quel but désintéressé, celui-là se consacre uniquement à l'étude et à la « défense des intérêts économiques, industriels, commerciaux et agricoles », selon la formule légale, assez restrictive en somme, mais, en pratique, d'interprétation très large. Cependant, un syndicat ne peut se constituer qu'entre personnes exerçant la même profession ou des professions similaires ou connexes. La forme est d'une grande simplicité : la fondation suppose la rédaction de statuts qui fixent les règles d'organisation et d'administration du syndicat et en définissent le cadre professionnel et territorial. Les statuts doivent être déposés à la mairie de la commune où se trouve le siège de la personne morale.

Tout syndicat comprend les organes de direction et les adhérents. Les dirigeants du syndicat doivent être de nationalité française, majeurs, jouir de leurs droits civils et n'avoir pas encouru certaines condamnations. Les adhérents sont tous ceux qui ont demandé leur adhésion et ont été admis, mais il est clair que, groupement privé, le syndicat peut imposer un frein à son recrutement, par exemple en le subordonnant à certaines conditions précisées dans les statuts ; ceux-ci prévoient également le mode d'exclusion. Les adhérents paient une cotisation syndicale, dont le montant et le mode de recouvrement sont fixés également par les statuts.

Les syndicats possèdent un ensemble de moyens pour la poursuite de leur action, dont le plus important est la personnalité morale. Les syndicats ont le droit d'acquérir et de posséder des biens meubles et immeubles ; de plus, leur patrimoine bénéficie légalement d'une certaine insaisissabilité. Ils ont le droit de contracter et, bien entendu, d'ester en justice.

L'action revendicative est une forme très importante de l'action syndicale en général. C'est elle qui conduit à la grève, dont je parlerai bientôt. Mais elle s'exprime aussi par des interventions auprès des employeurs, par des avertissements, ainsi que par des protestations portées devant l'opinion publique. Son action constructive est également fort importante. La loi énumère différentes possibilités du syndicat et, entre autres, ses initiatives dans le domaine de la recherche et de l'enseignement professionnels, la création d'offices de renseignements en matière de placement, l'organisation de cours intéressant la profession ou la constitution de bibliothèques. Les syndicats peuvent acheter de l'outillage ou des matières premières qui seront loués ou prêtés aux adhérents, sans aucun bénéfice commercial, bien entendu ; ils peuvent aussi subventionner des coopératives de production ou de consommation, bâtir des logements ou créer des jardins ouvriers, fonder des œuvres d'éducation sportive, organiser des institutions professionnelles de prévoyance, et généralement tout entreprendre dans l'intérêt de la profession qu'ils représentent.

C'est précisément cette dernière forme d'action, la représentation professionnelle, qui a conduit à une certaine discrimination entre les syndicats ordinaires et ceux qu'on appelle les plus représentatifs. Les syndicats les plus représentatifs sont ceux qui possèdent les effectifs les plus nombreux, ce sont généralement les plus anciens. Ils finissent par devenir les représentants officiels de la profession auprès des organismes publics, ils concourent à la réglementation de la profession et, surtout, ils ont le monopole de la présentation des candidats aux élections des comités d'entreprise.

La dissolution du syndicat peut être statutaire, volontaire ou judiciaire. Les statuts peuvent prévoir un terme, l'unanimité ou la majorité des adhérents peut dissoudre la personne morale et enfin la justice peut sanctionner les irrégularités par la dissolution du syndicat. Mais la reconstitution d'un syndicat dissous est chose aisée, étant donnée la facilité de sa constitution.

Dès la création des premiers syndicats, des liens s'établirent entre eux, et des groupements se formèrent, soit localement, soit professionnellement. Sur le plan local, les syndicats se groupent dans chaque ville autour d'une bourse du travail, où on centralise l'enseignement syndical, la presse ouvrière et la propagande. L'ensemble des bourses forme une union. Sur le plan professionnel, les syndicats se groupent en fédérations, non par métier, ce qui aurait provoqué l'opposition des intérêts des travailleurs, mais par branches d'industrie, ce qui a créé la solidarité entre les diverses branches et a facilité les rapports avec les entreprises, elles aussi classées par industries. Restait à grouper l'ensemble des syndicats sous une direction unique. Cela se fit au congrès de Limoges en 1895 où naquit la Confédération générale du travail (C. G. T.) divisée en deux sections : celle des bourses et celle des fédérations. C'est au congrès d'Amiens, en 1906, que la charte d'Amiens donna une véritable assise au syndicalisme français.

De leur côté, sous l'impulsion d'encycliques pontificales, des syndicats chrétiens se formèrent, puis se groupèrent en une union qui s'appelle la Confédération française des travailleurs chrétiens (C. F. T. C.). Elle date de 1919.

La C. G. T. subit une première scission, parallèlement à la scission politique du parti socialiste à Tours, et les syndicats unitaires formèrent alors une C. G. T. U. Réunifiée en 1936, à la veille de la guerre, la nouvelle C. G. T. redevint, avec ses cinq millions d'adhérents une puissante et florissante union. La guerre brisa l'élan syndicaliste, et le gouvernement de Vichy procéda à la dissolution de tous les syndicats existants au profit d'un régime corporatif nouveau fondé sur une charte du travail dont le but avoué était la formation de syndicats obligatoires et officiels. A la Libération, la C. G. T. reconstituée sort plus puissante des épreuves de la Résistance, mais, en 1947, une nouvelle scission s'accomplit. Une minorité réformiste se détache de la C. G. T. pour former une centrale qui prend le nom de Force ouvrière (C. G. T.-F. O.). D'autres fédérations se constituent en fédérations indépendantes de la C. G. T. et de la C. G. T.-F. O. avec possibilité d'adhésions individuelles aux confédérations. A peu près à la même époque se fonde une Confédération générale des cadres (C. G. C.).

Après la deuxième guerre mondiale les syndicats de tous les pays constituèrent une Fédération syndicale mondiale (F. S. M.). Malheureusement, la scission des syndicats français de 1947 se répercuta sur le plan international et, en 1949, les syndicats anglo-saxons se retirèrent de la F. S. M., constituant une Confédération internationale des syndicats libres (C. I. S. L.). A leur tour, les syndicats chrétiens se groupèrent à part en une C. I. S. C.

Le syndicalisme patronal se développe de son côté comme une réplique au syndicalisme ouvrier, mais il a encore plus de mal à réaliser son unité. La Confédération générale de la production française (C. G. P. F.), qui groupe depuis 1919 les fédérations ou chambres syndicales, a été transformée en 1945 en un Conseil national du patronat français (C. N. P. F.). C'est moins un syndicat qu'un organe de représentation auprès des pouvoirs publics ; c'est aussi un peu l'organe directeur de la politique économique et sociale du patronat. La Confédération des petites et moyennes entreprises cherche de son côté à regrouper les petits patrons.

III. — L'ENTREPRISE

L'entreprise — ainsi que je l'ai définie plus haut — se caractérise par son but, qui est la réalisation d'objectifs d'ordre économique, par son organe directeur, qui est le propriétaire ou, dans les sociétés, un organisme de gestion, et par son personnel, qui est composé de salariés.

On a beaucoup épilogué sur la nature juridique de l'entreprise. Dans un système individualiste et capitaliste, on a prétendu que l'entreprise, comme l'établissement, comme n'importe quelle usine ou fabrique ou maison de commerce, est soumise à l'autorité inconditionnelle du patron ou du chef d'entreprise ; la propriété étant ce que la Révolution a voulu en faire, nous nous trouvons dans

un des cas d'application des postulats qui concernent ce
droit sacro-saint dont j'ai déjà eu l'occasion d'entretenir
le lecteur. Comme le roi est le maître souverain du pays,
ainsi le chef d'entreprise est le monarque absolu dans
l'établissement qui lui appartient et qu'il dirige à sa guise.
Les employés et les ouvriers sont liés à l'établissement
par le contrat de louage de services, il n'y a rien que
de contractuel dans tous les liens qui peuvent s'établir et
il n'y a aucune raison de chercher au delà.

Dans une acception plus moderne, l'entreprise est une
communauté de travail dans laquelle les dirigeants et les
travailleurs salariés sont liés les uns aux autres par une
solidarité fonctionnelle, celle qui les attache tous au
même objectif poursuivi ensemble : la prospérité de l'entreprise.

Si nous admettons cette explication sociale, qui paraît
la plus adaptée à la réalité des faits actuels et à l'institution telle qu'elle se présente aujourd'hui, il sera aisé de
comparer l'évolution du droit de l'entreprise à celle qui
a conduit l'ensemble des Etats à modifier leurs structures
politiques dans le sens de la démocratisation.

La conception individualiste du XIX⁰ siècle donnait au
chef d'entreprise un pouvoir sans réserve sur ses subordonnés. La transformation s'est faite d'abord en limitant
ce pouvoir et en assurant aux gouvernés des garanties
contre l'arbitraire, ensuite — selon les normes de la
démocratie — par la participation des gouvernés au
gouvernement. C'est cette évolution qui a inspiré le troisième principe du préambule de la Constitution de 1946,
selon lequel « tout travailleur participe par l'intermédiaire de ses délégués à la gestion des entreprises ».

Cette participation est encore assez rudimentaire ; nous
l'avons déjà rencontrée en décrivant le système de contrôle des sociétés par actions, et nous en verrons quelques
manifestations dans les lignes qui vont suivre. Mais je
vais d'abord montrer les pouvoirs actuels du chef d'entreprise et ensuite seulement j'expliquerai l'apparition du
contrôle du personnel sur la marche de l'affaire.

Le chef d'entreprise possède essentiellement sur ses
subordonnés un pouvoir de commandement, qui lui
donne, entre autres, la possibilité d'édicter des règles

d'ordre général intéressant l'entreprise, et aussi le droit de sanctionner par des mesures disciplinaires les fautes commises. Le pouvoir de commandement s'exprime notamment par les ordres que le chef donne à tous ses subordonnés, depuis les cadres jusqu'aux plus modestes employés, pour l'exécution de leur travail. Mais ces ordres doivent être légaux, et c'est une première limitation de l'autorité du chef ; ils ne peuvent en outre, en aucun cas, concerner la vie privée du personnel, c'en est la seconde.

Les modalités d'exécution du travail sont consignées dans un règlement intérieur qui édicte, pour l'établissement, des règles de discipline, d'hygiène, de sécurité, et généralement qui adapte les lois et les dispositions prises par l'autorité publique à la situation particulière de telle entreprise déterminée. Autrefois, ces règlements intérieurs étaient très durs et souvent abusifs. Sous le Second Empire par exemple, la plupart sanctionnaient les fautes les plus bénignes par des amendes retenues sur les salaires ; l'amende augmentait ainsi le profit de l'employeur. Il n'en est plus de même aujourd'hui. Le règlement intérieur doit être établi dans toute entreprise industrielle ou commerciale employant habituellement au moins vingt ouvriers, et l'arbitraire de l'employeur dans sa rédaction est tempéré par l'indispensable avis du comité d'entreprise et par la communication à l'inspecteur du travail, qui peut et doit exiger la suppression des dispositions illicites. Le règlement est déposé au secrétariat du conseil de prud'hommes et affiché sur les lieux du travail et dans les locaux d'embauchage.

Le pouvoir disciplinaire du chef d'entreprise et plus spécialement la réglementation actuelle des amendes ont subi de sérieuses atteintes dans les dispositions légales récentes. Les premières manifestations du pouvoir disciplinaire sont le droit d'infliger des peines purement morales, comme l'avertissement, la réprimande et le blâme avec ou sans publicité. Ces peines n'ont même pas besoin d'être prévues par le règlement intérieur pour pouvoir être infligées. Les peines professionnelles frappant le salarié dans son emploi, comme la mise à pied, la rétrogradation ou même le congédiement n'ont pas besoin, elles non plus, d'être précisées ou prévues par le règlement. Elles sanctionnent des fautes particulièrement graves.

Au contraire, les amendes ont toujours été considérées comme des peines pécuniaires unilatéralement imposées par les employeurs, et que les tribunaux analysaient comme une clause pénale pour mauvaise exécution du contrat de travail. Pour éviter les abus d'autrefois, la loi a édicté un certain nombre de règles sévères concernant les amendes. Celles-ci ne peuvent être prononcées qu'en application du règlement intérieur qui en fixe le taux et où d'ailleurs elles ne peuvent figurer qu'après avis des organisations patronales et ouvrières. Elles doivent, en outre, être autorisées par l'inspection du travail. Elles ne peuvent jamais sanctionner des fautes techniques mais seulement des manquements à la discipline, à l'hygiène et à la sécurité. Enfin et surtout, les amendes ne profitent jamais plus à l'entreprise, mais sont versées à une caisse de secours du personnel. Elles ne peuvent donc plus être considérées comme résultant d'une clause pénale contractuelle.

La procédure disciplinaire est très simple : encore aujourd'hui, le chef d'entreprise prononce la sanction en toute liberté et indépendance, sans être assisté d'aucun organisme disciplinaire.

Le contrôle ouvrier de l'entreprise est, au contraire, une institution qui va dans le sens de la démocratisation économique. Déjà, durant la première guerre mondiale, le législateur avait institué des délégués du personnel dans les établissements travaillant pour la défense nationale, afin d'aplanir les conflits qui pouvaient surgir à l'occasion du travail. Mais ces délégués furent supprimés à la fin des hostilités comme n'étant plus d'aucune utilité. Sous l'impulsion syndicale, les accords Matignon ont repris la même idée en 1936, et des délégués furent institués dans tout établissement comprenant plus de dix ouvriers. Mais c'est surtout à la Libération que les comités d'entreprise furent définitivement organisés et les délégués du personnel maintenus, conformément aux nouvelles tendances du droit social.

Dès que le nombre des salariés d'une entreprise atteint

cinquante, le comité d'entreprise est obligatoire, ce qui étend l'institution aux moyennes et même aux petites entreprises. Si l'entreprise possède plusieurs établissements, chaque établissement comportant plus de cinquante salariés aura son comité d'établissement, doté de la personnalité morale. Le comité est constitué par la partie la plus diligente, employeur ou syndicat. La composition du comité est mixte : le chef d'entreprise présidera de droit le comité, à moins qu'il refuse cet honneur qui est aussi une charge, dans quel cas la présidence sera assurée par l'inspecteur du travail ; les représentants du personnel seront au nombre de deux à huit, suivant l'importance de l'établissement. En outre, le comité comprend des délégués des syndicats les plus représentatifs, lesquels siègent avec une voix simplement consultative. Ce sont d'ailleurs ces dernières organisations qui proposent les candidats. L'élection se fait en deux scrutins par les deux collèges séparés, celui des ouvriers et employés, et celui des cadres. Le scrutin est à représentation proportionnelle. Les membres du comité d'entreprise reçoivent un mandat de deux ans, mais ils sont révocables par leurs mandants. Les heures passées à l'exercice de leurs fonctions sont payées comme heures de travail, avec un minimum de vingt heures par mois. Les membres du comité sont protégés légalement : tout licenciement doit être soumis au comité et approuvé par lui. Si le comité n'approuve pas, il appartiendra à l'inspecteur du travail de trancher le différend, à charge de recours contre sa décision devant le ministre.

Le comité d'entreprise doit être convoqué au moins une fois par mois et ses attributions, tout en étant limitées, sont multiples. Dans l'ordre économique, le rôle du comité est réduit, puisqu'il n'a qu'un droit de regard, sans participation à la gestion de l'entreprise. C'est seulement dans les sociétés anonymes que son rôle devient important : le comité d'entreprise y exerce en effet un véritable contrôle financier.

Les attributions du comité dans l'ordre social sont beaucoup plus complexes et importantes. En cette matière, il a des pouvoirs de gestion et de décision. Les services sociaux, en particulier, sont placés directement sous son autorité. Ce sont, notamment, le service social du travail, qui veille au bien-être des travailleurs, le service médical, les comités d'hygiène et de sécurité, et enfin les œuvres sociales, crèches, colonies de vacances, jardins ouvriers, bibliothèques, coopératives. Pour remplir ces multiples attributions, les comités ont besoin de ressources. La loi les a réglementées, et elles comprennent : les cotisations du personnel, les dons et legs, les recettes provenant des manifestations et, surtout, une contribution importante de l'entreprise elle-même, calculée suivant des normes bien définies.

Les comités d'entreprise ont un rôle d'ordre professionnel assez modeste, car ils complètent simplement les syndicats, sans s'y substituer. Ils participent néanmoins à la détermination des conditions collectives du travail, spécialement en soumettant des vœux et des résolutions et, mieux encore, par le rôle direct qu'ils ont dans l'élaboration du règlement d'entreprise.

Je terminerai en disant quelques mots des délégués du personnel. Il doit en exister dans tout établissement occupant plus de dix salariés. Le mode de nomination des délégués, leurs prérogatives et leur protection sont exactement semblables à ceux des comités d'entreprise. Leur rôle consiste à présenter les réclamations du personnel au cours des réceptions collectives accordées, au moins une fois par mois, par la direction. Leurs rapports avec le personnel se font par des communications affichées sur un tableau spécial. Les délégués peuvent également saisir l'inspecteur du travail.

IV. — LES CONFLITS COLLECTIFS DU TRAVAIL

Cessation collective et concertée du travail, la grève a pour objet de contraindre l'employeur à accepter le point de vue des ouvriers sur un problème déterminé. C'est un moyen de pression souvent efficace, mais c'est aussi un geste grave pour l'ouvrier qui, dans le but de faire triompher ses revendications, accepte de renoncer à une partie de son salaire et, quelquefois, de perdre son emploi.

J'ai déjà dit la situation des ouvriers telle qu'elle a été organisée par le capitalisme de la première moitié du siècle dernier. Dans cette première période, qui devait durer jusqu'en 1864, la grève est interdite ; quant au délit de coalition, il est sévèrement sanctionné par la loi et durement réprimé par les tribunaux. C'est la politique libérale de Napoléon III qui devait amener le législateur à proclamer la licéité de la grève. La loi du 25 mai 1864 abolit le délit de coalition. Mais la jurisprudence a su rendre la grève difficile, en proclamant qu'elle rompait unilatéralement le contrat de travail. Cette interprétation par les tribunaux de la liberté de la grève se compliquait du maintien inconditionnel de la liberté de travailler des ouvriers opposés à la grève ; ceux-ci portaient ainsi préjudice à leurs camarades et déterminaient souvent l'abandon du mouvement.

Pourtant l'arme de la grève se perfectionna, surtout à partir du moment où, devenus licites à leur tour, les syndicats prirent en main les destinées de la classe ouvrière. Pendant toute l'histoire de la IIIᵉ République, la nature de la grève se précisera et ses modalités changeront et évolueront avec souplesse. Le mouvement des idées sur la grève, interrompu un instant sous l'occupation, reprend à la Libération sur une nouvelle base, la plus puissante de toutes, la base constitutionnelle. Ainsi, d'abord interdite, puis tolérée, ensuite permise, la grève est devenue aujourd'hui un droit fondamental, et le préambule le proclame en termes non équivoques lorsqu'il dit que « le droit de grève s'exerce dans le cadre des lois qui le réglementent ». Ce qui était un délit, puis une liberté, devient une prérogative.

La grève, du point de vue où je me place, est difficile à décrire, car elle n'est pas encore pleinement institutionnelle. Autrefois explosive, aujourd'hui plus réfléchie et mieux préparée, la grève est un mouvement d'ordre sociologique bien plus qu'un phénomène juridique ; la psychologie ouvrière et les circonstances économiques, plus que la doctrine ou les règles de droit positif, jouent, et ont toujours joué dans son déclenchement et dans sa poursuite, un rôle prépondérant.

Dans la perspective historique, la grève a été autrefois la manifestation spectaculaire de diverses revendications positives, comme l'augmentation du salaire, la diminution des heures de travail, ou négatives, comme la protestation contre les renvois injustifiés et les congédiements de militants des organisations syndicales. Le problème consistait simplement à savoir qui, de l'employeur ou des ouvriers, tiendrait le plus longtemps. A la grève, les employeurs répondaient par des licenciements, les ouvriers de leur côté installaient des piquets de grève afin d'interdire l'accès de l'usine aux tièdes et aux « briseurs de grève ».

Vers la fin du siècle passé et surtout au xxᵉ siècle, la grève prend des formes variées ; d'abord apparaît le débrayage, qui est la grève d'avertissement, ensuite la grève à durée fixée à l'avance, par exemple vingt-quatre heures, enfin les grèves-surprises et les grèves tournantes, les unes éclatant sans préavis et cessant rapidement, les autres affectant successivement les divers secteurs de la production. En outre, parmi les variétés de plus en plus sérieuses des grèves revendicatives, il faut noter la grève perlée, qui est le ralentissement du rythme du travail, la grève sur le tas avec occupation des lieux du travail, la grève illimitée, et enfin la grève générale, moyen de pression le plus puissant aux mains de la classe ouvrière.

Les buts de la grève sont aussi de plus en plus variés. La grève de solidarité et la grève politique en sont les témoignages les plus évidents. Insensiblement, l'idée de grève a franchi le cadre du salariat pour se trouver employée par des classes sociales de plus en plus nombreuses. On connaît maintenant la grève des impôts, celle des « rideaux baissés » des petits commerçants, celle des cultivateurs qui barrent les routes ou refusent la livraison des récoltes.

Les tribunaux ont admis un critère. Tant que la grève est strictement professionnelle, tant qu'elle est un moyen de conquête du bien-être, elle est légitime ; mais, dans la mesure où elle subit une transformation due à des facteurs politiques, elle devient fautive. Le régime juridique de la grève, on le voit, est donc essentiellement d'origine jurisprudentielle. Mais certaines lois sont intervenues, depuis peu, afin de rendre la grève inutile. Tel a été l'objet des mesures préalables de conciliation dont je parlerai tout à l'heure, et aussi du référendum, qui est une pratique syndicale récente : elle consiste à faire voter les ouvriers sur le déclenchement ou la continuation du mouvement.

La situation du salarié durant la grève est réglée par une loi de 1950, qui a tranché la controverse instituée depuis de longues années : la grève ne rompt pas le contrat de travail, sauf faute lourde imputable au salarié. Il s'ensuit que le contrat se trouve suspendu pendant la grève et, si le gréviste n'a plus à travailler durant la période considérée, son employeur n'a plus à lui payer le salaire. La faute lourde est appréciée par les tribunaux : elle peut seule justifier le renvoi du salarié. Mais on peut dire qu'en cette matière le critère est assez difficile à tracer. Pour donner un exemple, il est indubitable que les actes tendant à paralyser les services de sécurité, le sabotage, les actes se rapprochant des délits, et les délits eux-mêmes à plus forte raison, comme l'atteinte à la liberté du travail ou les violences, seront constitutifs de faute lourde. En revanche, le recours aux piquets de grève, et même l'occupation des lieux de travail, seront considérés comme licites.

L'achèvement de la grève met fin à la suspension du contrat, qui reprend d'office, sans qu'il y ait lieu à réembauchage. Ceux des salariés qui s'abstiennent de reprendre le travail ne sont plus considérés comme grévistes, et, pour eux, le conflit collectif du travail devient un conflit individuel qui se résoudra par les règles ordinaires de rupture du contrat.

Je ne dirai qu'un mot du lock-out, que certains ont voulu assimiler à la grève. C'est la fermeture par un ou plusieurs employeurs de leurs entreprises jusqu'à l'acceptation par les ouvriers des décisions patronales. En réalité, c'est la réplique à la grève. Mais si celle-ci est un droit constitutionnel, le lock-out n'est-il pas une simple entrave à l'exercice de ce droit ?

J'ai dit, au sujet du régime juridique de la grève, que les tendances les plus modernes étaient favorables à l'institution de procédés tendant à la pacification des conflits

du travail. La conciliation, la médiation et l'arbitrage ont
pris dans les dernières années un développement très
remarquable. Dans la conciliation, le conciliateur s'inter-
posera entre les parties afin de faciliter leur accord ; dans
la médiation, le médiateur choisi par les parties préco-
nisera une solution qu'il recommandera aux intéressés ;
dans l'arbitrage enfin, l'arbitre tranchera le conflit.

La conciliation n'est qu'une négociation volontaire des
parties, facilitée par la présence d'un tiers, le conciliateur.
Si les points de vue se rapprochent, le conciliateur dresse
un procès-verbal de conciliation, qui est un document de
nature contractuelle. L'échec est constaté dans un procès-
verbal de non-conciliation. Depuis 1936, la tentative de
conciliation est devenue obligatoire avant toute grève,
mais son organisation laissait à désirer. La loi de 1950
conserve à la conciliation son caractère obligatoire, mais
ne dit plus qu'elle sera préalable à la grève. La procédure
peut donc commencer à n'importe quel moment, et elle
se déroule devant une commission paritaire régionale ou
nationale.

L'arbitrage n'est jamais obligatoire. Si les parties déci-
dent d'y recourir, la procédure d'arbitrage s'appliquera
par priorité. Les pouvoirs de l'arbitre varient suivant les
circonstances du conflit collectif. Une Cour supérieure
d'arbitrage, créée par la loi de 1938, puis disparue durant
la guerre, a été reconstituée ; elle est composée de cinq
membres du Conseil d'Etat et de quatre magistrats de
l'ordre judiciaire, et les sentences arbitrales peuvent lui
être déférées pour excès de pouvoir et violation de la loi.
A la vérité, peu de sentences arbitrales ont été rendues, et
cinq arrêts seulement. C'est pour cela qu'une nouvelle procédure a été tentée, qui a abouti à la médiation.

C'est une procédure originale, organisée en 1955. Elle
n'est pas obligatoire. Les parties ne sont pas forcées de
recourir à la médiation ni de suivre les recommandations
du médiateur, mais le caractère distinctif de la procédure
est de laisser de vastes possibilités d'investigation au
médiateur qui, dès lors, n'est plus un juge qui statue ou
un amiable compositeur qui négocie, mais une sorte
d'expert qui démontre le bien-fondé de sa position et en
recommande l'adoption.

La médiation joue dans toutes les professions soumises au régime de la convention collective, dont j'aurai à entretenir le lecteur dans la division suivante, mais elle ne concerne que les conflits portant sur les salaires, conflits, il est vrai, les plus importants et les plus nombreux à l'heure actuelle. L'initiative de la médiation vient d'une des parties, des deux à la fois ou même de l'autorité publique. La liste des médiateurs est établie par le ministre du Travail après avis des organisations syndicales les plus représentatives. Une fois choisi sur la liste, le médiateur est saisi du dossier de l'affaire ; il aura les plus larges pouvoirs d'information, car son rôle n'est pas de rapprocher les antagonistes, mais d'étudier impartialement la situation économique et sociale qui a abouti au conflit. Un délai de quinze jours est imparti au médiateur pour déposer sa recommandation, qui comporte des propositions de solutions compatibles à la fois avec les possibilités économiques de l'entreprise et les besoins des travailleurs. La recommandation ne devient obligatoire que si les parties l'acceptent ; si elles la rejettent, elle est transmise au ministre, qui peut notamment la porter à la connaissance de l'opinion publique. L'expérience a eu d'excellents résultats, spécialement lorsque les médiateurs ont pu jouer le rôle de conciliateurs, et aussi dans l'hypothèse où, sans se conformer aussitôt à la recommandation, les parties l'ont choisie comme base d'une discussion ultérieure, sous la surveillance du médiateur.

Le droit de grève semble arrivé à un point extrême de son évolution, et de nouvelles formes d'action tendent aujourd'hui à remplacer la grève par la calme discussion des besoins et des possibilités des parties en présence.

V. — LA CONVENTION COLLECTIVE

Si je n'ai pas examiné le contrat de travail avec les autres contrats usuels, c'est à dessein. La matière est de grande importance. J'en parlerai ici, afin de montrer comment la convention collective a pu se développer en partant du contrat individuel ; je consacrerai à celui-ci toute la division suivante.

Au début du siècle passé, le contrat de travail n'était guère différent, quant à ses modalités, de tous les autres contrats civils. Le code l'a réglementé fort brièvement sous le nom de « louage d'ouvrage et d'industrie » : c'était le louage des gens de travail qui s'engagent au service de quelqu'un. Les caractéristiques de la convention étaient simples, dans ce temps où les entreprises étaient familiales et où l'employeur travaillait avec quelques personnes, soigneusement choisies en raison de leurs compétences ou d'un long apprentissage.

Mais, très vite, le développement industriel du pays a complètement transformé ce contrat. En premier lieu, s'engager chez quelqu'un a cessé d'être un libre choix. Celui qui s'embauche adhère à un contrat ; la discussion des clauses et modalités de l'engagement a pratiquement disparu. Les fabriques, avec leurs milliers d'ouvriers, n'avaient rien de commun avec les ateliers qui les avaient précédées. Au surplus, il est apparu assez clairement qu'en soi le contrat de travail était totalement différent de tous les autres contrats, strictement patrimoniaux, car il était une survivance de la sujétion d'un homme vis-à-vis d'un autre. De ce que les moyens de production appartenaient à l'employeur, celui-ci déduisait que le produit fabriqué devait lui appartenir aussi ; le travailleur, lui, ne devait avoir qu'un salaire, c'est-à-dire le morceau de pain qui lui permettait de continuer à travailler pour son employeur.

La loi est venue assez rapidement limiter la « liberté » contractuelle des parties en présence, faite de l'arbitraire de l'employeur et de la soumission de l'ouvrier. Mais les relations de travail, strictement individuelles dans un régime de petite production artisanale, groupent nécessairement de plus en plus de personnes dans la puissante hiérarchie d'une civilisation industrielle. L'aspect même des conditions de travail se modifie avec l'apparition de nouveaux organes de protection de la classe ouvrière. Le syndicat, le droit de grève aussi, ont apporté des changements considérables dans la formation des rapports contractuels du xxᵉ siècle. Les conditions de travail ne sont plus fixées par le contrat individuel, ni même par l'autorité réglementaire, mais par des rapports directs entre les deux collectivités, celle des employeurs et celle des salariés.

La profonde originalité des tendances récentes en matière de droit du travail est la possibilité de la négociation directe entre le monde du capital et celui du travail sur les rapports mêmes qui les régissent et les unissent. C'est encore le préambule de la constitution qui nous le dira en termes lapidaires : tout travailleur participe, par l'intermédiaire de ses délégués, à la détermination collective des conditions du travail.

Il résulte de ce qui précède une définition très simple de la convention collective ; c'est un accord conclu par un ou plusieurs employeurs et un syndicat de travailleurs en vue de déterminer les conditions auxquelles seront passés ultérieurement les contrats individuels de travail dans la branche soumise à la convention. La plupart du temps, c'est le syndicat patronal qui traite avec une fédération de syndicats ouvriers afin de fixer par avance les conditions d'embauchage, de sorte que lorsque le contrat individuel sera passé entre l'entreprise et les ouvriers, il suffira de se référer à la convention collective qui est, pourrait-on dire, par rapport au contrat de travail, ce qu'est la constitution par rapport à une loi ordinaire.

Le droit de négocier les conventions collectives est une très importante conquête des travailleurs : les parties ne sont pas ici sur un terrain d'inégalité. Bien au contraire, patrons et travailleurs se rencontrent, par l'intermédiaire des organismes professionnels les plus qualifiés, afin de discuter, en pleine connaissance de cause, le régime du travail. D'autre part, aucune discrimination ne peut désormais s'établir entre divers travailleurs dont les contrats seront uniformes. Enfin, ce nouveau type de contrat d'adhésion présente sur l'ancien la grande supériorité d'avoir été élaboré par les responsables des deux parties qui en ont minutieusement discuté toutes les clauses, et non par l'employeur seul qui autrefois l'imposait simplement à l'ouvrier.

L'idée même de convention collective a subi une lente

mais profonde transformation. A l'origine, la convention collective était regardée comme une sorte de super-contrat. Mais, dès le lendemain de la première guerre mondiale, en 1919, une loi a donné un statut d'ensemble aux conventions collectives. Elle conserve l'idée indivi-dualiste et contractuelle, mais en y apportant l'important correctif que voici : l'adhérent est lié par la signature du groupement dont il fait partie. Cependant sa liberté est préservée, en ce sens qu'il peut toujours faire cesser à son égard les effets de la convention en quittant le syn-dicat auquel il appartient. En outre, la tendance contrac-tuelle est encore davantage battue en brèche par ce qu'on a appelé l'effet automatique de la convention col-lective ; si le contrat individuel est en discordance avec celle-ci, les clauses incompatibles sont réputées non écrites et automatiquement remplacées par celles de la convention collective.

C'est en 1936, grande époque des conventions collecti-ves, que la loi s'écarte plus encore du système contractuel pour adopter le principe réglementaire, spécialement en permettant l'extension des conventions collectives par voie autoritaire. A cette époque, un nouveau principe pénètre le droit de la convention collective, principe suivant lequel celle-ci mérite de devenir un véritable règlement profes-sionnel. Désormais, ce sont les syndicats les plus représen-tatifs qui signent la convention, et le ministre peut en décider l'extension. Contrat à l'origine, comme dans le système de 1919, la convention collective, par la vertu de l'arrêté d'extension qui mêle à son rayonnement et à son existence même les pouvoirs publics, devient un règlement professionnel, et désormais ce ne sont plus les signataires seuls qui en seront les bénéficiaires, mais l'en-semble des travailleurs d'une région ou d'une profession, syndiqués ou non.

Si, durant la guerre, les avantages de la loi de 1936 ont été anéantis, dès 1946 une nouvelle loi a repris le principe réglementaire et s'est substituée aux précédentes disposi-tions législatives : elle abolit totalement l'idée contrac-tuelle, puisque, pour être valable, toute convention collec-tive devra être soumise à l'agrément du gouvernement. Sous l'empire de cette nouvelle tendance, aucun contrat de travail ne pourra être passé sous des conditions autres que celles prévues par la convention collective.

C'est la loi de 1950, dont j'ai parlé précédemment, qui a rétabli les procédures de conciliation et d'arbitrage, et qui est aujourd'hui la grande charte des conventions collectives. Elle marque le retour à la libre discussion et à la négociation bipartite des conditions du travail. Elle s'applique dans toutes les professions, et son innovation a été de distinguer entre les conventions collectives ordinaires et celles susceptibles d'extension.

Pour ce qui concerne les premières, elles témoignent d'un net retour au libéralisme, notamment dans leurs effets, puisqu'elles ne lient que les organisations signataires et adhérentes, ainsi que les membres de ces groupements. Pour ce qui touche au contraire les conventions collectives susceptibles d'extension, leur statut est tout autre. Elles représentent de véritables règlements de travail. Une commission mixte, composée de syndicats patronaux et ouvriers les plus représentatifs, peut être convoquée, soit à l'initiative d'un organisme syndical, soit à la diligence du ministre. Cette commission aura pour mission d'élaborer la convention, qui pourra être étendue par la suite, suivant la procédure dont je viens de parler. Cette possibilité provient précisément du fait que ce sont les groupements syndicaux les plus représentatifs qui ont participé à la conclusion de l'accord collectif.

Ces conventions contiendront des dispositions sur les problèmes du travail les plus essentiels : sur la liberté syndicale, sur les éléments du salaire, sur les conditions d'embauchage et de licenciement, sur l'organisation du régime des congés payés, sur l'apprentissage et la formation professionnelle et sur bien d'autres points encore. L'extension aux situations locales particulières ou à certaines industries, ou même à des établissements déterminés, se fera par voie d'avenants et d'annexes, ou, dans le cas d'entreprises particulières, par voie d'accords collectifs d'établissement. La procédure d'extension a été réorganisée de la façon suivante : le ministre est saisi, sur sa propre initiative ou sur celle des syndicats, et il sollicite l'avis de la Commission supérieure des conventions collectives. Cet avis est publié au « Journal officiel », afin de provoquer les observations des organisations syndicales. L'arrêté d'extension, s'il est pris, est lui aussi publié.

La création la plus originale de la loi de 1950 est sans conteste la mise en place de la Commission supérieure des conventions collectives, organisme complexe dont la triple attribution est de donner son avis sur l'extension des conventions collectives, de prendre parti sur toutes les difficultés nées à l'occasion de la conclusion d'une convention collective, et enfin d'établir un budget type servant à la détermination du salaire minimum interprofessionnel garanti, dont il sera question plus loin. Cet organisme se réunit au moins une fois par mois et il a déjà rendu de grands services en ce qui concerne l'extension des accords collectifs.

Si les résultats de la loi ont été lents à se manifester, le développement le plus considérable a été celui des accords d'établissement à la suite de l'accord Renault du 15 septembre 1955. Leur originalité et leur intérêt essentiel sont de garantir au personnel une augmentation progressive des salaires liée au développement de la productivité. Cette sorte d'indexation a été saluée par les travailleurs comme une importante conquête.

VI. — LE CONTRAT DE TRAVAIL

La convention collective est devenue aujourd'hui la source essentielle, sinon unique, des droits et obligations du travailleur. Elle a donc pratiquement remplacé le contrat de travail. Cependant celui-ci, presque vidé de sa substance, reste encore le cadre des rapports du travail entre les employeurs et les salariés et, surtout, devient l'acte juridique qui détermine, sur le plan individuel, l'application de la convention collective. Le contrat individuel doit être représenté aujourd'hui comme un simple lien entre la convention collective et le travailleur. Ce qui en reste d'essentiel, c'est l'idée de subordination juridique et aussi de dépendance économique qu'il implique entre le salarié et son employeur.

Je vais exposer comment se forme le contrat de travail, comment il se poursuit et comment il se dénonce, mais j'invite le lecteur à ne jamais perdre de vue que le contrat individuel est toujours subordonné à la convention collective, et que c'est à elle qu'il convient de se référer s'il y a la moindre difficulté dans l'interprétation des clauses du contrat.

Pour ce qui concerne la formation de la convention, quelques règles contractuelles bien connues resurgissent. L'objet en est le travail de l'ouvrier. De même que la cause du contrat, son objet devra être licite. Les incapacités sont celles du mineur de seize ans et de l'étranger non muni de la carte de travail. Le consentement, en général verbal, est rarement vicié ; on conçoit d'ailleurs mal les vices du consentement en cette matière.

Le contrat de travail peut être à durée déterminée ; il est alors obligatoirement rédigé par écrit et il expire à la date prévue. Le contrat à durée indéterminée est beaucoup plus courant. Il peut être unilatéralement résilié au gré des contractants, mais de nombreuses règles, telles que celles ayant trait au délai-congé et à l'indemnité de congédiement, protègent le travailleur contre l'arbitraire du renvoi. Il faut mentionner aussi le contrat à l'essai, c'est-à-dire celui qui peut être interrompu librement, sans aucun motif. Si le contrat n'a pas pris fin pendant la période d'essai, il devient définitif à l'expiration du délai d'épreuve.

Le contrat de travail n'est soumis à aucune forme. Il ne devra être obligatoirement écrit que dans certains cas exceptionnels : contrat d'apprentissage, ou à l'essai, ou à durée déterminée. Bien entendu, la preuve du contrat aurait dû être celle de toutes les obligations ; mais, par faveur pour cette convention particulière où la préconstitution de la preuve est difficile, sinon impossible, la jurisprudence a laissé à l'intéressé l'entière liberté de ses moyens. L'annulation du contrat de travail est en général fort rare, car il est à la fois plus avantageux et plus simple d'avoir recours à la résiliation, dont je dirai tout à l'heure les modalités.

L'exécution du contrat de travail fait naître à la charge des deux parties des obligations bien connues : l'employeur devra payer le salaire, le travailleur devra fournir le travail promis. J'insisterai plus longuement sur l'obligation de l'employeur à la fin de cette division. Le salarié, de son côté, fournira sa prestation, qui est une obligation de faire. Cette obligation est personnelle et elle doit être effectuée selon le canon du bon père de famille, c'est-à-dire du bon ouvrier moyen ; l'exécution défectueuse engage la responsabilité de l'ouvrier. En revanche, l'employeur ne pourra exiger le dépassement des normes du travail, sauf accord avec les travailleurs et paiement des primes de productivité. En dehors de ces obligations essentielles, le contrat de travail en comporte d'accessoires, comme par exemple, pour le salarié, le devoir d'obéissance aux ordres de ses supérieurs ou la discrétion sur les procédés de fabrication — pour l'employeur, l'obligation de fournir au travailleur les moyens d'effectuer sa tâche ou de traiter humainement ses subordonnés.

La modification dans la situation juridique de l'employeur n'a aucune influence sur les contrats de travail en cours. Le principe actuel de notre droit est le maintien de tous les contrats, même si l'employeur initial est décédé ou si l'entreprise a été cédée, vendue ou transformée. Cette règle tend à garantir la stabilité de l'emploi. Dans la récente jurisprudence consécutive à la guerre et aux difficultés économiques qui l'ont accompagnée et suivie, il a été décidé que les troubles survenus dans le fonctionnement de l'entreprise étaient en définitive imputables à l'employeur, qui devait supporter les événements rendant le travail impossible, tels que le manque d'outillage, de matières premières ou d'énergie électrique.

La maladie suspend et ne rompt pas le contrat. Il en est de même de l'appel sous les drapeaux ou de la nomination à certaines fonctions publiques : juré ou conseiller prud'homme.

Les causes de résiliation du contrat sont tout autres. Elles sont nombreuses, comme la force majeure, le décès du salarié, l'arrivée du terme, mais surtout — en matière de contrat à durée indéterminée — la résiliation unilatérale. C'est cette résiliation unilatérale qui est l'arme la plus menaçante et la plus dangereuse de l'employeur. On comprend que ce droit ait été spécialement réglementé.

Le principe suivant lequel on ne doit enfermer personne dans un contrat à durée indéterminée auquel on ne puisse mettre un terme est très général dans notre droit. Rien n'est plus raisonnable que la permission donnée par le législateur aux deux parties de cesser leurs relations. Mais le congé, c'est-à-dire l'acte par lequel il est mis fin au contrat de travail, ne doit jamais être inopiné, faute de quoi il pourrait être gravement préjudiciable à l'une ou à l'autre partie. De là découle l'idée d'un délai-congé obligatoire, qui est un préavis donné par l'employeur ou par le travailleur avant de mettre fin au contrat. La durée du délai-congé est assez variable et dépend de la profession exercée, de la hiérarchie professionnelle et de la périodicité du paiement des salaires.

En cas d'inobservation du délai-congé, le salarié a droit à une indemnité de brusque rupture, même s'il a trouvé un nouvel emploi aussitôt après avoir quitté l'ancien. En pratique, cette situation se présente fréquemment ; l'employeur renvoie le salarié du jour au lendemain en lui réglant immédiatement cette indemnité de brusque rupture, qui s'appellera alors indemnité de préavis. Mais le renvoi du salarié peut avoir lieu sans préavis et sans indemnité si le congédiement est motivé par une faute grave.

L'idée du juste motif domine la matière de la rupture du contrat de travail. Le pouvoir discrétionnaire du chef d'entreprise peut évidemment dégénérer en arbitraire. Dès lors, les tribunaux ont trouvé dans les règles de l'abus du droit une protection, quelque peu fragile il est vrai, du travailleur. Cependant le gros écueil restait la charge de la preuve du congédiement fautif. Etait-ce l'employé qui devait démontrer que son patron avait commis un abus du droit, était-ce l'employeur qui devait prouver que le congédiement reposait sur de justes motifs ? La jurisprudence a tranché la controverse en faveur de l'employeur, à quoi d'ailleurs l'obligeait le droit commun de la preuve. Cependant, dans la pratique, les tribunaux ont constamment élargi la notion de l'abus du droit de résiliation, en multipliant les cas où ils reconnaissent et sanctionnent les motifs illégitimes.

Mais le salarié peut souvent prétendre à une indemnisation, même si son congédiement n'est ni brusque ni abusif. Il en est ainsi dans certaines hypothèses prévues par la loi ou par les conventions collectives. Le cas type est celui de l'indemnité de clientèle des voyageurs de commerce : il serait injuste de renvoyer un représentant après qu'il eût constitué pour la maison une solide clientèle, et de s'enrichir ainsi à ses dépens.

De même qu'un contrôle administratif veille sur les embauchages, de même le congédiement ne pourra avoir lieu sans être autorisé par les services de la main-d'œuvre. Mais le jeu de la loi et des principes ne permet pas la réintégration dans son emploi d'un ouvrier congédié même sans autorisation, même injustement : en effet, les décisions prises par les services de la main-d'œuvre et par les directeurs départementaux du travail ne peuvent porter atteinte aux dispositions du droit commun. Tout se résoudra en paiement de dommages et intérêts.

Une fois le contrat résilié, les droits des parties devront être réglés. Un règlement général des comptes sera fait afin de permettre au salarié de percevoir tout ce qui lui est dû. Le dernier versement est justifié par le dernier bulletin de salaire. L'employeur doit remettre au salarié un certificat de travail conforme, c'est-à-dire portant le nom de l'intéressé, la nature de l'emploi occupé par lui et les dates d'entrée et de sortie de l'entreprise. Le salarié donnera quittance avec reçu pour solde de tous comptes.

J'ai réservé pour la fin de cette division le problème le plus important du contrat de travail, celui du salaire. Juridiquement, ce n'est rien d'autre que la rémunération du travail fourni, mais, socialement, le salaire a indubitablement un caractère alimentaire. L'ouvrier n'a rien que sa force physique à offrir sur le marché économique, il n'a que son salaire pour vivre et faire vivre sa famille. C'est pourquoi des mesures ont été prises par le législateur pour protéger la rémunération des travailleurs, pour en garantir un minimum et aussi pour assurer, dans une certaine mesure, un remplacement du salaire s'il venait à être perdu par suite d'interruption du travail, ou un complément du salaire s'il était par trop insuffisant par suite de l'accroissement de la famille du travailleur.

Je ne dirai rien des systèmes de remplacement ou de

complément du salaire — c'est le grand problème de la
sécurité sociale que je traiterai plus tard, à la fin de ce
chapitre —, mais je dirai quelles sont les mesures générales prises pour la rémunération du travail et pour la
protection du salaire.

En principe, la rémunération du travailleur — dont le
mode est indiqué dans le contrat — est fixée au temps
ou aux pièces. Il semble que le second système ait tendance à se développer au détriment du premier. Mais,
de plus en plus aujourd'hui, le salaire cesse d'être une
somme fixe pour devenir une rémunération comportant
des éléments multiples.

On y fait entrer en premier lieu les indemnités. Il en
existe de toutes catégories. Citons les indemnités de
transport, de panier, d'outillage, de salissure, d'usure, de
vie chère. Les indemnités peuvent aussi être données pour
un surplus de travail ; nous aurons ainsi les indemnités
pour travail de nuit ou de jours fériés, pour travaux
insalubres, dangereux ou pénibles. Les indemnités de
licenciement, de brusque rupture, de congés payés font
également partie du salaire. Les gratifications ou étrennes
sont en principe des libéralités. Mais lorsqu'elles sont
devenues obligatoires, soit en vertu des usages de la
profession, soit en vertu d'une convention collective, elles
constituent une part du salaire. Outre ce que je viens de
dire, on fait entrer dans la notion de salaire les primes
de technicité, ou d'intensité, ou de productivité, les commissions, ou gueltes, plus spécialement en matière de
contrat de représentation, les pourboires, et même tous
avantages en nature, par exemple le logement et la
nourriture des domestiques et des ouvriers agricoles ou la
fourniture du combustible aux mineurs.

Mais le salaire dans son ensemble, comment sera-t-il
fixé ? Il l'était autrefois par ce qu'on appelait la libre
discussion entre employeurs et travailleurs, qui, nous le
savons déjà, aboutissait à la libre exploitation du travail
par le capital. La tarification des salaires a été sous-
jacente à toutes les revendications des travailleurs. C'est
à la convention collective qu'est échu, au xxᵉ siècle, le
soin de fixer le montant des salaires par une discussion,
cette fois vraiment libre, entre les deux parties intéressées.

Mais, parallèlement au travail des syndicats, l'Etat est souvent intervenu, au cours de ces dernières années, à la fois pour protéger l'ouvrier et pour stabiliser la vie économique à un certain niveau, par la politique du blocage des salaires et des prix. Ces diverses tendances sont très caractéristiques de l'évolution de la rémunération du travailleur. Le régime actuel de fixation des salaires résulte d'un mouvement d'idées amorcé à la Libération, et dont le point de départ a été la notion d'un minimum vital au-dessous duquel il n'était pas possible de descendre. Une loi de 1950 a combiné le procédé du minimum vital avec la libre discussion collective, une autre loi, en 1952, a introduit le régime de l'échelle mobile des salaires.

Dans les principes de la loi de 1950, l'autorité publique fixe le salaire minimum interprofessionnel garanti, qu'on appelle en abrégé S. M. I. G. et qui correspond au minimum vital, c'est-à-dire à cette portion alimentaire irréductible en deçà de laquelle nul ne peut vivre. Le S. M. I. G. est fixé — je l'ai dit précédemment — après consultation de la Commission supérieure des conventions collectives, dont, au reste, c'est l'attribution essentielle. Sur la base élémentaire du S. M. I. G. se dresse le salaire réel, dont la hiérarchie est fixée par les conventions collectives. On tient alors compte de la qualification professionnelle, de la localité habitée par le travailleur, de l'âge et même du sexe du salarié. Ce qu'on ne pouvait toutefois éviter, c'était le constant retard des salaires sur les prix. De là la revendication de rattacher le taux du salaire au coût de la vie. Cela a été réalisé par l'échelle mobile des salaires, cependant remise en cause par les réformes de 1958.

Débattu ou fixé par voie autoritaire, en tout cas nettement déterminé, le salaire doit être protégé, tant contre l'employeur et ses créanciers que contre les créanciers du travailleur lui-même. Le paiement du salaire se fait selon les règles habituelles de paiement, compte tenu d'une certaine périodicité, en général une quinzaine, ce qui est destiné à éviter l'endettement du travailleur. Le règlement est appuyé par un bulletin de salaire, dont les écritures correspondent à celles du livre de paie permettant le contrôle de l'inspection du travail. Les garanties du paiement sont un privilège général et le super-privilège en cas de faillite de l'entreprise.

La protection du salaire est assurée également contre les propres créanciers du travailleur. Présentant le caractère juridique d'aliments, le salaire est insaisissable dans sa plus grande partie. Une sorte de quotité disponible, qui varie suivant les gains du salarié, peut seule être saisie. Insaisissable dans une certaine mesure, le salaire est incessible, exactement dans la même proportion. Enfin, la loi prévoit des restrictions à la compensation, dans le cas où l'employeur est devenu créancier de son ouvrier.

VII. — LA REGLEMENTATION DU TRAVAIL

L'un des textes les plus importants qui figure dans le préambule de la Constitution de 1946 garantit à tous la protection de la santé, la sécurité matérielle, le repos et les loisirs, et proclame que tout être humain se trouvant dans l'incapacité de travailler a le droit d'obtenir de la collectivité des moyens convenables d'existence. En grande partie, ces principes ont été la base de la sécurité sociale. Mais ils ont trait également à la réglementation intérieure du travail, c'est-à-dire à l'hygiène et à la sécurité du travailleur, à la durée du travail et enfin à la protection du salarié contre le chômage, dont j'ai parlé au début de ce chapitre.

L'hygiène et la sécurité du travail relèvent de prescriptions réglementaires nombreuses. Y interviennent en premier lieu les considérations d'ordre humanitaire, celles de la protection du travailleur contre le danger dû à l'insalubrité de certains métiers ; d'ordre social ensuite, puisque la protection est particulièrement étendue à la femme et à l'enfant, c'est-à-dire aux plus faibles des salariés ; d'ordre économique enfin, car il n'est pas douteux que le travail s'exécute mieux lorsque le risque d'accident ou de maladie est plus réduit.

La plupart de ces mesures concernent l'ensemble des

travailleurs. Il en est ainsi de l'aménagement des locaux de travail, avec la réglementation de l'aération, de la propreté, des installations sanitaires. Il en est ainsi également de toutes les mesures de protection contre les accidents mécaniques : dispositifs de sécurité autour des machines à rotation rapide, dispositions qui préviennent la chute, l'asphyxie et tous autres accidents dus à l'inattention, à l'incurie ou au désir de l'ouvrier qui travaille aux pièces de faire du rendement coûte que coûte. Il en est ainsi encore de toutes les mesures imposées pour limiter le risque de maladies professionnelles, comme la silicose ou le saturnisme. Il en est ainsi enfin des appareils utilisés pour éviter les catastrophes, comme le coup de grisou dans les mines. La loi limite en outre l'introduction des boissons alcoolisées sur les lieux du travail et règle l'aménagement des locaux, plus spécialement des vestiaires et des lavabos, en cas d'emploi simultané d'hommes et de femmes.

Les infractions à la réglementation sur l'hygiène et la sécurité des travailleurs sont sanctionnées par des peines de police, mais le chef d'entreprise, en cas de blessure ou de mort de l'ouvrier, peut être poursuivi devant le tribunal correctionnel. Je parlerai plus tard des accidents du travail, à propos de la sécurité sociale, dont les caisses jouent un rôle important en matière d'amélioration de l'hygiène et de la sécurité.

Outre les caisses, la loi prévoit trois importantes institutions dont le rôle est de veiller sur la protection des travailleurs. En premier lieu, ce sont les comités d'hygiène et de sécurité, qui existent obligatoirement dans les entreprises occupant plus de cinquante salariés ; véritables dépendances du comité d'entreprise, elles en sont en quelque sorte l'organe purement social. En second lieu, des délégués à la sécurité des ouvriers de la mine existent obligatoirement dans chaque circonscription minière, afin de visiter les puits et les galeries, d'en détecter les dangers et de présenter un rapport annuel à l'ingénieur des mines. En troisième lieu, des services médicaux et sociaux du travail fonctionnent maintenant dans la plupart des grandes entreprises. Le service social du travail est dirigé par une assistante sociale, qui veille au bien-être des travailleurs ; le service médical, dirigé par un médecin du travail, procède aux visites d'embauchage et aux examens médicaux périodiques, de même qu'à la surveillance de l'hygiène générale des locaux.

En dehors de la protection du travailleur, la réglementation s'étend essentiellement sur la durée du travail.

En un sens, la règle générale qui prescrit la limitation de la durée hebdomadaire du travail est non seulement une disposition légitime, mais une mesure de protection du salarié contre lui-même, afin qu'il ne soit pas tenté de travailler au delà de ses possibilités physiques. Au reste, le patronat s'est vite rendu compte que l'ouvrier a besoin de reconstituer ses forces dans l'intérêt même de son rendement. Cependant, la journée de huit heures, la plus vieille et la plus solide revendication des travailleurs, n'est entrée dans notre législation qu'après la première guerre mondiale. En 1936, le maximum des heures ouvrables fut ramené à quarante par semaine ; cette réglementation, abrogée durant la guerre et l'occupation, fut remise en vigueur après la Libération. L'horaire du travail fait partie du règlement d'atelier et le contrôle en est assuré par l'inspecteur du travail.

Les quarante heures représentent le travail effectif, de sorte que les heures perdues devront être récupérées, mais sans préjudice, pour le travailleur qui le désire, d'effectuer, sous certaines conditions, des heures supplémentaires. Le paiement de celles-ci est réglementé et elles doivent, pour être licites, être autorisées par l'inspection du travail.

Le repos hebdomadaire, autrefois institué pour des raisons religieuses, s'est maintenu pour des raisons purement sociales que j'ai déjà exposées. Le principe du repos hebdomadaire ne signifie pas que la vie doive nécessairement s'arrêter un jour par semaine (c'est un peu le cas du dimanche dans le monde anglo-saxon), mais simplement qu'il est interdit d'employer une même personne plus de six jours par semaine : de sorte que l'employeur peut faire travailler un autre ouvrier durant le repos de celui qui y a droit. Cependant, dans le but d'éviter la concurrence qui pourrait surgir entre les entreprises, le principe du repos hebdomadaire doit s'ac-

compagner du principe complémentaire de fermeture
obligatoire des établissements une fois par semaine. Des
dérogations aux règles du repos dominical et de la fermeture obligatoire seront cependant souvent nécessaires.
Elles sont de plein droit admises dans les établissements
à service continu, hôpitaux, presse, spectacles, hôtels et
restaurants, transports et quelques autres.

Le repos des travailleurs est assuré également pendant
les jours fériés et chômés. Mais la différence du régime
est nette : le jour férié est un jour de fête, le jour chômé
est celui durant lequel le travail est suspendu. Il n'est
pas interdit de travailler un jour férié et, si la convention
collective ne prescrit pas le repos, l'employeur peut faire
travailler ce jour-là. En revanche, le travail est nécessairement interrompu le jour chômé — tel le 1ᵉʳ mai — sans
que le travailleur perde le droit à son salaire.

Si la limitation de la durée hebdomadaire du travail
et les règles qui gouvernent le repos hebdomadaire sont
anciennes, la législation des congés payés date de la loi
du 20 juin 1936, qui accordait quinze jours de congé par
an. L'avantage de cette législation a été étendu à des
couches de plus en plus nombreuses de travailleurs. Ont
droit aujourd'hui aux congés payés tout ouvrier, employé
ou apprenti des établissements industriels, commerciaux,
artisanaux, même s'ils ont la forme coopérative, et tout
salarié des professions libérales, des offices ministériels,
des syndicats professionnels, des sociétés civiles, associations et groupements de quelque nature que ce soit. Ce
droit correspond cependant à une certaine durée d'emploi.
Les salariés ont droit, depuis 1956, à un jour et demi de
congé par mois de travail effectif dans l'année, avec un
maximum de dix-huit jours ouvrables. Au cas où sur-
viendrait la résiliation du contrat de travail, le législateur
a prévu une indemnité compensatrice de congés payés,
due même si la résiliation est le fait du salarié, à condition toutefois qu'il n'y ait pas faute lourde.

La durée du congé augmente avec l'ancienneté ;
elle est de deux jours ouvrables après vingt ans de
services, de quatre jours après vingt-cinq ans et de six
jours après trente ans. Elle est également augmentée pour
les jeunes travailleurs et apprentis, qui ont droit à deux

jours ouvrables par mois de travail, c'est-à-dire à un
mois de congé payé dans l'année.

La période des congés payés est fixée par la convention
collective ; elle doit s'inscrire, dans tous les cas, entre le
1ᵉʳ juin et le 31 octobre.

VIII. — **LA TERRE**

Dans le monde du travail, il faut, en France, laisser
une grande place au cultivateur et à son domaine, qui est
la terre.

On peut dire que les règles fondamentales du droit civil
ont été écrites à l'origine pour la propriété foncière ; j'ai
expliqué ces règles en parlant des biens. Mais, avec le
temps, de grands changements se sont produits, et la
propriété foncière ne peut plus être considérée comme le
centre du droit agricole : elle n'en est plus qu'une partie.
C'est l'entreprise ou l'exploitation agricole, d'abord envi-
sagée sous son seul aspect économique, qui, devenue une
entité technique et juridique, prend aujourd'hui le premier rang.

L'entreprise agricole joue, dans la vie rurale, le rôle
d'un fonds de commerce en matière commerciale, d'une
usine en matière industrielle, mais elle est plus particulièrement caractérisée par trois éléments : d'abord
le travail familial, car la cellule de l'exploitation agricole
est la petite et moyenne exploitation familiale ; ensuite
la dispersion de la population, car le genre de vie à la
campagne est tout à fait différent de celui de la ville ;
enfin la situation du salarié agricole, qui est en fait très
voisine de la condition du patronat rural.

D'autres points encore séparent l'exploitation agricole
des entreprises industrielles et commerciales. C'est ainsi
que le rythme de production agricole est annuel et tourne
obligatoirement avec les saisons, ce qui interdit toute
accélération dans la rotation du capital nécessaire à l'entreprise, et, par là même, limite le bénéfice. C'est ainsi

encore que l'agriculteur travaille sur la matière vivante, et dès lors est obligé de se soumettre aux nécessités naturelles. C'est ainsi enfin que l'agriculture ne peut lancer sur le marché ses produits avec autant de constance que l'industrie, car, travaillant à la satisfaction des besoins alimentaires, sa production ne peut dépasser certaines limites. Ces éléments mettent en lumière une certaine vulnérabilité de l'entreprise agricole. Cette vulnérabilité est toutefois atténuée par les progrès de la coopération, du crédit et de la mutualité agricole.

L'évolution la plus récente de nos institutions rurales s'est faite dans le sens de la conciliation des intérêts des producteurs avec ceux de la collectivité, par une limitation du droit de propriété. Elle s'est faite, si l'on considère les rapports entre le propriétaire et le fermier, dans le sens de l'augmentation des droits de celui-ci au détriment de ceux du propriétaire, et c'est le statut du fermage qui est à l'origine de cette transformation. Elle s'est faite aussi dans le sens d'une importante modification des relations du travail en agriculture.

Le régime du contrat de travail est soumis, dans le droit rural, à des règles qui résultent du système légal ainsi que des conventions collectives. Dans ses grandes lignes, le travail salarié en agriculture n'est pas différent du travail salarié dans les autres branches, mais les conditions particulières de la vie du cultivateur ont influé sur l'évolution des règles juridiques. Les conditions du travail sont fixées par des arrêtés préfectoraux, eux-mêmes préparés par une commission paritaire du travail constituée dans chaque département. Cette commission est présidée par le directeur des services agricoles, mais son rôle est simplement consultatif. Les arrêtés préfectoraux ont un vaste contenu : ils s'occupent, entre autres, de la classification des salariés agricoles suivant leur spécialisation, des salaires, des avantages accessoires, de la durée du travail et des conditions d'attribution du repos hebdomadaire, du régime des congés payés. L'inobservation des prescriptions de ces arrêtés est sanctionnée par des amendes pénales prononcées par le tribunal de police et, en cas de récidive, par le tribunal correctionnel.

La grande culture comporte des qualifications professionnelles bien précises, qui s'échelonnent depuis le manœuvre sans connaissances spéciales et le charretier-bouvier capable de conduire et de soigner un attelage, jusqu'aux ouvriers qualifiés, vachers, bergers et porchers, et au conducteur de tracteur spécialisé, ouvrier pouvant faire la route, effectuer les réparations élémentaires et le réglage des instruments usuels dont il se sert.

Des textes spéciaux régissent la limitation du travail agricole ainsi que l'hygiène et la sécurité des travailleurs de la terre.

L'entreprise agricole connaît certains contrats concernant les biens mobiliers qui ont leur physionomie propre. C'est ainsi que la loi protège spécialement l'acheteur d'engrais, d'un usage si répandu en agriculture, contre la fraude ou la tromperie et impose au vendeur de faire connaître par écrit la provenance de sa marchandise et sa teneur en principes fertilisants. Une action spéciale en réduction du prix avec dommages et intérêts sanctionne la vente d'engrais à un prix excessif. L'achat des semences est lui aussi sévèrement réglementé, et protégé par les mêmes mesures que celui des engrais.

L'entreprise agricole comprend des animaux domestiques. Il faut attirer l'attention du lecteur sur le fait que le cheptel est protégé par la loi, notamment contre les mauvais traitements infligés aux animaux par leur propriétaire ou ses préposés. La loi Grammont réprime pénalement les mauvais traitements infligés abusivement et publiquement aux animaux. La loi garantit également les bêtes contre les dommages que peuvent leur causer des tiers, mais, dans ce cas, c'est plutôt la propriété de l'homme qui est protégée que l'animal. De son côté, le propriétaire est responsable du dommage causé par ses animaux aux personnes et aux biens, conformément aux principes généraux de la responsabilité civile.

L'exploitation technique d'une entreprise comporte diverses modalités. C'est d'abord le faire-valoir direct par le propriétaire travaillant personnellement et en famille, ou aidé par des ouvriers agricoles. A l'entreprise personnelle s'opposent le fermage et le métayage. Dans le bail à ferme, le preneur garde les fruits du domaine, moyennant une redevance invariable, qui est le fermage ; dans le bail à métayage, le colon partiaire et le propriétaire se partageront les produits du sol.

Le fermage et le métayage sont devenus aujourd'hui de très importantes institutions du droit rural. Ces deux contrats ont pris une importance considérable au lendemain de la Libération par la promulgation du statut des baux ruraux, qui en a profondément modifié l'aspect. Le statut des baux ruraux a poursuivi et, le plus souvent, atteint deux objectifs, l'un social, l'autre économique : améliorer la situation des preneurs des exploitations, et augmenter le rendement des héritages.

Les mesures d'amélioration de la culture et de l'élevage ont aujourd'hui un caractère nettement réglementaire ; aussi le statut du fermage a-t-il prévu la constitution par départements de commissions consultatives de baux ruraux, ayant pour mission d'élaborer des contrats-types qui s'imposent aux parties comme de véritables règlements, comme des contrats d'adhésion. La commission consultative, présidée par un magistrat, comprend des membres de droit, pour la plupart de hauts fonctionnaires départementaux, et des membres élus, représentant les bailleurs et les preneurs. Elle fixe la liste des denrées susceptibles de servir de base au calcul des fermages, détermine les cours moyens officiels des denrées, précise la valeur locative normale des biens loués, et surtout établit le contrat-type qui sera publié par arrêté préfectoral. Elle a quelquefois de véritables attributions administratives.

Le statut du fermage va plus loin : il prévoit que, durant le bail, des échanges de parcelles, en jouissance seulement bien entendu, pourront avoir lieu, afin d'assurer une meilleure exploitation. Soumis à l'agrément du propriétaire, l'échange peut — en cas de refus — être autorisé par le tribunal paritaire. Dans le même esprit, le statut permet de grouper plusieurs parcelles attenantes et de faire disparaître talus, haies, rigoles afin d'améliorer les conditions d'exploitation. Enfin, la loi a limité la liberté contractuelle en cette matière. C'est ainsi que le statut prévoit que les baux ruraux ne pourront pas être inférieurs à neuf ans, et que le preneur aura droit au renouvellement de son bail. C'est ainsi qu'en cas de vente le

preneur disposera d'un droit de préemption et que le
métayer a droit de demander la conversion de son contrat
en bail à ferme. C'est ainsi également que le propriétaire
ne pourra reprendre son domaine que pour l'exploiter
personnellement, la location du bien repris étant interdite
durant un certain temps, afin d'éliminer la spéculation.
C'est ainsi encore qu'à l'instar de la propriété commerciale, le preneur sortant peut prétendre au paiement d'une
indemnité de plus-value. Notons aussi que toutes prestations ou redevances en sus du prix sont interdites. La
plupart de ces dispositions sont d'ordre public, de sorte
que tous ces éléments du fermage moderne ne peuvent
être écartés conventionnellement entre les parties.

Une dernière observation sur la gestion des entreprises
agricoles : en présence d'une abstention du propriétaire,
la loi prévoit la concession des terrains abandonnés et
incultes. En réalité, il s'agit d'une réquisition opérée par
la puissance publique d'une propriété improductive, qui
est ensuite mise entre les mains du concessionnaire, pour
le plus grand bien du concessionnaire lui-même, de la
propriété et de la collectivité.

De même que la législation du fermage s'est beaucoup
développée après la Libération, de même se sont développés différents services économiques et professionnels fort
utiles à l'agriculure. Les sociétés coopératives, et les
unions constituées entre elles, sont de plusieurs types,
suivant le but qu'elles se sont assigné. Les plus répandues
ont pour objet toutes les opérations de production, de
transformation et de vente de marchandises. D'autres,
coopératives d'approvisionnement, se proposent de procurer à leurs membres tous instruments, produits et
animaux nécessaires à l'exploitation. Les coopératives de
service mettent à la disposition des adhérents matériel,
machines et instruments agricoles avec le personnel
spécialisé. Les coopératives dites d'utilisation de matériel
agricole (en abrégé C. U. M. A.) sont parmi les plus importantes, car elles ont pour objet le développement de
l'agriculture française.

De nombreuses sociétés agricoles existent également qui
utilisent pour leur constitution et pour leur fonctionnement toutes les ressources du droit civil et commercial ;

elles peuvent être civiles, civiles à forme commerciale
ou purement commerciales. Une place à part doit être
faite aux sociétés d'intérêt collectif agricole (en abrégé
S. I. C. A.). Ce sont de puissants services économiques
constitués sous forme de sociétés anonymes et dont l'objet
est d'exécuter des travaux agricoles d'intérêt collectif,
comme par exemple de doter une région entière ou une
agglomération rurale d'abattoirs industriels, d'entrepôts
frigorifiques, de réseaux électriques ou ferrés.

Le crédit, essentiel dans le monde du commerce et de
l'industrie, est également de grande importance pour
l'agriculture. Personnel ou réel, le crédit agricole est de
nature mobilière, ce qui le distingue du crédit foncier. Le
crédit agricole personnel est destiné à des opérations
mobilières comme l'achat de bétail, de semences, d'engrais
ou le paiement des salaires. Le crédit officiel est organisé
avec, à la base, des caisses locales de crédit agricole
groupées autour des caisses régionales, dépendant toutes
de la Caisse nationale de crédit agricole. Ces caisses
accordent des prêts de diverses formes à court, à moyen
et à long terme, de même que des prêts spéciaux destinés
aux jeunes agriculteurs pour leur installation, aux victimes des calamités, et ainsi de suite. Il existe, à côté de ces
organismes officiels, des caisses de crédit mutuel privé.
Le crédit agricole réel, c'est le warrantage, c'est-à-dire le
prêt sur gage sans dessaisissement des récoltes et des
animaux. Enfin, l'agriculture bénéficie du crédit foncier,
du crédit forestier et des subventions en argent et en
nature pour plantations, pour équipement des forêts
contre l'incendie et pour organisation de la lutte contre
les insectes nuisibles.

Les services professionnels sont aussi développés que
les services économiques. Les chambres d'agriculture
comprennent : à la base, des chambres départementales,
dont les attributions sont consultatives et économiques ;
à l'échelon supérieur, les chambres régionales, qui sont
en réalité les unions des chambres départementales, poursuivant l'étude et la réalisation de projets communs à
plusieurs départements ; au sommet se trouve l'Assemblée
permanente des présidents des chambres d'agriculture,
établissement public doté de la personnalité civile, organe

consultatif et représentatif des intérêts de l'agriculture auprès des pouvoirs publics.

Les syndicats agricoles et les associations syndicales de propriétaires sont constitués comme tous les syndicats de travailleurs et comme toutes les chambres syndicales patronales.

Enfin, les sociétés d'assurances mutuelles agricoles sont des sociétés composées d'agriculteurs et garantissant leurs risques professionnels. Ce sont les sociétés civiles qui pratiquent en général l'assurance-accidents, l'assurance-incendie, l'assurance-grêle et l'assurance-mortalité de bétail.

Une des tendances les plus originales des institutions rurales modernes est celle qui, en réaction contre l'esprit égalitaire du code civil, entend éviter le morcellement des héritages, spécialement après la mort de l'exploitant. De là est née la double idée du maintien provisoire de l'indivision successorale et de l'attribution préférentielle du domaine à l'héritier participant à la culture. Mais ces prescriptions ne concernent que les exploitations agricoles à caractère familial qui, au surplus, doivent constituer une unité économique, c'est-à-dire un seul ensemble cultural ne dépassant pas une valeur déterminée. L'attribution intégrale après la mort de l'exploitant n'est possible, cela va de soi, que lorsqu'il existe d'autres biens en quantité suffisante pour assurer le partage équitable entre tous les héritiers. L'attributaire devra être copropriétaire, habiter le domaine et avoir effectivement participé à la culture.

Mais si ces diverses mesures ont permis de juguler quelque peu le terrible morcellement de la propriété voulu en son temps par le code et aujourd'hui difficilement conciliable avec les transformations techniques qu'ont subies les travaux de la terre, elles n'ont pu reconstituer les grands espaces nécessaires pour le travail du tracteur et la production en grand. On essaie d'y parvenir par le remembrement, qui est l'opération foncière par laquelle les propriétaires mettent en commun leurs parcelles dispersées pour procéder à une répartition nouvelle, dans laquelle chacun sera attributaire d'une propriété regroupée.

Le service du remembrement est assuré par des commissions administratives. Conformément aux habituelles structures des institutions rurales, on trouve, à la base, des commissions communales et intercommunales de réorganisation foncière et de remembrement. Dans chaque département, il existe une commission départementale. Les commissions sont constituées par le préfet. C'est le juge d'instance qui préside la commission communale, composée de fonctionnaires techniques intéressés, comme l'ingénieur en chef du génie rural, le directeur des services agricoles, le directeur départemental des contributions directes et du cadastre, le conservateur des eaux et forêts, du maire de la commune ou d'un adjoint, et enfin de trois propriétaires ou d'exploitants non propriétaires. Les commissions départementales, présidées par un magistrat désigné par le premier président de la cour d'appel, comprennent de hauts fonctionnaires ainsi que le président de la chambre d'agriculture et le président de la fédération départementale des syndicats d'exploitants agricoles. Cinq propriétaires, dont quatre exploitants au moins, complètent l'aréopage.

C'est la commission qui classe les parcelles à remembrer et en estime la valeur. Elle recense également les terres incultes, qui devront être expropriées. La commission établit alors le dossier des parcelles qui est publié et portera les observations des intéressés. Après les formalités de publicité, le projet de remembrement sera établi, déposé en mairie, adopté et porté à la connaissance des propriétaires, qui d'ailleurs auront un droit de recours devant la commission départementale. Sans opposition des propriétaires, ou si elle est rejetée, le plan est rendu exécutoire par le préfet.

IX. — LA SECURITE SOCIALE

L'idée de sécurité sociale est jeune, tout au moins sous sa forme moderne, telle qu'elle a été inscrite dans la Déclaration universelle des droits de l'homme, où il est dit que « toute personne, en tant que membre de la société, a droit à la sécurité sociale ». Ce document ajoute quelques précisions dans son article 25, dans les termes suivants : « Toute personne a droit à un niveau de vie suffisant pour assurer sa santé, son bien-être et ceux de sa famille, notamment pour l'alimentation, l'habillement, le logement, les soins médicaux, ainsi que pour les services sociaux nécessaires ; elle a droit à la sécurité en cas de chômage, de maladie, d'invalidité, de veuvage, de vieillesse ou dans les autres cas de perte de ses moyens de subsistance, par suite de circonstances indépendantes de sa volonté ».

La préoccupation du rédacteur du préambule de 1946 a été analogue, puisqu'il affirme que « tout être humain, qui, en raison de son âge, de son état physique ou mental, se trouve dans l'incapacité de travailler, a le droit d'obtenir de la collectivité des moyens convenables d'existence ». Enfin, le législateur de la sécurité sociale qui, le 10 décembre 1956, a codifié l'ensemble des textes législatifs concernant cette institution, précise que l'organisation de la sécurité sociale garantit les travailleurs et leurs familles contre les risques de toute nature susceptibles de réduire ou de supprimer leur capacité de gain, qu'elle couvre également les charges de maternité et les charges de famille et enfin qu'elle assure le service des prestations d'assurances sociales, d'accidents du travail et maladies professionnelles, de l'allocation aux vieux travailleurs salariés, ainsi que le service des prestations familiales.

Telle a été l'idée générale. Les modalités de réalisation de la sécurité sociale ont, en France, un aspect assez particulier, qui tient à l'origine et au développement des diverses branches qui la composent. C'est par l'histoire que le lecteur comprendra la situation actuelle d'une des plus importantes et des plus nécessaires institutions de notre droit du travail.

De tout temps, l'homme, et plus particulièrement le travailleur, a essayé de se garantir des risques de la maladie, de la vieillesse, du chômage. Au siècle dernier, les ouvriers sérieux essayaient d'épargner pour le jour où il leur faudrait s'arrêter de travailler. Mais, malgré la protection des lois sur l'épargne, ce système était rendu aléatoire par le fait qu'il leur fallait continuer seuls à supporter tous les risques.

Un pas en avant a été franchi par l'instauration de l'assurance privée. Plus de perfectionnement encore a été apporté dans le système de prévoyance par l'apparition de la mutualité, plus développée à la campagne qu'à la ville, et garantissant, d'une manière d'ailleurs insuffisante, certains risques sociaux. Les sociétés de secours mutuel n'ont pas complètement disparu, même dans le cadre de la réglementation de la sécurité sociale, et servent aujourd'hui à fournir à leurs adhérents des prestations supplémentaires, ou encore à remplacer les institutions de la sécurité sociale auprès des personnes qui n'y sont pas assujetties.

Le seul service public de prévoyance qui existât, depuis d'ailleurs des temps immémoriaux, était celui de l'assistance, autrefois uniquement destinée aux indigents. Au xxᵉ siècle, de très nombreuses lois sont intervenues pour accorder, non plus l'assistance, mais l'aide sociale à des catégories de personnes très diverses : aveugles et grands infirmes, femmes en couches, familles dont le soutien accomplit le service militaire, personnes âgées ou malades, et bien d'autres encore. Mais, parallèlement, se développent les trois grandes institutions dont la fusion constituera la sécurité sociale : l'indemnisation des victimes des accidents du travail, les assurances sociales et les allocations familiales.

Le premier risque, le plus grave pour un travailleur, est l'accident du travail. C'est contre ce risque que le législateur lui-même a assuré le travailleur par la première grande loi sociale, celle du 9 avril 1898. Les principes sur lesquels se fonde ce texte sont simples. En premier lieu, il n'y a pas à rechercher la cause de l'accident : l'accident, c'est la conséquence du travail et de ses dangers ; ceux-ci sont assumés par l'ouvrier dans l'intérêt de l'entreprise, c'est l'entreprise qui garantira l'ouvrier accidenté. En second lieu, l'employeur pouvait s'assurer lui-même auprès d'une compagnie, mais il n'était pas tenu de le faire ; un fonds de garantie avait été prévu pour les employeurs non assurés. Enfin, la réparation était non pas intégrale mais forfaitaire. La loi sur les accidents du travail a été rapidement étendue au commerce et à l'agriculture, puis elle a englobé également les maladies professionnelles.

Les assurances sociales garantissent le risque de maladie ou d'invalidité, de vieillesse ou de décès. Ce n'est qu'en 1930 que le législateur a organisé un système rationnel des assurances sociales. La ressemblance avec l'assurance ordinaire tenait à ce que la caisse remplissait la fonction d'une compagnie d'assurances et que les cotisations, comme les primes, servaient à indemniser les assurés au cas de la réalisation du risque. Mais la différence avec l'assurance privée était sensible. Le régime d'assurance était non pas facultatif mais obligatoire pour tous les assujettis. Au surplus, les primes devant être bien plus élevées que les salaires des travailleurs ne pouvaient le permettre, la loi a ajouté la cotisation patronale à celle des employés, ainsi qu'une participation de l'Etat. Mais aucune sélection ne pouvait être faite entre les risques, dont certains, comme le chômage, n'étaient même pas pris en charge. D'autre part, les cotisations étaient uniformes. Enfin n'étaient soumis à ce régime que les seuls salariés dont la rémunération était inférieure à un certain chiffre.

Dernière branche de ce tryptique social, les allocations familiales, dues à l'initiative privée, ont été rendues obligatoires en 1932. L'idée est bien connue : par l'intermédiaire d'une caisse de compensation, on verse des allocations supplémentaires aux personnes ayant des enfants à charge. Les allocations familiales ont d'ailleurs été singulièrement étendues et améliorées par la politique de la natalité : prime à la mère au foyer, devenue plus tard allocation de salaire unique, prime à la première naissance, et extension de l'institution à toutes les professions, industrielles et commerciales, libérales et agricoles.

C'est ainsi que se présentait, à la Libération, le système de sécurité sociale français. C'est alors que, par deux ordonnances d'octobre 1945 et par certains autres textes de 1946, le législateur a refondu l'ensemble des mesures sociales. Il a d'abord regroupé en un texte unique la législation, d'ailleurs améliorée, des accidents du travail,

des assurances sociales et des allocations familiales. Il a
ensuite augmenté le nombre des risques couverts par les
assurances sociales, qui comprennent aujourd'hui non
seulement la maladie, l'invalidité, la vieillesse et le décès,
mais encore les charges de maternité et le risque de
longue maladie. Puis la loi a transféré le dédommagement
des accidents du travail à la caisse de sécurité sociale et
a fixé le nouveau régime des allocations familiales. Enfin,
une nouvelle organisation a été donnée à la sécurité
sociale et son contentieux entièrement transformé.

En principe, les cotisations sont à la charge des employeurs et des travailleurs, mais de plus en plus apparaît
l'idée du recours à des procédés fiscaux et parafiscaux
pour répartir la lourde charge de la sécurité des travailleurs sur l'ensemble des citoyens, qui tous profitent
de la vie économique du pays et qui seront finalement
tous appelés à bénéficier des bienfaits de la sécurité
sociale. Pour le moment, les principaux débiteurs des
cotisations sont l'employeur, le salarié et le travailleur
indépendant. L'employeur règle l'intégralité des cotisations des accidents du travail et des allocations familiales, ainsi qu'une partie des cotisations aux assurances
sociales. L'autre partie des cotisations des assurances
est retenue sur le salaire et versée pour le compte du
salarié. Le travailleur indépendant ainsi que l'employeur
cotisent pour eux-mêmes aux caisses d'allocations familiales. De sévères sanctions et de multiples garanties de
recouvrement, ainsi que des majorations de retard, sont
prévues par la loi.

Ayant la mission d'indemniser, la sécurité sociale a
aussi celle de prévenir : cette mission de prévention du
risque est une de ses fonctions les plus utiles. Son rôle
est fondamental dans la prévention des accidents du
travail, dans la protection de la santé du travailleur et
dans la réalisation d'une politique familiale et démographique.

Deux autres idées directrices du plan français de la
sécurité sociale sont l'unification et la généralisation.
L'unification n'a pu être réalisée pour le moment qu'entre
les assurances sociales et les accidents du travail, et
l'organisation actuelle de la sécurité sociale reste assez

disparate. D'une part existe le régime général des caisses de sécurité sociale, d'autre part sont autonomes les caisses d'allocations familiales, les caisses de vieillesse pour salariés et non-salariés, et surtout les multiples régimes spéciaux.

Les caisses primaires sont chargées de percevoir l'intégralité des cotisations. Pour ce qui concerne la gestion des risques, les caisses primaires gèrent ceux de maladie, de maternité et de décès ; elles versent aussi les indemnités temporaires pour les accidents du travail et maladies professionnelles. La caisse régionale gère le risque d'invalidité, d'accidents du travail et de maladies professionnelles lorsqu'il y a incapacités permanentes ; elles compensent les risques dans le cadre régional en couvrant les déficits des caisses primaires. Enfin, la caisse nationale a pour rôle de compenser les risques sur le plan national et de couvrir les déficits des organismes régionaux et locaux, non seulement des caisses de sécurité sociale, mais aussi des caisses d'allocations familiales.

La caisse nationale est un établissement public administré par un conseil d'administration dont la composition est déterminée par la loi. Les autres caisses de tout échelon et de toute nature sont des organismes privés, constitués sous la forme de sociétés de secours mutuel. Les caisses de sécurité sociale sont gérées par un conseil d'administration élu et représenté pour les trois quarts par les travailleurs et pour un quart par les employeurs. Les caisses d'allocations familiales sont administrées par un conseil comprenant pour moitié des représentants des salariés, pour un quart ceux des employeurs et pour le dernier quart ceux des travailleurs indépendants. L'ensemble des caisses de sécurité sociale est groupé en une fédération nationale des organismes de sécurité sociale (F. N. O. S. S.) et l'ensemble des caisses d'allocations familiales en une union nationale (U. N. C. A. F.). Le rôle de ces associations privées est considérable dans l'élaboration de la législation sociale.

Le contrôle de l'Etat s'exerce par la direction générale de la sécurité sociale, une des directions du ministère du Travail, assistée du Conseil supérieur de la sécurité sociale. Les administrations fiscales échangent des renseignements avec la sécurité sociale. Enfin la Cour des comptes exerce son contrôle sur la comptabilité des caisses.

2

LA VIE PUBLIQUE

LA VIE JUDICIAIRE

CHAPITRE VII

LA JUSTICE CIVILE

I. — L'ORGANISATION DE LA JUSTICE

La vie civile, économique et professionnelle telle que je l'ai décrite dans les chapitres précédents est rarement paisible. Des conflits de toute nature, principalement d'intérêts, obligent la puissance publique à organiser la justice afin de trancher les différends qui surgissent entre les citoyens.

Autrefois, cette organisation était assez rudimentaire ; la force, le plus souvent, primait le droit et réglait à sa manière tous les litiges. Puis l'Etat, imbu d'une haute conception de ses devoirs et de ses attributions, s'est efforcé d'organiser une justice qui soit à la fois supérieure aux citoyens et indépendante de lui-même.

Depuis la fin de l'Ancien régime, la justice est un des trois pouvoirs de l'Etat. J'étudierai le pouvoir exécutif et le pouvoir législatif en exposant la vie administrative et politique de notre pays. Je dirai alors quelles sont leurs attributions. Quant au troisième, le pouvoir judiciaire, il a pour mission de rendre la justice, c'est-à-dire de régler les différends entre les particuliers, ou encore les différends que ceux-ci peuvent avoir avec la puissance publique. Les différends avec la puissance publique sont de nature diverse. On conçoit certaines difficultés avec l'ad-

16

ministration, c'est-à-dire avec l'Etat, les départements, les communes, les établissements publics. Ces litiges sont de la compétence de juridictions spéciales, dont je ne puis expliquer le fonctionnement avant d'avoir dit ce qu'est l'administration elle-même et comment elle s'exerce. J'en parlerai donc plus tard, lorsque j'aborderai la vie administrative. On conçoit encore un autre genre de différend avec la puissance publique : celui qui consiste à désobéir aux lois impératives prescrites par le code pénal pour le maintien de l'ordre public. On est alors poursuivi devant les tribunaux répressifs et puni de certaines peines, ainsi que nous le verrons dans le chapitre suivant. Auparavant, nous allons dire ce qu'est la justice civile, c'est-à-dire celle qui règle les litiges entre particuliers.

La justice civile est rendue par les tribunaux qu'on appelle les tribunaux judiciaires. Ces juridictions sont nombreuses, et leur mosaïque constitue cette organisation judiciaire dont la colonne vertébrale est la juridiction de droit commun, traditionnellement composée du tribunal et de la cour d'appel.

Les tribunaux de première instance et la cour d'appel s'appellent encore les juridictions ordinaires, car en principe ils peuvent connaître de tous les procès. De fait, le tribunal et la cour étaient autrefois les seules juridictions. Petit à petit, par suite de la complication des relations entre les hommes et de l'apparition de nouvelles branches de l'activité économique, d'autres juridictions ont été créées : ce sont les tribunaux d'exception, dont la compétence est limitée à certains procès. C'est ainsi qu'en tout premier lieu apparut le tribunal de commerce, qui était appelé à juger les litiges entre commerçants ou ceux nés à l'occasion des actes de commerce. La justice de paix fut organisée pour juger les petits procès, afin d'éviter aux justiciables les difficultés de procédure du tribunal de droit commun. Le conseil de prud'hommes apparut avec l'extension des relations de travail. Il a été organisé afin de régler les différends entre les patrons et leurs ouvriers ou entre les commerçants et leurs employés à l'occasion du contrat de louage de services. Bien d'autres juridictions d'exception devaient voir le jour et, dans les temps récents, le législateur a pris l'habitude de détacher

du droit commun toutes sortes de litiges : c'est ainsi qu'il
organisa séparément des commissions paritaires pour les
procès entre les bailleurs et leurs fermiers ou métayers,
des commissions de sécurité sociale pour les difficultés
nées de l'application des ordonnances concernant cette
institution, des juges uniques pour statuer en matière de
baux à loyer ou de baux commerciaux, d'autres encore
dont il ne peut être question ici.

Jusqu'à une date toute récente, l'organisation judiciaire
de la France était la suivante : il existait deux échelons,
le tribunal de première instance et la cour d'appel. Les
litiges soumis au tribunal faisaient l'objet d'un jugement
qui était susceptible d'appel devant la cour. Je précise
que le tribunal de première instance était, d'autre part,
juge d'appel des petites juridictions, justices de paix,
conseils de prud'hommes et tribunaux de simple police.

Dans cette organisation, la distribution des petites juridictions était cantonale ; on comptait donc 2 902 justices
de paix, deux cantons étant parfois réunis sous un seul
juge de paix, suivant le système connu sous le nom de
binage. D'autre part, l'implantation des tribunaux civils,
qui s'appelaient aussi tribunaux d'arrondissement, comportait à peu près un tribunal par arrondissement, soit
au total 351. Quant aux vingt-sept cours d'appel, leur
circonscription s'étendait sur plusieurs départements et
leur rôle était de statuer sur les appels formés contre les
jugements rendus par les tribunaux civils et les tribunaux
de commerce.

La réforme judiciaire de 1958 a transformé profondément cette organisation judiciaire. Désormais les justices
de paix ont fait place aux tribunaux d'instance qui sont
au nombre de 455. Les tribunaux civils sont remplacés
par les tribunaux de grande instance. Il y en a aujour-
d'hui 172.

Le tribunal d'instance a un juge unique. Le tribunal
de grande instance est à composition collégiale. Ce tribunal a une magistrature assise : président, vice-président
et juges, et un parquet composé du procureur de la République et de ses substituts. La magistrature assise juge ;
ses membres sont également appelés magistrats du siège.
Le parquet est la magistrature dite debout, pour la simple

raison que le procureur qui requiert l'application de la loi doit se lever pour prendre la parole.

La grande innovation de la réforme a été de déférer à la cour les appels formés contre les décisions de tous les tribunaux judiciaires, tribunaux d'instance et de grande instance, tribunaux de commerce et paritaires, commission de sécurité sociale et conseils de prud'hommes. La simplification par rapport à l'ancienne mosaïque des juridictions est d'importance.

Le nombre des cours d'appels n'a pas varié et leur composition est restée la même. Chaque cour comprend un premier président, des présidents de chambre et des conseillers en nombre variable suivant son importance. Son parquet est composé d'un procureur général et de plusieurs avocats généraux.

Au-dessus de toutes ces juridictions, de droit commun et exceptionnelles, se trouve la cour de cassation, qu'on appelle encore la cour suprême et dont la mission est d'assurer une stricte application de la loi. Elle ne juge jamais en fait, mais seulement en droit. Elle n'est pas le juge des litiges, mais celui des jugements. Ses arrêts statuent non sur le procès, déjà jugé par le tribunal et rejugé par la cour, mais sur la manière dont les juridictions inférieures ont dit le droit. Elle ne peut que les approuver par un rejet du pourvoi, ou les désapprouver ; dans ce dernier cas, elle casse toute décision coupable de violation ou de fausse application des textes, d'incompétence ou d'excès de pouvoir, de vice de forme ou d'irrégularité de procédure. La décision cassée, la cour suprême renvoie le procès devant une autre cour d'appel. La cour de cassation se divise aujourd'hui en une chambre criminelle et une chambre civile. Cette dernière comprend deux sections civiles, une section sociale et une section commerciale. La cour est composée d'un premier président, de cinq présidents de chambre et de soixante-trois conseillers. Son parquet est représenté par un procureur général et douze avocats généraux.

Toutes ces juridictions civiles obéissent à certains grands principes qui ont fait la force de notre système judiciaire. D'abord les juges ne peuvent être saisis, en général, que par les plaideurs, alors que — je l'expliquerai bientôt — c'est surtout par le ministère public qu'ils sont saisis en matière répressive. Ensuite, les juges n'ont pas le droit de se substituer au pouvoir législatif et ne peuvent, par conséquent, statuer par voie réglementaire. Leurs sentences sont toujours des décisions d'espèce, visant des cas particuliers et ne pouvant jamais contenir des dispositions d'ordre général, comme c'était le cas des parlements de l'Ancien régime. Le principe est compréhensible : si le tribunal pouvait poser des règles de droit, il se substituerait vite au législateur. Or, le juge ne crée pas la loi ; il l'applique.

Un autre principe général fait aux tribunaux l'obligation de juger, et un texte célèbre, inséré dans le préambule du code civil, précise que le juge qui refusera de juger, sous prétexte du silence, de l'obscurité ou de l'insuffisance de la loi, pourra être poursuivi comme coupable de déni de justice. Enfin, une dernière règle exige que les tribunaux se maintiennent dans les limites de leurs attributions. C'est ainsi qu'un tribunal judiciaire qui empiète sur la compétence d'un tribunal administratif commet un excès de pouvoir ; c'est ainsi qu'il y aura incompétence lorsque, par exemple, un tribunal d'exception prétendra juger une affaire qui est du ressort du tribunal de droit commun.

II. — LES MAGISTRATS ET LES AUXILIAIRES DE LA JUSTICE

Les tribunaux tels que je viens de les décrire ont besoin pour leur service d'un important personnel. Ce personnel est composé en premier lieu, comme nous l'avons dit plus haut, de magistrats qui rendent ou requièrent la justice. Il est en second lieu composé des auxiliaires immédiats des tribunaux, qui sont chargés de remplir diverses fonctions : officiers ministériels et avocats. Enfin, certains auxiliaires aident la justice sans participer constamment à son fonctionnement, tels les experts, les arbitres, les syndics de faillite.

Les magistrats sont recrutés de deux façons, par la

nomination et par l'élection. Le gouvernement nomme tous les magistrats de carrière dans les tribunaux de droit commun, ainsi qu'à la cour de cassation. Ce sont des fonctionnaires investis de la fonction de requérir ou de rendre la justice. Sous l'Ancien régime, les offices de la judicature étaient vénaux et héréditaires, d'où une justice coûteuse et quelquefois boiteuse. La Révolution a aboli le droit qu'avait le souverain de remplir les caisses de son trésor en vendant des charges publiques, mais elle a introduit le système électoral, qui ne valait guère mieux et qui ne subsista pas longtemps. Aujourd'hui, le mode normal de recrutement est la nomination après un examen professionnel.

La réforme judiciaire de 1958 ayant institué des auditeurs de justice recrutés par voie de concours et, dans certaines conditions, sur titres, les prochaines promotions de magistrats sortiront d'un Centre national d'études judiciaires qui a pour objet d'assurer la formation professionnelle des auditeurs de justice tant par un enseignement magistral qui prolongera celui des facultés que par des stages pratiques près les divers tribunaux. Les candidats à l'auditorat devront remplir des conditions de capacité et de moralité.

Les magistrats qui rendent la justice et les membres du parquet prêtent le même serment, que voici : « Je jure de bien et fidèlement remplir mes fonctions, de garder religieusement le secret des délibérations et de me conduire en tout comme un digne et loyal magistrat. »

Le recrutement par élection est exceptionnel : il ne concerne que les juges au tribunal de commerce, qu'on appelle juges consulaires et qui sont élus par les commerçants exerçant leur négoce dans la circonscription du tribunal, ainsi que les conseillers prud'hommes, élus par leurs pairs, patrons et ouvriers ou employés. Les juges élus ne sont pas fonctionnaires et ne reçoivent aucun traitement. Ils n'ont ni avancement, ni retraite. Ils ne sont que des magistrats occasionnels.

Bien plus intéressante est la distinction qu'il convient de faire entre les magistrats du siège et ceux du parquet. Recrutés de la même façon, leurs attributions ne sont pas semblables et leur statut est différent. J'ai déjà dit que les premiers étaient chargés de rendre, les seconds de requérir la justice. Les juges, les conseillers, les présidents, étant investis de la fonction de juger, ont besoin d'une totale indépendance ; les substituts et les procureurs de la République, les avocats généraux et les procureurs généraux, dont la fonction est de défendre la société et l'ordre public, doivent, au contraire, être soumis à la dépendance hiérarchique ainsi qu'à une stricte discipline.

Ces différences essentielles commandent leur statut respectif. Le magistrat du siège est inamovible, c'est-à-dire qu'il ne peut être révoqué ni déplacé, d'où une garantie pour le justiciable de l'indépendance de son jugement ; le magistrat du parquet est au contraire amovible et dépend ainsi du gouvernement, qui peut le révoquer et le déplacer par décret du président de la République rendu sur la proposition du garde des sceaux. Il n'y a pas d'ordre hiérarchique dans la magistrature assise et les magistrats ne doivent pas obéissance à leur président. Dans la délibération, l'avis de celui-ci ne l'emporte nullement sur l'avis du juge, même le plus jeune. Au contraire, un ordre hiérarchique très strict régit les membres du parquet, qui doivent obéissance à leurs supérieurs, le garde des sceaux étant placé au sommet. Cependant, l'obéissance au chef hiérarchique ne va pas jusqu'à abolir la liberté d'opinion du magistrat et celui-ci, obligé de conclure par écrit dans un certain sens, recouvrera la liberté à l'audience et pourra prononcer des réquisitions en toute indépendance. Une célèbre maxime exprime cet état de choses de la manière que voici : « La plume est serve mais la parole est libre ». Enfin, si les fonctions sont personnelles dans la magistrature assise, le ministère public est indivisible. Cela veut dire que si, au cours d'une affaire, les juges du siège doivent être les mêmes depuis le début jusqu'à la fin des débats, les magistrats qui composent le ministère public peuvent se remplacer les uns les autres.

Les fonctions du ministère public sont beaucoup plus importantes dans le procès pénal que dans les affaires civiles. Il est partie principale en matière criminelle, d'où intervention obligatoire, nécessité d'administrer la preuve de ses accusations et droit d'interjeter appel ; il n'est que partie jointe en matière civile, où l'ordre public n'est que rarement intéressé. Aussi se borne-t-il à donner son opinion sous forme de conclusions s'il le désire ou si le tribunal le lui demande, mais il ne peut prendre aucune initiative dans la conduite du procès, qui est abandonnée aux parties elles-mêmes, et il ne peut ni interjeter appel, ni se pourvoir en cassation.

Les magistrats jouent le rôle primordial dans l'administration de la justice. Cependant, divers auxiliaires doivent intervenir pour faciliter leur tâche, ou les aider, quelquefois même afin d'authentifier leurs sentences. Certains auxiliaires sont des officiers ministériels, tels les huissiers, les avoués et les greffiers, d'autres exercent des professions libérales, tels les avocats.

Les huissiers, les avoués, les greffiers et les avocats à la cour de cassation sont des officiers ministériels nommés par l'Etat mais dont la charge est vénale. Je l'ai déjà expliqué en parlant de la propriété incorporelle. A la différence du fonctionnaire simplement nommé par la puissance publique, le titulaire d'un office ministériel doit acheter sa charge. Mais, par une fiction remarquable, l'office lui-même n'est pas dans le commerce et ne fait pas partie du patrimoine de l'intéressé ; seul le droit de présentation est vénal, c'est-à-dire que le titulaire d'un office peut, moyennant finance, présenter un successeur à l'agrément du gouvernement. L'officier ministériel n'est pas rétribué par l'Etat, mais par son client. Il jouit d'un monopole et d'une compétence territoriale. Son ministère est obligatoire. Seul l'avocat à la cour de cassation a un monopole général et non territorial et cumule les fonctions d'avoué et d'avocat ; les autres officiers ministériels ont des attributions différentes et un rôle bien déterminé, circonscrit dans la vie quotidienne de la juridiction à laquelle ils sont attachés.

Et tout d'abord, l'huissier de justice. Il est chargé de la rédaction et de la signification de tous les actes concernant la procédure judiciaire. Il s'occupe également du service intérieur des tribunaux. Les huissiers de justice du même ressort forment une communauté ayant à sa tête une chambre de discipline, présidée par un syndic.

Le rôle des avoués, dont le ministère est obligatoire près le tribunal de grande instance ou près la cour

d'appel, consiste à diriger l'instruction de la procédure,
à représenter le plaideur et à authentifier ses prétentions.
Comme les huissiers, les avoués sont soumis à un tarif
pour leurs frais et honoraires. Groupés en une chambre
de discipline, les avoués de chaque ressort ont à leur
tête un président, élu par la chambre.

Le rôle des greffiers est tout différent. Ils font partie
des juridictions auprès desquelles ils exercent leurs
fonctions et doivent assister les juges afin de tenir les
écritures. L'absence du greffier rendrait nul tout jugement
ainsi illégalement prononcé, car aucun tribunal ne peut
se réunir sans greffier. Après le prononcé du jugement,
celui-ci en rédige la minute dans les vingt-quatre heures,
et la signe avec le président. La minute, c'est l'original
même du jugement ; il en délivre des expéditions ou des
copies. Le greffier en chef, titulaire de l'office, a sous ses
ordres des commis-greffiers, véritables fonctionnaires qui
peuvent le suppléer après avoir été présentés au tribunal.

Si le greffier aide directement et matériellement le tribunal, si l'huissier rédige et signifie les actes de procédure, si l'avoué postule et conclut, l'avocat, lui, consulte
et plaide. Mais, contrairement à tous ceux que je viens
d'énumérer, l'avocat n'est pas un officier ministériel. Il
ne possède donc pas d'office, ni de clientèle ; il ne peut
vendre son cabinet, il n'est nommé par aucun pouvoir,
il exerce une profession libérale, simplement réglementée,
mais assimilable à un service public. Il en résulte, curieusement, que l'avocat sera le seul des auxiliaires de la
justice à avoir besoin de prouver sa science juridique
par la production d'un diplôme de licencié en droit et
d'un certificat d'aptitude délivré par une faculté. De
tous les auxiliaires de la justice, l'avocat est donc le plus
proche du juge, et il est aussi son égal. L'avocat ne jouit
d'aucun monopole, mais il n'a pas non plus de compétence territoriale. Le ministère de l'avocat n'est pas forcé,
mais volontaire, aussi ses honoraires ne sont-ils indiqués
dans aucun tarif, mais librement fixés par un accord avec
le client. La caractéristique essentielle de l'avocat est sa
totale indépendance à l'égard du client, du confrère, du
magistrat et du gouvernement ; cette indépendance et
cette absolue liberté n'ont d'autres limites que celles tra-

cées par sa conscience professionnelle, son serment et le
respect qu'il doit à la loi et à l'ordre public. Lié par le
serment professionnel, l'avocat bénéficie de l'inviolabilité
de son cabinet et de l'immunité de parole pendant sa
plaidoirie. Les avocats sont groupés en un ordre, dont le
conseil est présidé par un bâtonnier.

Les autres auxiliaires de justice sont moins importants,
et leur rôle est beaucoup plus réduit, souvent intermittent.
Les agréés sont des mandataires spéciaux qui représentent les parties devant les tribunaux de commerce. Ils ne
sont pas des officiers ministériels ; ils sont simplement
« agréés » auprès de tel tribunal, mais en fait ils possèdent une sorte de charge, qui est devenue vénale, et ils
présentent leur successeur moyennant finance, comme les
officiers ministériels. Je ne m'étendrai guère sur les autres
auxiliaires, qui sont très nombreux et que le tribunal
s'adjoint lorsqu'il le désire. Ce sont essentiellement les
experts, dont il sera question plus loin, les notaires, les
arbitres-rapporteurs, les syndics de faillite, les commissaires priseurs, les courtiers assermentés, les administrateurs judiciaires et séquestres, les liquidateurs de sociétés,
les curateurs aux successions vacantes et bien d'autres
encore.

III. — LA COMPÉTENCE DES JURIDICTIONS

Le plaideur qui désire engager un procès, c'est-à-dire
celui qui entend voir respecter son droit, est le demandeur. Il a à sa disposition divers moyens d'attaque, qui
s'appellent des actions. Le plaideur qui résiste, oppose
des défenses qui peuvent être des défenses au fond ou
des exceptions, ou même des moyens offensifs ; on l'appelle le défendeur. Des tiers peuvent intervenir dans le
procès ou y être attraits par voie d'intervention volontaire
ou forcée.

L'action, qui est le corollaire d'un droit qu'on prétend
avoir, ne peut s'exercer que sous certaines conditions. Il
faut tout d'abord, pour pouvoir agir en justice, que le

demandeur ait un intérêt pécuniaire ou simplement moral.
« Pas d'intérêt, pas d'action. » Il faut ensuite avoir qualité
comme titulaire du droit qu'on prétend lésé ou comme
représentant de ce titulaire. Il faut enfin avoir capacité.
J'ai déjà expliqué ce qu'étaient les incapables : ils ne
peuvent exercer d'actions.

Attaqué par le demandeur qui l'assigne devant le
tribunal selon des modalités que je raconterai bientôt,
le défendeur opposera divers moyens. Ceux-ci peuvent
être purement défensifs ; il se peut aussi que le défendeur
prenne de son côté une attitude offensive, appliquant ainsi
le principe qui veut que le meilleur moyen de se défendre
est d'attaquer. Dans le premier cas, il se borne à parer les
coups, soit par une défense au fond, impossible à préciser : elle tiendra compte des éléments du débat lui-même ;
soit par des exceptions, qui existent en nombre limité et
qui sont des moyens de paralyser le procès, le plus souvent
du reste temporaires. Dans le second cas, le défendeur
formera à son tour une demande dite reconventionnelle
et passera à l'offensive en demandant la condamnation
du demandeur.

Schématiquement, c'est ainsi que se présente le début
d'un procès. Mais, avant même qu'une action soit engagée, un problème important surgira devant le plaideur :
il lui faudra déterminer avec précision devant quel tribunal porter son action pour qu'elle puisse aboutir. C'est
le grand problème de la compétence, d'un intérêt toujours
actuel, compte tenu de la multiplicité des juridictions.

Traditionnellement, on distingue la compétence d'attribution de la compétence territoriale.

La compétence d'attribution détermine l'ordre, le degré
et la nature de la juridiction devant laquelle on doit porter
le procès. En premier lieu, il convient de se demander si
le procès qu'on désire engager est d'ordre privé, d'ordre
administratif ou d'ordre répressif. Il y aura incompétence
absolue chaque fois qu'on violera l'ordre des juridictions.
En second lieu, le plaideur devra déterminer le degré de
la juridiction, afin de ne pas saisir par exemple le
tribunal de grande instance au lieu du tribunal d'instance. L'erreur sur le degré est également sanctionnée par
l'incompétence absolue. En dernier lieu, la compétence

d'attribution se préoccupe de la nature de la juridiction à saisir, c'est-à-dire qu'elle détermine si le procès doit être porté devant une juridiction d'exception.

Mais, une fois que le plaideur a déterminé la compétence d'attribution, il n'a pas encore précisé exactement quel tribunal jugera son procès. A cette hauteur de ses réflexions, il sait simplement que son affaire est administrative ou judiciaire, que dans ce second cas c'est le tribunal de grande instance par exemple et non le tribunal de commerce qui devra juger le procès. Mais, de tous les tribunaux de grande instance de France, quel est celui précisément qui devra être saisi du litige qui intéresse notre plaideur ? Les principes de la compétence territoriale interviendront alors pour permettre la réponse à cette question.

La compétence territoriale s'appelle aussi compétence relative, car ses règles sont établies seulement dans l'intérêt du plaideur. Le grand principe qui domine la matière est l'idée que le demandeur doit aller chercher le défendeur chez lui. Le tribunal compétent est donc en principe celui du domicile du défendeur.

Toutefois, un tribunal autre que celui du domicile du défendeur est, dans certaines circonstances, imposé par la loi elle-même. C'est ainsi qu'en matière d'assurances, le tribunal compétent sera celui de l'assuré, même lorsqu'il est demandeur à l'instance. C'est ainsi encore que le tribunal du demandeur et non du défendeur sera compétent lorsque celui-ci, étranger, habite un pays étranger et qu'on désire l'assigner en France. Les actions concernant un immeuble seront portées devant le tribunal de la situation des biens, les litiges intéressant une faillite devant le tribunal du lieu de la faillite, les procès qu'on intente aux sociétés se plaideront devant le tribunal du siège social et tout ce qui a trait aux successions sera examiné par la juridiction du lieu où la succession s'est ouverte.

Dans d'autres hypothèses, le demandeur pourra choisir entre plusieurs tribunaux. Par exemple, un demandeur commerçant peut porter son action soit devant le tribunal du domicile du défendeur, soit devant le tribunal dans l'arrondissement duquel la promesse a été faite et la marchandise livrée, soit enfin devant le tribunal du lieu du paiement.

La possibilité pour le demandeur de faire un choix entre plusieurs tribunaux est un excellent assouplissement des règles autrefois assez rigides de la compétence territoriale. C'est ainsi que depuis longtemps, en matière pénale, le ministère public a une triple option : résidence du prévenu, lieu où le délit a été commis et lieu de l'arrestation du coupable. La souplesse en cette matière conduit à un examen plus rapide des procès et à une solution plus prompte des litiges.

Ici encore, la réforme judiciaire de 1958 a heureusement innové. Le puzzle que composaient les juridictions françaises et dans lequel les praticiens eux-mêmes perdaient parfois leur latin avait fini par rendre presque inextricable ce qu'on appelait à juste titre le maquis de la procédure. La nouvelle organisation judiciaire a beaucoup simplifié les problèmes de compétence. Ensuite, — et surtout, — il est désormais interdit au plaideur de soulever l'incompétence d'une juridiction sans indiquer quelle est, à son avis, celle devant laquelle il pense que doit se juger son procès. Des sanctions pécuniaires sévères frappent en outre la partie qui succombe dans son exception reconnue mal fondée.

IV. — LE PROCES EN PREMIERE INSTANCE

Une fois que le plaideur a déterminé la compétence du juge, comment portera-t-il devant lui son litige et comment obtiendra-t-il un jugement ? C'est ce que je vais dire maintenant, en suivant d'aussi près que possible les trois phases successives du procès : l'introduction de l'instance, l'instruction de l'affaire et le prononcé du jugement. Mais je dirai auparavant comment se caractérise dans son ensemble la procédure judiciaire de notre pays.

Tout d'abord, contrairement à ce qui se passe dans certaines législations étrangères, la procédure française est intégralement l'œuvre des parties. Le juge ne la dirige pas, comme dans les pays où il est directement saisi par une requête qui lui expose les doléances du plaideur ; il se borne à demeurer un arbitre impartial. C'est aux parties, ou plus exactement à leurs représentants, qu'il appartient de diriger leur procès comme bon leur semble. Les plaideurs auront à signifier les actes de procédure, à veiller aux différents délais, à poursuivre l'instance et à présenter leurs preuves matérielles et leurs moyens juridiques de défense. Certes, le tribunal a pouvoir de donner au procès une certaine impulsion, en ordonnant notamment des mesures d'enquête, d'expertise ou autres, mais à la vérité son rôle reste effacé jusqu'au jugement.

Dirigée par les parties, la procédure est contradictoire. Le défendeur doit être dûment appelé au procès, et toute possibilité de défense doit lui être laissée. Le déroulement majestueux et un peu suranné de notre procédure tient essentiellement compte des droits du défendeur, tant par les délais qui lui sont impartis pour préparer sa défense que par l'indispensable communication de pièces qui doit lui être faite. C'est là un principe des plus solidement établis : aucun document ne peut être utilisé durant le débat judiciaire qui n'ait fait, au préalable, l'objet d'une discussion contradictoire.

Du caractère contradictoire de notre procédure et du fait qu'elle est l'œuvre des parties il résulte encore cet autre corollaire, que le juge ne peut jamais fonder sa décision sur son intime conviction, comme en matière pénale, ni sur la connaissance personnelle qu'il peut avoir des faits qui lui sont soumis. Il doit, à peine de voir réformer sa sentence, l'appuyer par l'examen impartial des preuves judiciairement administrées, telles notamment que je les ai décrites dans le chapitre consacré aux obligations. Cette survivance du formalisme empêche tout arbitraire de la part de l'homme investi de la haute fonction sociale de juger ses semblables. Elle est donc la meilleure garantie pour le citoyen, et ce n'est pas sans motif que la forme a été appelée sœur jumelle de la liberté.

Enfin, je note que notre procédure judiciaire est à

la fois écrite et orale. Certains actes du procès sont écrits et même authentifiés par l'officier ministériel qui les dresse, les signe et les délivre ; mais la partie de l'instruction de l'affaire qui a le plus d'influence sur l'issue du combat judiciaire et sur l'opinion du magistrat est souvent la plaidoirie, à condition bien entendu qu'elle soit sérieusement préparée par les écritures. Les témoignages produits, les pièces communiquées, les conclusions échangées, la libre discussion commence, et c'est d'elle que devra jaillir la vérité.

La procédure devant le tribunal est engagée par un acte appelé assignation ou ajournement, ou exploit introductif d'instance, signifié par un huissier de justice, authentifié par lui et portant sa signature et le cachet de son étude. Cet acte est rédigé par l'huissier, mais le plus souvent c'est l'avocat qui adresse son projet à cet officier ministériel, qui le transcrit sur une feuille de papier timbré. Ecrit en français, sans blancs, ratures ni surcharges, l'ajournement est dressé en double, l'original restant entre les mains de l'huissier qui instrumente, la copie étant délivrée au défendeur qu'on appelle à comparaître.

Le code prescrit un certain nombre de mentions que l'ajournement devra comporter sous peine de nullité. C'est ainsi que l'acte sera daté. Il contiendra la désignation de l'huissier et du demandeur dont il donnera les nom, prénoms, profession et adresse ; il indiquera, en matière civile, la constitution de l'avoué, et comportera bien entendu les mentions destinées à identifier le défendeur. Enfin, l'ajournement l'appellera à comparaître devant tel tribunal pour les causes qui seront nécessairement énumérées dans l'acte même.

Une fois l'exploit rédigé suivant les formes précises et immuables que je viens de dire, il faut le signifier, c'est-à-dire remettre la copie au défendeur, de façon que celui-ci puisse constituer avoué à son tour et se défendre. La loi précise que la remise doit être opérée par l'huissier lui-même qui se transportera sur place. Il ne peut instrumenter n'importe quand : le respect est dû au repos dominical et à l'inviolabilité du domicile. L'exploit ne peut être remis, en l'absence de l'intéressé, qu'à certaines personnes, parents, alliés, serviteurs ou éventuellement voisins, qui signent l'original. Si ces personnes refusent de recevoir la copie, elle sera délivrée en mairie, et le défendeur sera averti par lettre recommandée qu'un exploit a été délivré à son nom. L'exploit est toujours remis sous enveloppe fermée ne portant d'autre indication que le nom et l'adresse de l'intéressé et, sur la fermeture du pli, le cachet de l'étude.

Les effets de l'assignation sont importants. C'est elle qui saisit le juge et oblige le défendeur à comparaître sous peine d'être jugé par défaut. C'est elle aussi qui fixe la prétention du demandeur et interrompt la prescription. Elle donne également un certain délai au défendeur pour préparer sa défense et comparaître en justice par la constitution d'avoué.

A partir de la délivrance de l'exploit introductif d'instance, le procès entre dans sa phase active, qui est celle de l'instruction. L'avoué du défendeur notifiera à son confrère sa constitution et ses moyens de défense. L'avoué du demandeur prendra alors l'initiative de mettre l'affaire au rôle, c'est-à-dire de remettre au greffier du tribunal une copie de la demande. C'est la réquisition d'audience. Le greffier inscrira l'affaire sur un registre spécial et lui attribuera un numéro d'ordre. Dans les tribunaux importants, l'affaire sera ensuite inscrite au rôle particulier de telle chambre qui connaîtra du procès. Un magistrat, le juge rapporteur, sera désigné pour suivre la procédure.

C'est alors que s'ouvrira une nouvelle étape de l'instruction de l'affaire, qui consistera en un échange de conclusions. Le demandeur précise, s'il le désire ou si le besoin s'en fait sentir, ses preuves et justifications, le défendeur répond en soutenant ses propres prétentions en fait et en droit. Les conclusions sont signifiées par les avoués entre eux, sur des projets généralement rédigés par les avocats, et un exemplaire de chacune de ces écritures vient grossir le dossier du tribunal, de sorte que toutes les prétentions des adversaires sont authentiquement connues par le contradicteur et par le juge.

A partir de l'échange des conclusions, le procès est définitivement lié. L'affaire est contradictoire, la compétence du tribunal est fixée, les exceptions ne peuvent plus être présentées si les conclusions ont répondu au fond du

litige et même le désistement du demandeur n'est plus
désormais recevable qu'avec le consentement du défendeur. On dit que l'affaire est en état, c'est-à-dire qu'elle
est en état de recevoir solution.

Le jour de l'audience est alors fixé pour l'exposé oral
des prétentions des parties. Les débats auront lieu le plus
souvent en audience publique. Le juge-rapporteur fera
son rapport sur l'affaire ; l'avocat du demandeur aura
le premier la parole pour exposer les prétentions de son
client, ensuite son adversaire soutiendra la thèse adverse.
Les répliques, très courtes en principe, sont possibles. Le
président prononcera ensuite la clôture des débats et
l'affaire sera mise en délibéré. Au cours de ce délibéré,
le tribunal se réunira dans la chambre du conseil pour
statuer sur le mérite des arguments soulevés par les parties et rédiger le jugement.

Quelquefois sur le siège même — spécialement dans
les procès correctionnels — mais ordinairement huit ou
quinze jours plus tard, le tribunal prononcera sa décision.
Elle porte le nom de jugement lorsqu'elle est rendue par
le tribunal d'instance ou de grande instance ou par le
tribunal de commerce. Elle s'appelle ordonnance lorsqu'elle émane du président du tribunal statuant sur
requête ou en référé. Elle est une sentence lorsqu'il s'agit
d'un arbitrage et un arrêté lorsqu'elle est une décision
du tribunal administratif. Les décisions des conseils de
prud'hommes s'appellent indifféremment jugements ou
sentences. Les cours rendent des arrêts.

Quel que soit son nom — et le terme jugement s'emploie souvent dans son sens le plus large —, une décision
de justice tranche un différend. Mais le litige n'est pas
toujours terminé par la première décision ; certains
procès en connaissent deux ou plusieurs, successivement
rendues. C'est ainsi que le tribunal peut d'abord rendre
un jugement par lequel il se déclare compétent, un second,
appelé « d'avant faire droit », par lequel il ordonne une
enquête ou une expertise, puis, enfin, un troisième qui
tranchera définitivement le procès. Mais quel qu'il soit,
tout jugement devra nécessairement contenir des motifs
et un dispositif. Le dispositif est la décision elle-même qui
contient la solution du litige. Les motifs précèdent le

dispositif et l'annoncent. Ils expliquent la pensée du tribunal, montrent le cheminement de son raisonnement logique et juridique, précisent les textes sur lesquels il s'appuie pour aboutir à la solution ; ils doivent être précis, déterminants et circonstanciés.

En général, le jugement contient aussi l'attribution des dépens, dont le paiement incombe, en principe, à celui qui a perdu le procès, mais peut être laissé en tout ou en partie à la charge de l'adversaire, par une décision spéciale et motivée.

Rédigé en minute, le jugement est signé par le président et le greffier. Il est, plus tard, repris et mis en forme. Les avoués y ajoutaient autrefois ce qu'on appelait les qualités, sorte d'historique du procès fait dans une forme archaïque et qui étaient source de difficultés et de chicane ; elles sont maintenant supprimées.

Le greffe, de son côté, ajoute, lorsque le jugement est définitif, la formule exécutoire qui contient un mandement par la République française à tous huissiers de mettre la décision à exécution, qui ordonne aux procureurs généraux et aux procureurs de la République d'y tenir la main et à tous commandants et officiers de la force publique de prêter main forte lorsqu'ils en seront légalement requis. Le jugement sera signifié par un huissier, qui le fera ainsi officiellement connaître à la partie perdante.

Le jugement rendu, le procès est terminé. Le tribunal, dessaisi, n'a plus aucun pouvoir sur sa propre décision et ne peut plus ni la modifier, ni la rétracter, ni rien y changer. L'œuvre des parties a pris fin lorsque le président a prononcé la clôture des débats, l'œuvre du tribunal s'achève au moment du prononcé du jugement.

Une autre conséquence du jugement est qu'il confère aux parties un droit acquis : on l'appelle autorité de la chose jugée. C'est la présomption de vérité absolue qui s'impose dans les relations des plaideurs. A l'avenir, aucun procès nouveau ayant la même cause et le même objet ne pourra plus surgir entre les mêmes parties. Mais l'autorité de la chose jugée n'a jamais d'effets à l'égard des tiers : comme les conventions, les jugements n'ont qu'un effet relatif.

La décision judiciaire, enfin, rétroagit au jour de la

demande : le droit reconnu et consacré par un jugement est réputé exister depuis le jour où l'assignation a été lancée. Seuls sont exceptés de cet effet déclaratif les jugements créateurs d'une situation totalement nouvelle, spécialement certaines décisions relatives à l'état et à la capacité des personnes.

La technique de l'instance civile telle que je viens de la décrire est inapplicable aux juridictions d'exception. Le commerçant a besoin de célérité dans la solution de ses litiges et plus encore l'ouvrier ou l'employé, qui plaide pour obtenir son salaire ou son certificat de travail. Aussi la procédure devant ces juridictions est-elle bien différente de celle qui se déroule devant le tribunal de grande instance. Deux simplifications essentielles dominent les procédures exceptionnelles : absence du ministère public et absence de l'avoué.

Devant le tribunal de commerce, c'est en général l'agréé qui suit la procédure, ou l'avocat, ou même un mandataire quelconque, puisque la représentation y est libre. Les délais de comparution, précisés par l'exploit de l'huissier, sont beaucoup plus brefs et l'affaire est instruite plus vite qu'en matière civile. Les écritures sont réduites à leur plus simple expression. La preuve en matière commerciale est plus facilement admissible et les livres du commerçant, on le sait, peuvent former d'excellents titres en faveur de celui-là même qui les produit et non seulement contre lui. La preuve par témoins, au surplus, y est libre.

La citation devant le conseil de prud'hommes est encore plus simple : elle se fait par un avertissement adressé par le secrétaire au défendeur d'avoir à comparaître en vue d'une tentative de conciliation. Si la tentative échoue, alors seulement le défendeur sera cité à l'audience par exploit d'huissier. L'affaire vient directement devant le conseil de prud'hommes, et les conclusions sont prises à l'audience, même verbalement. Si les parties se présentent en personne, elles s'expliquent purement et simplement.

L'instance en référé est encore plus expéditive que celles, assez sommaires pourtant, que je viens d'évoquer. C'est une procédure tout à fait exceptionnelle, qui ne peut être suivie que dans deux cas spécialement prévus par la loi : urgence et difficultés relatives à l'exécution d'un jugement. Ce qui est essentiel dans cette procédure, qui se passe devant un juge unique — généralement le président du tribunal siégeant seul —, c'est l'idée que jamais le fond du procès ne pourra être tranché, mais qu'il sera statué sur des choses provisoires. On l'exprime en disant que l'ordonnance de référé ne peut jamais « préjudicier au principal ». Le défendeur est assigné sans délai et il n'y a pas d'autres écritures que l'assignation. On ne conclut pas ; simplement le magistrat recueille les explications orales du défendeur ou de son conseil et prononce sa sentence immédiatement. La décision ne pourra être attaquée que par voie d'appel.

V. — LES VOIES DE RECOURS

Deux principes dominent le problème des voies de recours. Celui d'abord selon lequel en matière contentieuse un jugement ne peut jamais être l'objet d'une action en nullité : que le juge ait mal jugé, qu'un vice de forme affecte sa sentence, seules les voies de recours admises par la loi pourront être utilisées. Le second principe, d'ordre très général, postule qu'un juge n'est jamais infaillible, et que la plupart des procès méritent de passer par deux degrés de juridiction. Le second degré sera éliminé seulement lorsque le litige présentera vraiment peu d'importance : l'affaire sera alors jugée en premier et dernier ressort. Mais, en général, le double degré de juridiction est respecté et l'appel est porté devant le juge hiérarchiquement supérieur à celui qui a rendu la première décision.

La voie de recours la plus simple est donc l'appel. Mais avant d'en expliquer le fonctionnement, je précise qu'il existe, dans certains cas, une autre voie de recours ordinaire : l'opposition. Qu'une décision judiciaire ait été rendue hors la présence du défendeur, l'opposition à ce jugement par défaut consistera à faire revenir l'affaire devant le juge même qui a déjà statué sans entendre la défense et de lui faire rétracter, si possible, sa sentence.

Il existe certaines décisions qui, même rendues par défaut, ne sont pas susceptibles d'opposition ; c'est le cas notamment des ordonnances de référé. Mais ces hypothèses sont rares. En principe, les jugements et même les arrêts par défaut pourront être soumis de nouveau au juge qui les a rendus. Mais la partie défaillante ne pourra pas indéfiniment retarder l'heure de la solution du litige. Si l'opposant ne se présente pas à l'audience provoquée par son opposition, la décision rendue par défaut deviendra cette fois définitive.

Il convient cependant de remarquer que la réforme de 1958, qui a si profondément transformé notre procédure civile, a rendu l'opposition beaucoup plus difficile et a, dans la majorité des cas, supprimé le défaut. C'est ainsi que désormais, notamment devant le tribunal d'instance, le jugement par défaut sera considéré comme contradictoire s'il est susceptible d'appel ou si la citation a été délivrée à la personne même du défendeur. Devant le tribunal de grande instance, il en est de même et l'opposition ne sera pas recevable si la décision est susceptible d'appel ou si l'ajournement a été délivré à la personne du plaideur, qui a omis de constituer avoué.

Dans les cas où elle est permise, l'opposition se forme devant les juridictions de droit commun par un acte de l'avoué qui se constitue pour l'opposant et conclut en donnant les motifs de l'opposition ; devant les juridictions d'exception, elle se forme par un exploit d'huissier. Une fois régulièrement formée, compte tenu des délais, l'opposition suspend l'exécution du jugement de défaut et saisit la juridiction qui a rendu cette décision.

L'opposition, je viens de le montrer, est donc une voie de rétractation. L'appel, lui, est une voie de réformation, puisque le plaideur demande à une juridiction supérieure de dire que la décision frappée par son appel a été mal rendue, et de lui en substituer une autre, à son avis plus équitable. Normalement appel est donc interjeté par celui qui a perdu son procès en première instance. Mais le gagnant peut n'avoir pas entièrement gagné son affaire, par exemple en n'obtenant pas l'intégralité des dommages et intérêts sollicités. Il pourra alors lui aussi former un recours qui portera le nom d'appel incident.

L'appel principal se fera dans les délais que prévoit le code, par un acte d'appel que l'huissier signifiera à celui qui a gagné l'affaire en première instance et qu'on appellera intimé. Cet acte d'appel, véritable ajournement, contiendra toutes les mentions habituelles des exploits, ainsi que la constitution d'avoué près la cour d'appel, l'indication de la décision frappée d'appel et la déclaration formelle qu'appel en est interjeté. L'avoué constitué par l'appelant fera procéder à l'inscription de l'appel sur un registre spécial d'enrôlement tenu au greffe de la cour. S'il fait appel incident, l'intimé n'a pas besoin de procéder à toutes ces formalités : de simples conclusions suffisent.

Régulièrement formé, l'appel produit deux effets importants. Il suspend tout d'abord l'exécution du jugement. L'intimé devra attendre que la cour se soit prononcée pour pouvoir passer à l'exécution. Tout à fait exceptionnellement cependant, cet effet suspensif peut être paralysé si le jugement a prescrit l'exécution provisoire. Mais l'exécution provisoire n'est accordée que dans certaines hypothèses limitativement prévues par la loi.

L'autre effet de l'appel est de transmettre l'affaire à la cour. Le juge du second degré peut dès lors statuer à son tour, confirmer le jugement, le modifier totalement, le réformer partiellement et même prescrire toutes nouvelles mesures d'instruction qui lui paraîtront nécessaires. Mais le pouvoir du juge du second degré n'est pas absolu. Une importante limitation résulte de ce que la cour n'est jamais saisie que de la partie du procès dont il a été fait appel. Pour illustrer cette règle d'un exemple, je dirai qu'un homme contre lequel le divorce a été prononcé et qui a été condamné à servir une pension alimentaire, peut, sans toucher au divorce lui-même, interjeter appel sur le principe ou, mieux encore, sur le montant de la pension. L'appel sera limité et la cour n'aura aucun droit de réformer la partie du jugement acceptée par les plaideurs et dont appel n'a pas été interjeté. Une seconde limitation des pouvoirs de la cour résulte de l'interdiction de former en appel des demandes nouvelles : si on permettait en effet des demandes nouvelles en appel, celles-ci se trouveraient être jugées pour la première et dernière fois par la juridiction du second degré et on supprimerait ainsi — en ce qui les concerne — la garantie du double degré de juridiction. Cependant cette limitation est assouplie par certaines exceptions légales.

Si le principe même de la juridiction d'appel oblige la cour à ne se saisir que d'une affaire déjà jugée par le tribunal, une importante dérogation permet — dans certaines hypothèses — à la juridiction du second degré de se substituer en quelque sorte à la juridiction inférieure et de trancher le litige. C'est ce qu'on appelle le droit d'évocation de la cour. Mais pour que la cour puisse évoquer et trancher, encore faut-il qu'elle réforme la décision à elle déférée et surtout que le procès ait été suffisamment instruit par le tribunal pour être en état de recevoir solution.

L'instance devant la cour d'appel se déroule à peu près de la même manière que devant le tribunal de grande instance.

En dehors des deux voies de recours que je viens d'esquisser, et qu'on appelle ordinaires, il existe un certain nombre de voies de recours extraordinaires. On ne peut les utiliser tant que les précédentes sont encore possibles. Je n'exposerai avec quelque détail que la procédure devant la cour de cassation.

Voici un jugement rendu, par exemple, par le tribunal de la Seine et qui a fait l'objet d'un appel devant la cour de Paris. L'arrêt de cette cour est déféré à la censure de la cour de cassation. Si celle-ci rejette le pourvoi, tout est terminé et l'arrêt de la cour de Paris devient définitif ; il sera exécuté « selon sa forme et teneur ». Si au contraire la cour suprême constate que l'arrêt de Paris a, par exemple, faussement interprété la loi, elle le cassera ; mais elle ne pourra rejuger le procès, car elle n'est pas un troisième degré de juridiction. Elle ne pourra faire qu'une chose : renvoyer l'affaire à une autre cour d'appel, disons à celle d'Orléans.

Deux situations peuvent alors se produire. Si la cour d'Orléans juge suivant la conception de la cour de cassation, tout est terminé. Mais la cour d'Orléans peut se ranger à l'avis de la cour de Paris et prononcer un arrêt semblable à celui qui a été cassé. Un conflit surgit alors

entre deux cours d'appel et une chambre de la cour
suprême. Pour le trancher, la cour de cassation se réunira en une formation solennelle, dite toutes chambres
réunies. Si les chambres réunies adoptent le point de vue
des cours d'appel, le pourvoi contre l'arrêt d'Orléans sera
rejeté. Si les chambres réunies se rangent au point de vue
de la chambre qui a cassé l'arrêt de Paris, une nouvelle
cassation interviendra de l'arrêt d'Orléans, et l'affaire
sera jugée pour la troisième et dernière fois par une
autre cour d'appel, celle d'Amiens, par exemple. Mais
cette cour de renvoi ne sera pas libre ; elle devra juger
dans le sens indiqué par les chambres réunies. C'est
ainsi que la cour de cassation, dite encore cour régulatrice,
veille à l'unité de la jurisprudence, corollaire indispensable de l'unité de notre législation.

La procédure devant la cour de cassation est essentiellement écrite et non plus orale, et elle s'apparente ainsi
à celle en usage devant les tribunaux administratifs
français et devant les tribunaux judiciaires de la plupart
des pays étrangers. En principe, un avocat à la cour de
cassation doit suivre la procédure, mais il existe des
affaires où son ministère n'est pas obligatoire.

Etant un recours extraordinaire, le pourvoi en cassation n'a pas d'effet suspensif et n'arrête pas l'exécution
de la décision. Il en est autrement cependant en matière
pénale et dans les procès en divorce ou en nullité de
mariage, où l'effet suspensif du pourvoi en cassation est
expressément prévu par la loi.

Les trois autres voies de recours extraordinaires sont
la tierce opposition, la requête civile et la prise à partie.
La première est ouverte à tous les tiers qui sont lésés
par un jugement auquel ils sont restés étrangers. La
seconde est permise contre les décisions en dernier ressort, lorsqu'elles sont entachées d'une erreur non imputable aux juges ; il s'agit là d'une véritable instance en
révision des procès civils. Enfin, la prise à partie est
une action en responsabilité dirigée contre un juge ou
un tribunal.

VI. — LES INCIDENTS DE LA PROCEDURE

J'ai présenté, schématiquement, les phases d'un procès. Mais la réalité est beaucoup plus riche en péripéties de toute sorte, et des incidents divers viennent entraver le cours de la procédure, tantôt par la volonté du plaideur, tantôt, plus fréquemment, par les nécessités d'une saine administration de la justice.

Parmi les incidents, les exceptions tiennent une place privilégiée.

L'exception est un moyen qui aboutit à un arrêt momentané de la procédure avant tout débat au fond. A titre d'exemple, j'indiquerai une exception qui concerne spécialement les étrangers ; elle permet au défendeur français de demander à son adversaire de nationalité étrangère le dépôt d'une certaine somme. Cette caution doit pouvoir permettre au Français, au cas où il triompherait de son adversaire, de récupérer ses frais de procédure et éventuellement, des dommages et intérêts. Tant que l'étranger n'aura pas fourni cette caution sa procédure sera suspendue.

D'autres exceptions portent le nom de déclinatoires ou renvois. C'est le droit pour le plaideur de demander le renvoi de son affaire devant une autre juridiction. Telle est la situation lorsque le plaideur soulève l'incompétence du tribunal devant lequel il a été attrait. Telle est aussi la situation lorsque l'affaire est connexe à une autre déjà engagée devant une autre juridiction. Dans cette hypothèse, le défendeur pourra demander que le procès soit renvoyé devant la juridiction antérieurement saisie, qui statuera par un seul et même jugement sur les deux litiges. Mais j'ai déjà dit que de sérieuses amendes civiles prévues par les textes empêchent qu'on se livre aujourd'hui à ces joutes avec autant de facilité qu'autrefois.

Il existe aussi des exceptions prévues par le code qui sont appelées dilatoires parce qu'elles ont pour objet d'obtenir un délai. Ainsi l'exception dilatoire joue au cas où le défendeur demande à appeler un tiers en

garantie. Il est bien évident que le demandeur principal
ne peut s'opposer à cette mise en cause de celui qui
pourrait être en définitive le principal responsable.
L'exemple le plus simple est celui d'un assuré qui, poursuivi par la victime, demande un délai pour mettre en
cause sa compagnie d'assurances.

Le plaideur peut aussi opposer l'exception de nullité
lorsque les formes légales n'ont pas été respectées. Mais,
bien sûr, il ne suffit pas que la nullité, relevée dans une
assignation par exemple, soit purement formelle. Il faut
en outre que cette inobservation de la forme ait causé
un dommage à celui qui l'invoque.

Une dernière exception est celle de la communication
de pièces. J'ai déjà dit que cette communication était un
devoir entre plaideurs. Tant que les pièces n'auront pas
été communiquées, le procès, paralysé par l'exception, ne
se poursuivra pas.

En dehors des exceptions, d'autres incidents peuvent
se produire au cours de la procédure. J'écarterai de mon
exposé ceux qui ont trait aux modifications des prétentions des parties ou au changement du personnel d'un
procès, ceux qui proviennent de la situation particulière
des juges ou des officiers ministériels avec qui le plaideur peut se trouver en désaccord personnel, ceux enfin
qui concernent l'interruption ou l'extinction de l'instance, pour ne retenir que les incidents les plus importants relatifs à la preuve.

J'ai déjà décrit le système probatoire français à propos
des obligations, car le législateur a placé les articles qui
ont trait à la preuve non dans le code de procédure
civile mais dans le code civil. Le code de procédure ne
s'occupe que des formes dans lesquelles la preuve est
administrée en justice, et, en même temps, des incidents
qui peuvent naître à ce propos.

La preuve littérale, préconstituée par le plaideur, peut
être attaquée en justice au cours du procès où elle est
produite. C'est ainsi, par exemple, que celui dont émane
— réellement ou prétendûment — l'écrit qui lui est
opposé, pourra désavouer son écriture ou sa signature.
Si l'écrit est sous seings privés, l'incident sera une
simple vérification d'écritures impliquant naturellement

une expertise. Mais si l'écrit contesté est un acte authentique, il devra être attaqué par la difficile action d'inscription de faux, car une présomption particulièrement sérieuse de vérité s'attache aux actes rédigés par des officiers ministériels.

La preuve testimoniale s'administre par voie d'enquête et contre-enquête au cours desquelles les témoins sont interrogés sur la réalité des faits que les parties articulent, c'est-à-dire demandent à prouver. Bien entendu, toute personne ayant connaissance des faits peut en témoigner, à l'exception cependant des incapables ou des personnes indignes, c'est-à-dire condamnées à des peines criminelles. La loi exclut également du témoignage une autre catégorie de personnes : celles dont la déposition est suspecte en raison de certaines circonstances particulières, telles que la proche parenté entre le témoin et la partie qui demande son audition. C'est précisément en invoquant ces éléments que l'adversaire peut créer un incident à propos de l'enquête.

Je ne reviendrai pas sur les procédures de l'aveu et du serment que j'ai exposées au moment où je traitais de la preuve des obligations. Mais je ne puis en terminer avec les incidents sans dire ce que sont la descente sur les lieux et l'expertise.

La descente sur les lieux a pour but d'entraîner la conviction du juge en lui permettant de connaître personnellement les lieux litigieux. Cette mesure d'instruction consiste dans le transport d'un juge accompagné de son greffier sur les lieux litigieux. Le juge procède à toutes les constatations utiles et dresse séance tenante un procès-verbal.

L'expertise est un moyen de preuve de grande importance et auquel les magistrats recourent de plus en plus souvent. Au cours d'un litige qui pose des problèmes techniques, le juge peut désigner des personnes compétentes auxquelles il confie le soin d'étudier tels points précis qui échappent à sa connaissance : seul un médecin sera capable de dire quelle incapacité subit la victime d'un accident corporel ; seul un architecte est en mesure d'évaluer le montant des travaux qui seront nécessaires à la remise en état d'un immeuble.

L'expertise, obligatoire dans certaines hypothèses précises est, en principe, facultative ; elle peut être demandée par les parties ou ordonnée d'office par le juge. Celui-ci commet en qualité d'expert qui bon lui semble, car il n'y a aucune condition spéciale pour être expert, sauf connaissance approfondie de la matière. Certes, des experts officiels ou assermentés existent auprès de certains grands tribunaux, mais le juge est pleinement libre dans son choix. Cependant, depuis une loi récente, l'expert devra être de nationalité française.

Nommé par le tribunal, l'expert sera constamment surveillé dans ses opérations par un des juges du tribunal, chargé de suivre la procédure. Il se fera communiquer le jugement qui le nomme et qui précise sa mission, ainsi que toutes les pièces ; il convoquera les parties, se rendra sur les lieux, entendra les témoins, procédera à toutes opérations qui lui paraîtront utiles ou opportunes, puis rédigera un rapport qui sera transmis au tribunal. Ce rapport ne lie pas le juge, il l'éclaire seulement, et le tribunal en tient compte dans sa décision dans la seule mesure où il le croit utile.

VII. — LES VOIES D'EXECUTION

Lorsque la décision de justice est devenue définitive et irrévocable, lorsque, comme on dit, elle est passée en force de chose jugée, la sentence doit être exécutée. Généralement, à ce stade, le débiteur condamné s'exécute. Mais il peut encore essayer de ne pas se conformer de plein gré à l'ordre de la justice. Il y sera alors contraint. Les voies d'exécution comportent un certain nombre de procédures, généralement des saisies, mises à la disposition de celui qui a gagné son procès pour lui permettre d'obliger son débiteur au paiement.

La saisie est la mainmise opérée par le porteur d'un titre exécutoire sur les biens de son débiteur condamné au paiement. Cette mainmise peut d'abord avoir pour but de rendre simplement indisponibles les biens du débiteur, de façon à empêcher qu'il n'en dispose et ne les fasse disparaître; tel sera l'objet des saisies conservatoires. Cette mainmise peut ensuite et surtout avoir pour but la réalisation des biens et le paiement du créancier ; c'est par les saisies tendant à l'exécution que cet objectif sera atteint. Elles sont nombreuses ; les principales sont la saisie-arrêt, qui porte sur les créances, la saisie mobilière, qui, comme son nom l'indique, concerne les meubles, et la saisie immobilière.

Les saisies conservatoires peuvent intervenir même en dehors de tout procès ou pendant le cours d'une instance. Elles seront transformées plus tard en saisies à fin d'exécution. Ces dernières — sauf la saisie-arrêt, qui obéit à des conditions spéciales — suivent toutes les mêmes règles. Toutes, elles débuteront par la mise des biens sous main de justice. C'est la phase conservatoire de toute exécution. L'huissier signifiera un commandement ou un procès-verbal de saisie et le débiteur ne pourra plus aliéner les biens immobilisés entre ses mains par l'exploit, sous peine de poursuites correctionnelles.

La phase de la réalisation est celle de la vente des biens placés sous main de justice. Cette aliénation ne peut jamais se faire de gré à gré. La loi considère avec raison que la vente aux enchères publiques s'impose, car elle seule permet de faire monter le prix à la juste valeur des objets et d'éviter toute collusion frauduleuse. Une publicité importante est faite tant en matière de saisie mobilière que de saisie immobilière. Elle est destinée à annoncer la vente au public.

Mais la saisie immobilière, toujours plus importante, comporte d'autres formalités, bien plus complexes. C'est ainsi que toute vente d'immeubles sera précédée de la rédaction d'un cahier des charges ; c'est en quelque sorte un programme officiel de la vente. Rédigé par l'avoué du créancier saisissant, le cahier des charges fixe les conditions générales de la vente et la mise à prix. Une autre formalité importante est la mise en cause de tous les intéressés. Elle sera réalisée par voie de sommations, adressées à tous les créanciers inscrits, d'avoir à prendre connaissance du cahier des charges et à formuler leurs observations.

Lorsque la vente a eu lieu, le prix est réparti entre

les créanciers. La répartition du prix se fera par parts égales entre eux, lorsque l'immeuble n'est grevé d'aucun privilège ni d'aucune hypothèque ; cette procédure s'appelle distribution par contribution et elle est fondée sur l'idée de l'égalité entre les créanciers. Si le produit de la vente est insuffisant pour désintéresser l'ensemble des ayants-droit, chaque créancier recevra un dividende, c'est-à-dire qu'il sera payé au marc le franc, comme dans le cas des sociétés dissoutes ou de la liquidation d'un commerce après faillite.

Au contraire, si certains créanciers ont un privilège ou une hypothèque, la distribution se fera suivant une procédure spéciale, appelée procédure d'ordre, dont j'ai déjà parlé en expliquant le système des sûretés. Cette procédure sera tout naturellement basée sur l'inégalité, et les créanciers privilégiés et hypothécaires seront payés par préférence, avant ceux qui n'ont pas de sûretés ou dont les sûretés sont plus récentes. Toutes les saisies sont d'ordre public. Aussi les formalités qui les constituent sont-elles imposées par la loi et ne peuvent en rien être modifiées par la volonté des parties.

Les saisies peuvent, d'autre part, porter sur n'importe quel bien du débiteur ou sur l'ensemble de ses biens. Cependant, un tempérament important à cette règle résulte de l'impossibilité où se trouve le créancier de saisir certains éléments du patrimoine de son débiteur. Cette insaisissabilité peut être légale lorsqu'elle a pour fondement des raisons d'humanité et des raisons d'intérêt public ; elle peut aussi résulter de la volonté des particuliers.

Pour ce qui concerne cette dernière hypothèse, je rappellerai simplement que l'insaisissabilité résultant de la volonté des parties est tout à fait exceptionnelle — comme par exemple dans le régime dotal —, car elle constitue une atteinte au droit de gage général des créanciers. Mais l'insaisissabilité légale est plus courante. La loi exclut des saisies, en premier lieu, tous les éléments du patrimoine du débiteur qui constituent des objets de première nécessité, tels la literie, les vêtements indispensables, les menues denrées et les instruments de travail ; en second lieu, les pensions alimentaires allouées par justice et les pensions accordées par la loi, comme les retraites ; enfin, sont partiellement insaisissables les salaires des ouvriers, les appointements des employés et les traitements des fonctionnaires.

Telles sont les insaisissabilités ayant pour fondement les raisons d'humanité. D'autres ont pour base l'intérêt public. C'est ainsi que sont insaisissables les rentes sur l'Etat, les sommes dues par l'Etat aux entrepreneurs chargés d'exécuter des travaux publics, les navires en haute mer et en partance. Il va de soi que sont rigoureusement insaisissables tous les biens hors commerce, spécialement les biens du domaine public et du domaine privé de l'Etat, des départements, des communes et des établissements publics.

Les saisies, je l'ai déjà dit, sont multiples. La plus simple est la saisie-exécution type : celle qui s'exerce sur les meubles. On en connaît aussi une variété particulière appelée saisie-brandon : elle porte sur les fruits et produits tenant au sol par branches ou par racines. Le lecteur se rappelle que ces biens sont considérés comme des immeubles par nature ; mais ce sont les formes simplifiées de la saisie mobilière qui seront employées en l'occurrence.

Les saisies conservatoires sont nombreuses et diverses. On connaît la saisie-gagerie, moyen pour le bailleur d'assurer le paiement des loyers, la saisie-foraine, moyen de protection contre les marchands ambulants, vieille institution qui tombe en désuétude, la saisie-revendication, pratiquée non contre le débiteur mais contre le tiers détenteur du meuble à saisir, enfin et surtout la saisie-conservatoire à proprement parler qui n'existait pendant longtemps qu'en matière commerciale et qui a été étendue à la vie civile : en cas d'urgence, et si le recouvrement de la créance semble en péril, le président du tribunal d'instance ou de grande instance peut autoriser tout créancier, à condition qu'il justifie d'une créance paraissant fondée en son principe, à saisir conservatoirement les meubles appartenant à son débiteur.

J'ai laissé pour la partie finale de ce panorama des voies d'exécution la saisie-arrêt, qui est une institution particulièrement importante. En cette matière, la scène

se jouera non plus entre deux, mais entre trois personnages. Le créancier agira contre un tiers pour arrêter
entre ses mains et se les faire livrer les sommes que ce
tiers doit à son débiteur. Le procédé réalise ici par voie
impérative ce qui est courant dans la vie commerciale
lorsqu'on tire une lettre de change ou dans la vie civile
lorsqu'il y a subrogation.

CHAPITRE VIII

LA JUSTICE RÉPRESSIVE

I. — LA LOI PENALE

De toutes les institutions françaises, la justice répressive, fondée sur la loi pénale, est celle qui a été le plus fortement marquée par les idées des philosophes du XVIIIe siècle. Ces grands esprits — français ou étrangers — Montesquieu et Voltaire certes, Diderot, d'Alembert et Rousseau également, mais aussi Beccaria et Bentham, ont exercé sur la justice répressive de leur temps une influence décisive. Ils ont tracé un sillon qui devait conduire aux principes de la Révolution française et de la Déclaration des droits de l'homme. Ces principes se retrouvent dans la Déclaration universelle de 1948.

Dans les temps anciens, la vengeance privée dominait les rapports entre les hommes. Les sociétés primitives permettaient à leurs membres de tirer vengeance de celui qui leur avait causé du tort, et la force régnait dans les familles, dans les clans et dans les tribus. C'est la loi du talion qui a, la première, limité la vengeance. Sous l'empire de cette loi, l'offensé n'a plus l'arbitraire d'autrefois : « œil pour œil, dent pour dent », est l'application

18

fondamentale de l'idée de justice dans la répression des crimes. Plus tard encore, la composition pécuniaire volontaire, puis légale, remplacera l'exercice de la vengeance.

Dans l'ancienne France, quand la société médiévale se fut formée puis solidifiée, les idées de châtiment, d'expiation, de vengeance publique et d'intimidation primèrent celles de vengeance privée, de rachat et de justice. Profondément influencée par la doctrine de la pénitence, qui seule, disait-on, pouvait effacer la faute, la loi pénale de l'Ancien régime n'avait qu'un seul but : inspirer une salutaire terreur, et disposait d'un seul moyen : la rigueur du châtiment. La loi pénale écrase ainsi le criminel et le sauve en l'immolant ; elle préserve les autres du crime par le spectacle affreux des supplices infligés au coupable. Les sanctions sont publiques, on y va comme au spectacle et on applaudit le bourreau. Les peines sont arbitraires, en ce sens qu'elles dépendent du juge seul, puisqu'il n'existe pas de code pénal. Elles sont inégales, car elles ne s'appliquent pas avec la même rigueur ni avec le même cérémonial à l'égard de tous les criminels, variant suivant la personne du coupable et sa situation sociale.

L'adoucissement des mœurs a certainement exercé une influence sur la désaffection qui se manifeste au XVIIIe siècle pour les horreurs de la répression. Mais ce sont les grands hommes, dont j'ai cité plus haut les noms illustres qui, par leurs écrits et leur lutte persévérante, ont permis la transformation de leur société. Les Cahiers des Etats généraux demandent l'adoucissement des peines et l'égalité dans les sanctions. La Déclaration des droits proclamera bientôt les principes de la légalité, de l'égalité et de la personnalité des peines, principes qui demeureront intangibles et qui, aujourd'hui encore, restent la base de notre justice répressive.

En vertu de la notion de la légalité des peines et des délits, aucune peine ne peut plus être prononcée sans que la loi ne l'ait expressément prévue comme sanction d'une infraction déterminée. Mais, en outre, un fait répréhensible quelconque n'est lui-même punissable que s'il existe un texte de loi qui transforme ce fait en une infraction. Aucune action, aucune omission n'est donc un délit si la loi ne le dit pas expressément, et aucune peine ne pourra être infligée pour un fait quelconque si elle n'a pas été préalablement prévue par la loi.

Ce principe, auquel obéissent les codes de toutes les nations civilisées, en engendre deux autres, celui de l'égalité et celui de la personnalité des peines. Le principe de l'égalité exige que deux individus coupables du même délit tombent sous le coup d'une même loi. Passibles de la même peine, celle-ci sera de même nature et de même gravité pour l'un et pour l'autre. Le principe de la personnalité met fin aux pratiques de l'Ancien régime suivant lesquelles certaines peines rejaillissaient sur la famille du condamné. Les peines, aujourd'hui, doivent se limiter au seul auteur de l'infraction.

Ces idées, qui ont profondément inspiré nos codes répressifs, ont vu se multiplier leurs corollaires, devenus autant de caractères de notre loi pénale.

Une première conséquence du principe de la légalité des délits et des peines est l'interprétation stricte de la loi pénale. Ainsi, chaque fois que celle-ci paraît imprécise, les cas douteux lui échapperont, et elle ne pourra s'étendre qu'aux seules hypothèses visées par le texte sans contestation possible.

Notre loi pénale obéit aussi au principe de la non-rétroactivité et le code le précise dans les termes les plus nets en proclamant — je l'ai dit dans le prologue — que nulle contravention, nul délit, nul crime, ne peuvent être punis de peines qui n'étaient pas prononcées par la loi avant qu'ils fussent commis. Ce principe tutélaire comporte une grande exception : la rétroactivité des lois pénales plus douces. Qu'une loi supprime une incrimination ou institue pour une infraction déterminée une peine plus légère, elle s'appliquera immédiatement à tous les délits, même à ceux commis antérieurement à sa promulgation.

La répression, malgré son caractère d'égalité, arrive nécessairement à une certaine individualisation dans l'application de la peine, car l'égalité trop stricte aboutirait incontestablement à des conséquences injustes. S'il existe une individualisation légale de la répression que nous rencontrerons plus tard — celle par exemple qui

exige qu'on traite différemment un délinquant primaire
et un récidiviste, un majeur et un enfant — il existe
surtout une individualisation judiciaire, rendue possible
par la liberté laissée au juge d'appliquer ou non certaines
peines complémentaires, et une individualisation pénitentiaire, qui permet à l'administration d'aménager d'une
certaine façon l'exécution du châtiment.

Les lois pénales françaises sont soumises encore au
principe de la territorialité, c'est-à-dire qu'elles s'appliquent à toutes les infractions commises en France, quelle
que soit la nationalité du délinquant. Elles s'appliquent
en outre aux infractions commises par des Français à
l'étranger, et même aux infractions commises à l'étranger
par des étrangers lorsqu'il s'agit de crimes contre la
sûreté ou le crédit de notre pays.

Il reste une dernière question. Celle de la moralité des
peines. La peine doit respecter la dignité de l'homme.
Mais, si la suppression des peines corporelles, de la
torture, du carcan, de la fustigation, a été une grande
conquête des mœurs modernes, la peine de mort, seule
irréparable, subsiste encore en France...

II. — L'INFRACTION

Chaque infraction pénale est tout d'abord déterminée
par les éléments constitutifs particuliers qui la distinguent des autres. Deux divisions à la fin de ce chapitre
donneront une vue générale de l'ensemble des délits et des
crimes. Mais toutes les infractions comportent nécessairement certains éléments permanents, certains caractères
immuables qui font que l'acte en soi est un fait répréhensible.

Les éléments constitutifs généraux d'une infraction
sont de trois catégories. D'abord un élément légal, ensuite
un élément matériel, enfin un élément moral. Pour qu'un
acte soit répréhensible, il faut tout d'abord qu'il soit
légalement déterminé ; il faut ensuite que les éléments
matériels de l'infraction soient réunis, ce qui conduit à

l'examen des problèmes de la tentative et de l'exécution matérielle de l'acte ; il faut enfin qu'il y ait chez celui qui réalise l'acte une intention coupable.

Le code pénal détermine les infractions pénales par les peines qu'il édicte. C'est ainsi que l'infraction que les lois punissent de peines de police est une contravention ; celle que les lois punissent de peines correctionnelles est un délit ; celle enfin que les lois punissent d'une peine afflictive ou infamante est un crime. Cette distinction fondamentale repose sur l'idée que les infractions sont de gravité inégale, caractérisées précisément par la nature et le degré de la peine qui atteint chacune d'elles.

Une autre distinction fondée sur l'élément légal mérite d'être soulignée, c'est celle qui distingue les infractions politiques et les infractions de droit commun, les peines n'étant d'ailleurs pas identiques dans les deux cas. Cette distinction, une fois établie, s'est toujours imposée, tant au législateur libéral qu'au législateur autoritaire. Le législateur autoritaire tient pour particulièrement grave l'infraction politique, et la tendance des régimes totalitaires a toujours été d'en aggraver la répression. Le législateur libéral, au contraire, a toujours considéré que la répression du crime politique devait être moins sévère, parce que le mobile du coupable n'est jamais vil. L'abolition de la peine de mort en matière politique et l'instauration pour les condamnés ou les prévenus politiques d'un régime pénitentiaire plus doux avaient témoigné, au milieu du siècle dernier, de cette préoccupation de notre législation. Mais, revenant en arrière, à la veille de la dernière guerre, le législateur français a rétabli la peine de mort en matière politique, puis, pour les besoins de la répression, il a cru devoir considérer comme des crimes de droit commun certaines infractions commises manifestement dans des buts politiques...

L'élément matériel de l'infraction est en quelque sorte l'élément extérieur, indispensable pour que la loi pénale puisse se saisir de l'acte incriminé. On ne réprime pas une pensée ou une idée criminelles, ni même une ferme résolution criminelle ; il faut qu'un fait matériel ait été commis pour que l'acte puisse devenir répréhensible. En revanche, une simple tentative peut suffire.

La tentative de crime est toujours punie, car elle est considérée comme le crime lui-même. La tentative de délit, au contraire, n'est assimilée au délit que dans les cas expressément prévus par la loi. Il n'existe pas de tentative de contravention. La tentative n'est concevable que s'il y a commencement d'exécution, suspendu par des circonstances indépendantes de la volonté du délinquant. Mais il faut que le commencement d'exécution soit très net et se distingue bien des actes préparatoires, qui restent impunis. Il faut aussi qu'il n'y ait pas désistement volontaire, car si l'individu, qui a failli devenir délinquant, se décide librement à abandonner sa tentative, celle-ci n'est pas constituée et l'élément matériel du délit fait défaut.

En revanche, le délit manqué sera punissable à l'égal du délit consommé, car il suppose une exécution complète ayant échoué en dehors de la volonté du coupable. Une variété du délit manqué est le délit impossible. C'est celui qui manque son but par suite d'une impossibilité matérielle de réalisation ignorée de l'individu qui a entrepris l'acte répréhensible.

En considérant l'élément matériel des délits, il est possible d'en distinguer plusieurs espèces. Il existe d'abord des délits de commission, caractérisés par un acte positif, et des délits d'omission, qui impliquent une abstention, par exemple celle de porter secours. Il y a ensuite le délit instantané, comme le vol, qui est constitué dès qu'il y a soustraction frauduleuse de la chose d'autrui, et le délit continu, comme le port illégal de décorations. Il faut distinguer celui-ci du délit d'habitude, qui implique la répétition de plusieurs faits semblables, comme l'excitation de mineurs à la débauche. Bien d'autres distinctions peuvent être établies dans la diversité des faits répréhensibles, je ne m'y attarderai guère.

L'élément moral de l'infraction, également indispensable, est, dans la plupart des cas, l'intention coupable, c'est-à-dire le fait d'agir volontairement avec la conscience d'accomplir un acte répréhensible. Distincte du mobile, l'intention coupable sera nécessaire dans les crimes ou délits intentionnels, inutile dans les autres infractions, comme les imprudences, les négligences ou les inobservations de divers règlements. L'intention coupable disparaît entièrement dans les hypothèses où le fait procède de circonstances impossibles à éviter, comme le cas fortuit ou l'erreur.

Mais la responsabilité pénale elle-même peut n'être pas engagée ou disparaître sous l'effet de certaines circonstances. L'élément moral fera évidemment défaut lorsque le fait aura été accompli par un enfant ou sous l'empire de la contrainte, ou lorsqu'il aura été l'œuvre d'un dément. Il fera défaut également en présence de ce qu'on appelle des faits justificatifs.

La minorité pénale dure jusqu'à l'âge de dix-huit ans. Jusqu'à treize ans, l'enfant est totalement irresponsable et ne peut encourir de condamnation pénale. Entre treize et dix-huit ans, le mineur pourra être condamné lorsque les circonstances et la personnalité du délinquant paraîtront exiger une condamnation.

Pour ce qui concerne les deux autres causes d'irresponsabilité, le texte précise qu'il n'y a ni crime ni délit lorsque le prévenu était en état de démence au temps de l'action, ou lorsqu'il y a été contraint par une force à laquelle il n'a pu résister. Les termes de la loi sont très larges et la contrainte physique ou morale d'une part, la folie pure et simple, mais aussi diverses altérations de l'intelligence ou de la volonté d'autre part, peuvent être considérées comme des causes de non-responsabilité.

Ajoutons que là ne s'arrête pas le problème de l'élément moral de l'infraction. On peut être pleinement responsable et commettre un fait délictueux sans tomber sous le coup de la loi pénale qui réprime l'infraction. Cela arrive lorsque l'individu peut invoquer à sa décharge un fait justificatif, c'est-à-dire l'ordre de la loi, l'état de nécessité ou la légitime défense. En premier lieu, il n'y a ni crime ni délit lorsque l'homicide, les blessures et les coups étaient ordonnés par la loi et commandés par l'autorité légitime. Encore que la loi semble concerner les crimes de sang seulement, la portée ainsi déterminée du fait justificatif est très générale. En second lieu, l'état de nécessité est un autre fait justificatif d'ordre tout

à fait général et traditionnel. C'est un état de choses tel
que la sauvegarde d'un droit ou d'un bien exige l'exécution d'un acte illicite en soi, mais impossible à éviter.
Enfin la légitime défense se distingue de l'état de nécessité dont elle est un cas particulier en ce qu'elle suppose
une agression injuste et le risque d'un mal imminent
et considérable.

L'infraction une fois constituée dans tous ses éléments
sera soumise aux tribunaux dans les formes qui seront
exposées à la fin de ce chapitre. Mais il convient dès
maintenant de dire que certaines modalités particulières
aggraveront ou, au contraire, atténueront l'application de
la peine à l'infraction poursuivie.

Parmi les circonstances aggravantes, la plus importante est la récidive. Les autres sont spéciales à chaque
délit et très variées. Tels sont la préméditation et le guet-
apens dans les crimes de sang, l'acte réalisé en bande
ou la nuit, ou avec escalade ou effraction dans le vol,
un lien juridique de parenté ou de subordination entre
le coupable et la victime dans certains autres crimes ou
délits.

Les circonstances atténuantes, au contraire, confèrent
au juge un large pouvoir d'appréciation et de modération de la peine. Totalement inconnue de l'ancien droit,
l'institution des circonstances atténuantes est aujourd'hui
applicable à tous les délinquants et à l'égard de toutes
les infractions. Les circonstances atténuantes peuvent être
accordées par toutes les juridictions pénales.

III. — LE DELINQUANT

Je ne reviendrai pas sur les problèmes qui se rattachent à la démence ou à la minorité, encore que l'opposition entre le délinquant normal et le délinquant anor-
mal, entre l'adulte et l'enfant, puisse fournir un sujet
de méditation très intéressant. Ce qui retiendra notre
attention dans la présente division, ce sera le comportement du groupe criminel fondé sur la complicité, et ce

sera aussi la comparaison entre le délinquant occasionnel et le malfaiteur d'habitude qu'est le récidiviste.

Le délinquant qui vit en solitaire est une anomalie
aujourd'hui, à moins qu'il ne s'agisse de délits très particuliers où la complicité est impossible. Le plus souvent,
l'individu, influencé d'abord par sa famille, puis par le
groupe auquel il s'agrège, associe à ses activités criminelles d'autres individus, qui lui apporteront aide et
assistance. Cette aide peut être à parts égales ; les délinquants sont alors des coauteurs. Mais un malfaiteur peut
aussi jouer un rôle accessoire dans l'infraction perpétrée
en bande ; il est alors simplement le complice de l'auteur
principal. Notons aussi que certains faits accessoires ont
été détachés du délit principal et érigés en délits distincts : c'est en particulier le cas du recel, détention
consciente d'un objet d'origine délictueuse, qui, autrefois
simple complicité, est aujourd'hui un délit indépendant.

Les complices d'un crime ou d'un délit sont punis de
la même peine que les auteurs de l'infraction. Cette assimilation de la complicité, comme l'assimilation de la
tentative au crime même, vise à l'intimidation mais le
juge tient toujours compte des circonstances de la cause
et individualise ainsi la peine qu'il inflige.

Pour que la complicité soit punissable, il faut évidemment qu'il y ait une infraction principale, elle-même
punissable. Mais il faut aussi et surtout qu'un acte de
complicité actif ait été relevé. Celui-ci, expressément et
limitativement prévu par la loi, peut être : la provocation à l'infraction, l'aide et l'assistance dans l'exécution,
la fourniture de moyens, armes ou instruments, la fourniture du logement, du lieu de réunion, ou de retraite.
Enfin le dernier élément, indispensable lui aussi, de la
complicité punissable, est l'intention coupable du complice.

Modalité complexe de l'infraction, la complicité suppose la participation de plusieurs malfaiteurs au même
délit. Autre modalité complexe, la récidive suppose, au
contraire, la pluralité d'infractions accomplies par le
même individu. Mais l'individu qui comparaît une première fois en justice pour répondre de plusieurs délits
à la fois n'est pas récidiviste, puisqu'il n'a pas encore

été condamné. Il est indispensable pour que cette épi-
thète lui soit appliquée et pour que jouent les aggra-
vations de la peine, qu'il ait déjà été antérieurement
condamné et que l'avertissement judiciaire soit devenu
définitif. Dans l'exemple de simple cumul d'infractions,
il n'y aura d'ailleurs pas cumul de peines : la loi ordonne que la peine la plus forte soit seule prononcée.

La récidive se rattache à la grande idée moderne de
la criminalité occasionnelle opposée à la criminalité
d'habitude. Il n'est pas douteux qu'une différence profonde sépare l'infraction commise dans un instant
d'égarement du délit perpétré par celui qu'on appelle le
professionnel du crime. Bien des facteurs peuvent jouer
dans la délinquance occasionnelle, depuis l'altération
passagère de la personnalité jusqu'à la tentation absurde
et irrésistible. La criminalité d'habitude est totalement
différente. Devenue vite chronique, elle est généralement
précoce, et intense dès le début ; elle combine l'altération
profonde de la personnalité du criminel avec une totale
inadaptation sociale.

Notre loi n'a fait une différence entre le délinquant
occasionnel et le récidiviste qu'à la fin du siècle dernier,
lorsque la loi Bérenger institua le sursis pour les délinquants primaires. Auparavant, le châtiment du premier délit pouvait se révéler plus nuisible qu'efficace. Le
délinquant occasionnel, souvent très jeune, risquait plutôt en prison de se pervertir au contact de dangereux
récidivistes ou de sentir monter en lui la rancœur contre
ses juges ou la révolte contre la société. L'objectif de
la loi du sursis est au contraire de combattre la récidive
par la prévention et non par la répression seule. C'est
une dispense conditionnelle de subir la peine encourue
par un délinquant primaire.

Le bénéfice du sursis, quelle que soit l'infraction sanctionnée et sauf en matière criminelle, s'applique à l'emprisonnement et à l'amende. Pendant l'occupation, certains délits ont été soustraits par le législateur autoritaire
au bénéfice du sursis comme ils ont été soustraits au
bénéfice des circonstances atténuantes. Dès la Libération
ces restrictions ont été supprimées. Si la condamnation
comprend à la fois l'emprisonnement et l'amende, le

juge peut mitiger par l'application du sursis l'une et l'autre peine ou les deux à la fois. Il est généralement sursis à l'exécution de la peine d'emprisonnement. Mais la condition essentielle du sursis est de ne pouvoir être accordé qu'au délinquant primaire, c'est-à-dire à celui qui n'a jamais subi de condamnation antérieure à la prison pour crime ou délit de droit commun.

Le sursis n'est jamais obligatoire ; le juge a le pouvoir discrétionnaire de l'accorder ou de le refuser. S'il l'accorde, c'est dans le jugement même qui prononce la condamnation et par décision motivée ; il en explique sommairement au prévenu les modalités. Une fois prononcé, le sursis entraîne la dispense d'exécuter la peine, mais sous condition qu'aucune condamnation prévue par la loi ne soit encourue durant le délai d'épreuve fixé à cinq ans. Si, au cours de cette période quinquennale, une nouvelle condamnation à l'emprisonnement est encourue, la déchéance est automatique et le condamné aura à subir d'abord la peine dont l'exécution a été suspendue par le sursis précédemment accordé, ensuite la seconde peine, celle qui a révoqué le sursis. Si, au contraire, la condition est remplie et si le délinquant occasionnel n'encourt aucune nouvelle condamnation durant le délai d'épreuve, il est réhabilité de droit. La dispense de subir la peine est définitive et irrévocable. Bien mieux, dans le cas où il commettrait un nouveau méfait, le délinquant, redevenu primaire, pourrait de nouveau bénéficier du sursis.

D'autre part, une loi de 1958 a ajouté, au sursis simple, le sursis avec mise à l'épreuve, légalisant ainsi le système de la probation expérimenté depuis quelques années et dont les résultats se sont révélés dans l'ensemble très encourageants. Cette mise à l'épreuve consiste à dispenser de l'exécution de leur peine certains condamnés qui paraissent dignes d'intérêt et qu'on soustrait ainsi à la dangereuse promiscuité des prisons.

Mais, à côté du délinquant occasionnel, il existe le dangereux criminel, le récidiviste, celui à qui on a peut-être tendu la perche lorsqu'il en était à son premier délit sans qu'il veuille ou puisse s'en saisir. Pour ces criminels, la loi a réservé la sévère institution de la récidive, puis, pour les plus endurcis et en désespoir de cause, une mesure de sûreté éliminatoire, la relégation, dont je parlerai dans la division suivante.

J'ai déjà expliqué ce qu'était la récidive. Mais la loi fait varier les règles de l'aggravation selon la nature des infractions. Elle est particulièrement sévère lorsqu'il y a récidive de crime à crime. Même s'il n'y a aucune analogie entre les deux crimes et quel que soit le laps de temps qui s'est écoulé entre les deux, la peine applicable au second sera élevée d'un degré. De crime à délit, l'aggravation est moins dure et ne peut avoir lieu que si le délit est commis dans les cinq ans qui ont suivi le crime. La récidive correctionnelle de délit à délit connaît des modalités qui varient suivant les circonstances.

Il est intéressant de savoir par quel moyen la preuve de la récidive peut être apportée, d'autant plus que certains délinquants essaient d'égarer la justice en dissimulant leur véritable identité. Le casier judiciaire et l'identification judiciaire résolvent ces difficultés.

Le casier judiciaire, dont le principe date du milieu du siècle dernier, a pour fondement la centralisation au greffe du tribunal du lieu de naissance d'un individu des extraits des condamnations prononcées contre lui. Ces extraits formeront ce qu'on est convenu d'appeler le bulletin n° 1 du casier. Un relevé complet de ces extraits, fourni à certaines autorités seulement et plus spécialement aux tribunaux, portera le nom de bulletin n° 2. C'est par les mentions figurant dans ce bulletin que la preuve de la récidive sera acquise. L'intéressé enfin aura lui-même droit à un extrait appelé bulletin n° 3, qu'il pourra communiquer aux tiers. Ce bulletin contiendra un relevé expurgé des condamnations, puisqu'il ne portera que les mentions de condamnations à des peines privatives de liberté prononcées par un tribunal français pour crime ou délit.

La force probante du casier judiciaire est très relative, car des erreurs peuvent s'y glisser. On peut donc toujours contester les inscriptions qui y figurent, mais, à défaut de contestation, le juge tiendra le bulletin n° 2 pour sincère et exact.

L'identification judiciaire est aujourd'hui organisée

scientifiquement, grâce à la découverte par le Dr Bertillon de certaines constantes dans la morphologie des individus. C'est ce savant qui posa les principes de l'identification anthropométrique par mensurations, bientôt complétée par un système d'identification dactyloscopique fondé sur les empreintes digitales. Une fiche signalétique est dressée, qui porte au recto les mensurations, la description, la photographie et l'empreinte des doigts, et au verso les indications d'état civil et les marques particulières d'un individu. Dressée en trois exemplaires, une fiche est conservée dans la prison où le signalement a été pris. Les deux autres sont classées à la préfecture de police de Paris, dans le fichier phonétique et dans le fichier anthropométrique.

IV. — **LA PEINE**

La classification fondamentale des peines correspond à la distinction des infractions en crimes, délits et contraventions. Les peines criminelles, afflictives et infamantes, suivent l'échelle que voici : la mort, les travaux forcés à perpétuité, la déportation, les travaux forcés à temps, la détention et la réclusion ; simplement infamantes, ce sont le bannissement et la dégradation civique. Les peines en matière correctionnelle sont l'emprisonnement de cinq ans au plus, l'amende et l'interdiction temporaire de certains droits civiques, civils ou de famille. En matière de police, l'emprisonnement ne peut excéder deux mois et l'amende est généralement légère. L'ensemble des peines se divise en peines principales, qui peuvent être prononcées seules, accessoires, qui supposent une peine principale mais s'y ajoutent nécessairement dans les cas prévus par la loi, et enfin complémentaires, qui ne s'ajoutent à la peine principale que lorsqu'elles sont prononcées par le juge.

Accompagnée ou non de tortures, la peine de mort s'exécutait sous l'Ancien régime de multiples façons, selon que le crime était jugé plus ou moins atroce et suivant qu'il était accompli par un noble ou par un vilain. Le décret du 20 mars 1792 « humanise » le mode d'exécution en introduisant la guillotine et il l'unifie en même temps, puisque aucune distinction ne sera admise désormais entre les suppliciés.

Il faut attendre une loi de 1832 pour que le poing droit du parricide ne soit plus coupé avant l'exécution. Encore aujourd'hui, l'article 13 du code pénal dispose au sujet du parricide qu'il « sera conduit sur le lieu de l'exécution, en chemise, nu-pieds, et la tête couverte d'un voile noir ».

L'exécution cesse d'être publique en 1939 seulement. Seul désormais un nombre restreint de personnes assisteront aux derniers moments d'un condamné. Un procès-verbal est dressé par le greffier, dont une copie est affichée à la porte de la prison où la sentence de mort a été exécutée. La presse ne pourra publier aucun détail en dehors de ceux donnés par le procès-verbal. Le corps du supplicié, s'il est délivré à la famille, devra être inhumé sans aucun appareil et l'acte de décès n'en mentionnera pas la cause.

Après la mort, les peines les plus graves sont les peines privatives de liberté, dont le régime est loin d'être uniforme. En droit commun, les peines criminelles sont les travaux forcés et la réclusion. Les travaux forcés, après avoir été une peine métropolitaine, puis une peine coloniale, sont de nouveau purgés en France, dans des maisons de force. Les travaux forcés à perpétuité entraînent les mêmes peines accessoires que la mort, c'est-à-dire la double incapacité de disposer et de recevoir à titre gratuit, l'interdiction légale, la dégradation civique et l'interdiction de séjour. Les travaux forcés à temps et la réclusion — peine criminelle qui ne peut excéder dix ans —, entraînent la dégradation civique, l'interdiction légale et l'interdiction de séjour. Ces peines criminelles débutent par une période d'isolement cellulaire de jour et de nuit dont la durée est de un an si la condamnation est inférieure à dix ans, de deux ans si la condamnation est supérieure à dix ans et de trois ans si le coupable a été condamné aux travaux forcés à perpétuité. La peine se poursuit ensuite par un régime d'isolement la nuit et de travail en commun le jour.

L'emprisonnement correctionnel est une peine beaucoup moins lourde, et c'est aussi parmi toutes les peines privatives de liberté celle qui est la plus répandue. L'emprisonnement à plus d'un an s'exécute dans les maisons centrales ; à moins d'un an, dans les maisons d'arrêt. Le travail y est obligatoire, mais le condamné peut choisir entre plusieurs occupations. La condamnation correctionnelle n'entraîne pas de peine accessoire ; toutefois, dans certains cas, le tribunal peut infliger des peines complémentaires, comme l'interdiction de certains droits ou l'interdiction de séjour.

Le régime politique était jusqu'à ces derniers temps beaucoup plus libéral que le régime de droit commun et les différences étaient nombreuses et importantes. Mais ces différences tendent à s'estomper, car le régime politique n'est applicable qu'aux infractions spécialement visées par le législateur ; or, loin de multiplier les incriminations politiques, la tendance moderne est maintenant au contraire d'appliquer des peines de droit commun à certaines infractions politiques.

Le schéma de nos peines privatives de liberté pourrait faire croire que nos institutions actuelles restent soumises au principe de la répression pure et simple. Cependant, notre système pénitentiaire a fait des progrès immenses, surtout depuis la Libération. Une réforme pénitentiaire est actuellement en plein développement qui tend à favoriser l'amendement et le reclassement social des condamnés. Le traitement pénal moderne admet, aux côtés de l'ancien régime de détention pure et simple destiné à assurer une punition exemplaire, un système de libération progressive. Certains établissements, comme le Centre agricole de Casabianca, reçoivent des détenus déjà triés et qui travaillent la terre dans une semi-liberté, grâce à la souplesse du règlement et la quasi-absence de gardiens. L'expérience semble réussir, comme semblent réussir les expériences pour mineurs délinquants des prisons-écoles de Doullens et d'OErmingen.

Les courtes peines, elles aussi, subissent de grands changements. La probation, dont j'ai parlé, est entrée en application. Les chantiers extérieurs se sont multipliés et la main-d'œuvre pénitentiaire y abonde. Enfin la libération conditionnelle et le patronage post-pénal ont pris une grande extension et sont largement utilisés pour l'amendement des délinquants.

Les peines pécuniaires qui frappent les délinquants sont l'amende et la confiscation, qui peut être générale ou spéciale. L'amende présente de grands avantages fiscaux, et son emploi est aujourd'hui très généralisé, spécialement en matière de contraventions et de délits. La confiscation générale, d'origine très ancienne, est une peine pécuniaire très rigoureuse et d'emploi malaisé, puisqu'elle prive le coupable de tous ses biens. Après une flambée à la Libération, elle semble devoir de nouveau tomber en désuétude. Au contraire, la confiscation spéciale est une peine stable : c'est le transfert forcé de la propriété d'une chose appartenant au délinquant et trouvée en sa possession — c'est généralement l'instrument ou le corps du délit — au profit de l'Etat.

Je cite encore pour mémoire quelques autres peines, les unes restrictives de liberté comme le bannissement, d'ailleurs en voie de disparition, ou comme l'interdiction de séjour, dont je parlerai plus loin et qui est devenue une mesure de sûreté, les autres privatives de droits, comme celles qui accompagnent les peines criminelles ou peuvent être prononcées aux côtés de certaines peines correctionnelles. Les peines humiliantes, assez répandues dans la France de l'Ancien régime, n'existent plus, à l'exception de l'insertion dans la presse et l'affichage de certains jugements de condamnation.

Les mesures de sûreté qui frappent la personne même du délinquant, telles que la castration ou la stérilisation, n'existent pas en France. Mais des lois récentes ont, en sens contraire, introduit chez nous la désintoxication des alcooliques dangereux pour autrui et la cure obligatoire, durant l'instruction de leur procès, des personnes faisant usage de stupéfiants.

La plus grave mesure de sûreté privative de liberté est la relégation des récidivistes. C'était autrefois une mesure d'élimination définitive par envoi aux colonies. C'est aujourd'hui une mesure complémentaire, qui frappe les récidivistes sous certaines conditions. Les cas de relégation sont strictement déterminés par la loi, et quatre combinaisons sont possibles, suivant le nombre des condamnations et la gravité des infractions réprimées. Mais la relégation n'est plus aujourd'hui obligatoire comme elle l'était autrefois et cette modification de son caractère s'inscrit dans la grande vague de réformes pénitentiaires, dont j'ai déjà parlé. La relégation conduit aujourd'hui à la détention métropolitaine, et les méthodes de réadaptation employées pour les condamnés à des peines privatives de liberté le sont aussi pour les relégués.

Une récente loi a permis à l'administration de placer dans des camps d'internement des individus condamnés pour certains délits. C'est une loi de circonstance dont il faut souhaiter la prochaine abrogation.

Il existe encore d'autres mesures de sûreté. Ce sont l'interdiction de séjour et l'expulsion du territoire. L'interdiction de séjour est en principe facultative et fixée par le juge. Elle peut être obligatoire dans certains cas, comme lorsqu'il s'agit d'un condamné à une peine perpétuelle gracié. La défense de paraître dans certains lieux, qui est l'idée fondamentale de l'interdiction de séjour, se combine avec une surveillance très vigilante. Mais, depuis peu, une nouvelle orientation de cette mesure permet la combinaison, avec les deux données que je viens de dire, d'une nouvelle mesure : l'assistance. Dans certains cas, l'assistance post-pénale pourra même s'appliquer seule. On voit ainsi, une fois de plus, combien s'élargit le cadre de l'activité pénitentiaire moderne.

La situation des étrangers est particulière. Généralement, l'expulsion suit pour eux la condamnation pénale.

D'autres mesures sont plus récentes. Parmi elles il convient de relever notamment des mesures patrimoniales, comme la fermeture d'établissements, ou des mesures privatives de certains droits, comme les incapacités professionnelles, ou le retrait des permis de conduire et de chasse. On peut du reste hésiter sur la qualification de ces dernières mesures, et considérer qu'il s'agit de véritables peines. Elles mériteraient peut-être d'être étendues : très pénibles pour l'homme moderne habitué à son confort elles ne risquent pourtant pas de pervertir l'intéressé.

V. — LA POURSUITE

L'idée de vengeance privée a profondément marqué une certaine procédure criminelle, qui porte le nom de procédure accusatoire. Elle est calquée sur notre régime judiciaire du procès d'intérêts privés, tel que je l'ai exposé dans le chapitre précédent. Dans ce système, la victime prend l'initiative des poursuites et le juge pénal est impartial ; les parties plaident devant lui publiquement et oralement. Le procès est contradictoire. C'est encore aujourd'hui la base du procès pénal anglo-saxon.

Mais au fur et à mesure que l'idée de vengeance privée disparaissait en France et que triomphait l'idée de répression, un autre système de poursuite vint se substituer à la procédure accusatoire ; on l'a appelé inquisitoire. Il se caractérisait par la prépondérance d'un magistrat, le lieutenant-criminel, qui dirigeait toutes les phases du procès, par le caractère strictement secret de la procédure et par un système de preuves légales qui comprenait notamment la torture, destinée à arracher l'aveu, preuve suprême. C'est cette procédure qui inspira les ordonnances royales.

La législation révolutionnaire et le code d'instruction criminelle, aujourd'hui appelé code de procédure pénale, ont réalisé une synthèse entre la procédure inquisitoire, qui demeure la base de notre procès pénal, et la procédure accusatoire, à laquelle le législateur a emprunté quelques-unes de ses institutions. On a voulu laisser intact l'instrument de défense sociale mais garantir la liberté individuelle ; on a voulu maintenir certaines facilités de la répression, notamment en matière de recherche des preuves, tout en remplaçant le système des preuves légales par celui de l'intime conviction. C'est ainsi que la synthèse que je viens de dire a été réalisée, non pas dans l'ensemble du procès pénal, mais dans ses deux phases successives. L'instruction préparatoire, axée sur l'arrestation du coupable et la recherche des preuves de sa culpabilité, a été laissée sous le signe de la procédure inquisitoire. En revanche, c'est le système accusa-

toire qui prévaut lors du jugement, avec ses règles de
publicité, d'oralité et de contradiction.

Mais cette trop nette descrimination entre les deux
phases du procès a été, petit à petit, atténuée par le
législateur libéral du siècle dernier, qui tendait à multiplier les garanties individuelles et à augmenter les droits
de la défense dans la première phase du procès. L'évolution de notre législation pénale, stoppée durant l'occupation, reprend maintenant son cours.

La phase initiale du procès pénal est la recherche des
infractions et leur constatation, ainsi que la mise en
mouvement de la poursuite. C'est la police judiciaire qui
relève les traces des délits et qui en recherche les auteurs.
C'est le ministère public qui saisit la juridiction répressive. C'est enfin le particulier lésé qui peut — par la voie
de l'action civile — faire valoir ses droits violés par
l'infraction et protéger ses intérêts.

Le personnel de la police judiciaire comprend des officiers et des agents. Les premiers peuvent dresser des
procès-verbaux qui font foi de ce qu'ils constatent, et
coopèrent pleinement à l'instruction préparatoire. Les
autres participent à l'exercice de la police judiciaire sans
avoir les prérogatives de ses officiers. La recherche des
délits est facilitée par les plaintes des particuliers, de
même que par les dénonciations faites à l'autorité publique. Les preuves sont réunies par la police judiciaire
soit par une enquête préliminaire, soit sur commission
rogatoire.

L'enquête préliminaire est officieuse. Elle se produit en
dehors de tout système de défense. C'est sur elle que se
fondera par la suite le juge d'instruction dans la phase
préparatoire du procès. Une fois saisi de l'instruction
d'un procès, après une enquête préliminaire ou sans elle,
le magistrat informateur peut charger tout officier de
police judiciaire d'une commission rogatoire. Il lui délègue alors ses pouvoirs dans le but de rechercher les
coupables ou les preuves de culpabilité.

Au cas de crime ou de délit flagrant, c'est-à-dire si
l'acte criminel ou délictueux est en train de se commettre
ou vient de se perpétrer, la procédure est expéditive, afin
d'éviter le dépérissement des preuves. J'ajoute que dans

les cas d'attentats à la sûreté extérieure ou intérieure de l'Etat, le préfet a lui aussi des pouvoirs de police judiciaire — bien que ce fonctionnaire du pouvoir exécutif ne soit évidemment jamais soumis à la surveillance du procureur général...

L'instruction préparatoire, qui suppose le procès pénal en cours, doit déterminer si les charges sont suffisantes pour que l'affaire puisse être renvoyée devant la juridiction de jugement ou s'il convient de clôturer la poursuite par le prononcé d'un non-lieu. C'est le juge d'instruction qui procède à l'instruction préparatoire. Ses ordonnances sont soumises par voie d'appel au contrôle de la chambre d'accusation. Cette juridiction statue aussi sur le renvoi d'un accusé en cour d'assises et se prononce sur les extraditions et les réhabilitations.

Le ministère public ou parquet siège auprès de toutes les juridictions répressives. C'est le procureur de la République et ses substituts qui le représentent devant le tribunal correctionnel, le procureur général et ses avocats généraux devant la cour d'appel et la cour d'assises. J'ai déjà indiqué dans le précédent chapitre ce que sont les magistrats du parquet et quels sont leurs devoirs, leurs attributions et leurs prérogatives. C'est le ministère public qui exerce l'action publique. Celle-ci est introduite devant la juridiction d'instruction par un acte qui s'appelle réquisitoire introductif d'instance, ou devant la juridiction de jugement par une citation directe. Mais le ministère public apprécie l'opportunité des poursuites, et c'est un trait remarquable de notre procès pénal que celles-ci puissent dès le commencement être arrêtées par le parquet.

La victime elle-même devient souvent le meilleur agent de la répression, par la possibilité qu'elle a de déclencher la poursuite en se constituant partie civile. Cette action civile est simplement le droit incontestable de la victime d'un dommage d'agir devant les juges en réparation de celui-ci. Certes, la victime peut aussi saisir les tribunaux civils, mais son action est beaucoup plus efficace et rapide devant les tribunaux répressifs et, au surplus, l'action publique étant mise en branle, des poursuites pénales s'ensuivront nécessairement contre le coupable. L'action civile peut d'autre part toujours se greffer sur une action publique mise en mouvement par le parquet. Je dois dire encore à ce propos que, tout comme les individus, les groupements, syndicats et associations, peuvent agir en justice pour défendre leurs intérêts moraux ou matériels, avec cette différence cependant que, conformément à la loi, les syndicats peuvent, devant toutes les juridictions, exercer tous les droits réservés à la partie civile relativement aux faits portant un préjudice direct ou indirect à l'intérêt collectif de la profession qu'ils représentent, tandis que les droits des associations sont beaucoup plus restreints.

Le procès pénal, comme le procès civil d'ailleurs, est fondé sur la preuve des faits reprochés au prévenu. La charge de la preuve appartient évidemment au ministère public ou au plaignant, qui jouent le rôle de demandeur du procès civil ; l'inculpé, qui sera en quelque sorte le défendeur, aura à son tour à démontrer le bien-fondé des exceptions qu'il soulève et des arguments qu'il présente pour sa défense. Mais deux grands principes que je vais maintenant évoquer donnent à notre procédure criminelle son véritable visage et son originalité.

Le premier principe, tel qu'il est écrit dans la Déclaration des droits, est que tout homme est présumé innocent tant que sa culpabilité n'a pas été démontrée. La Déclaration universelle amplifie ce postulat en proclamant que toute personne accusée d'un acte délictueux est présumée innocente jusqu'à ce que sa culpabilité ait été légalement établie au cours d'un procès public, dans lequel toutes les garanties nécessaires à sa défense lui auront été assurées. La présomption d'innocence est une règle fondamentale de notre procédure pénale. L'ensemble des charges réunies par le magistrat informateur au cours de l'instruction n'affirment aucune culpabilité, mais permettent simplement le renvoi du prévenu devant le tribunal.

Un corollaire important de ce premier principe est que le doute doit profiter à l'inculpé. Chaque fois, par conséquent, que l'ensemble des charges ne sera pas absolument convaincant, l'inculpé sera tenu pour quitte et « renvoyé des fins de la poursuite », c'est-à-dire relaxé.

Le second principe est le devoir d'investigation de la justice pénale, principe quelque peu différent de celui qui est à la base de la justice civile. Arbitre entre les plaideurs dans une affaire d'intérêt privé, le juge devient, en matière pénale, l'élément moteur du procès. Il doit rechercher la vérité par tous les moyens que la loi met à sa disposition, afin d'acquitter l'innocent mais aussi de châtier le coupable.

De là découle l'idée de fonder la décision sur l'intime conviction du juge, donc sur la certitude profonde qu'il a de la culpabilité ou de l'innocence de la personne appelée devant son tribunal. La preuve légale, dans le sens où l'entendait le droit de l'Ancien régime, a aujourd'hui totalement disparu, et le juge puisera sa conviction dans tous les éléments qui lui seront fournis par le procès : l'aveu, évidemment, qui reste encore aujourd'hui la preuve incontestée, si elle est spontanée ou provoquée sans dol ni violence ; le témoignage, mode de preuve essentiel en matière pénale lorsque l'inculpé nie les faits qui lui sont reprochés ; l'indice même, qui assoit la conviction du magistrat.

De ce principe découle aussi cette autre conséquence que la preuve pour être valable doit être obtenue dans les formes légales et que toute preuve irrégulièrement acquise sera rejetée du débat. La moralité du débat civil, avec sa communication préalable de toutes les pièces entre adversaires, se prolonge en matière pénale, et le juge refusera de se servir d'un moyen obtenu d'une façon incorrecte, déloyale et à plus forte raison illégale. La loi a pris soin de préciser les formes des procédures instituées pour la recherche des preuves, telles que perquisitions, saisies, transport sur les lieux, interrogatoires, confrontations ou expertises, et toute violation de ces règles rend la preuve obtenue suspecte.

VI. — LE PROCES PENAL

Le juge d'instruction réunit les charges qui pèsent sur l'inculpé, la partie civile fournit des pièces et répond durant les confrontations aux arguments du prévenu, celui-ci se défend comme il l'entend, fait interroger les témoins, produit à son tour des documents.

Le juge d'instruction peut ordonner la détention préventive de l'inculpé, comme la police peut se saisir lors d'un flagrant délit de la personne du délinquant. La détention préventive, c'est-à-dire l'internement de l'inculpé dans une maison d'arrêt avant tout jugement, est une importante et grave mesure destinée à s'assurer que l'inculpé ne prendra pas la fuite ou qu'il ne fera pas disparaître les preuves de sa culpabilité. C'est une mesure à laquelle le juge peut toujours mettre fin en accordant la liberté provisoire.

La liberté provisoire est obligatoire cinq jours après l'interrogatoire de première comparution lorsque l'inculpé, jamais condamné auparavant, encourt une peine inférieure à deux années d'emprisonnement. Dans tous les autres cas, la mise en liberté provisoire est facultative et laissée à la discrétion du magistrat informateur. La mise en liberté provisoire signée par le juge est susceptible d'appel du parquet, comme le rejet de la demande est susceptible d'appel du prévenu. C'est la chambre d'accusation qui statue sur le mérite de ces appels.

Détenu ou non, l'inculpé qui est poursuivi pénalement subira successivement un procès d'instruction, puis un procès de jugement. C'est le réquisitoire introductif du procureur ou la plainte avec constitution de partie civile qui saisissent le juge d'instruction. Celui-ci procédera aux premières investigations en entendant les témoignages de toutes les personnes qui peuvent connaître les faits ayant motivé l'ouverture de l'information. Il entendra souvent la personne même qu'il inculpera par la suite.

Une fois inculpé, l'intéressé subira tout d'abord un interrogatoire de première comparution, au cours duquel le juge constatera son identité, lui fera connaître l'inculpation et lui demandera le nom de son avocat. A partir de ce moment, l'inculpé bénéficiera de toutes les garanties de la défense et ne pourra plus être interrogé ou confronté hors la présence de son conseil. La partie civile aura elle aussi droit à l'assistance effective d'un avocat.

Le juge d'instruction rassemble ensuite les preuves de culpabilité de l'inculpé, suivant les principes que j'ai exposés dans la précédente division, et, lorsqu'il s'estime suffisamment éclairé, il rend une ordonnance de soit communiqué, qui s'appelle ainsi parce qu'en même temps il communique l'ensemble du dossier au procureur de la République qui rédigera le réquisitoire définitif. C'est sur le vu de ce réquisitoire que le juge rendra, soit une ordonnance de non-lieu susceptible d'appel par le parquet, soit une ordonnance de renvoi en police correctionnelle, susceptible d'appel par le prévenu. S'il s'agit d'un crime, le dossier est transmis, non plus au procureur de la République, mais au procureur général, qui saisit la chambre d'accusation, seule qualifiée pour renvoyer devant la cour d'assises.

Le procès de jugement est la seconde phase du procès pénal, mais, par opposition à l'instruction, qui est essentiellement inquisitoire, sa procédure sera intégralement accusatoire, c'est-à-dire orale, publique et contradictoire.

Tout ce qui a été fait à l'instruction sera passé au crible de la critique, et un résumé sera fait des rapports et des procès-verbaux. En outre, les témoins viendront à la barre, prêteront serment de dire toute la vérité et rien que la vérité, et déposeront ; c'est en cela que la procédure est orale. Le procès — sauf exceptions précisées par la loi, au cas où le huis-clos est nécessaire — aura lieu publiquement et compte-rendu pourra en être donné dans la presse ; c'est la publicité des débats, garantie essentielle de la justice. Enfin les parties assistées de leurs conseils discuteront librement les charges accumulées par l'instruction et la valeur des preuves réunies ; c'est le caractère contradictoire du procès pénal.

Mais le procès de jugement est différent suivant qu'il se déroule devant le tribunal correctionnel ou devant la cour d'assises.

Le tribunal correctionnel est saisi par l'ordonnance de renvoi du juge d'instruction. Il est encore saisi — dans les affaires où il n'y a pas d'instruction — par la citation directe du parquet ou de la victime. L'interrogatoire de l'inculpé, ainsi que la lecture très abrégée des procès-verbaux et l'audition des témoins, commenceront le procès. La partie civile, s'il en existe une, prendra la parole en premier ; le procureur présentera ensuite ses réquisitions, et la défense fera entendre sa voix en dernier lieu. Le tribunal, après avoir délibéré, comme en matière civile, rendra son jugement en audience publique. Le jugement sera susceptible d'appel dans les dix jours après son prononcé.

La procédure de la cour d'assises est différente, à cause de la présence du jury. Elle est en outre assortie de formes très strictes, ce qui est compréhensible étant donnée la gravité des procès qui s'y jugent, étant donné aussi que la fortune, l'honneur, la liberté et souvent la vie même des accusés sont en jeu.

Dès que l'arrêt de renvoi de la chambre d'accusation a saisi la cour d'assises, le procureur général rédige l'acte d'accusation. L'arrêt de renvoi et l'acte d'accusation, ainsi que la liste du jury de session et celle des témoins cités par le parquet, seront notifiés à l'accusé, à qui on communiquera la copie du dossier de la procédure. A l'audience — dans le cadre solennel de la cour d'assises —, le président de la cour qui dirigera les débats sera assisté de deux conseillers et de neuf jurés, tirés au sort sur la liste du jury de session.

A l'ouverture des débats, le président interroge l'accusé sur son identité et reçoit le serment des jurés. Les débats commencent par la lecture de l'arrêt de renvoi et de l'acte d'accusation, faite par le greffier. Ensuite a lieu l'interrogatoire de l'accusé par le président.

Dans la phase suivante, on entend les témoins, qui déposent dans l'ordre normal : ceux de l'accusation en premier lieu, ceux de la défense ensuite. Le témoignage doit être spontané, oral et non interrompu, sauf aux parties et à leurs conseils à poser des questions après la déposition. Les avocats plaident dans le même ordre que devant le tribunal correctionnel, le ministère public requiert entre la plaidoirie de la partie civile et celle de la défense. La parole est laissée à l'accusé en dernier, puis la clôture des débats est prononcée par le président.

Encore que les jurés ne délibèrent plus seuls comme autrefois, une feuille de questions leur sera soumise par le président et ils auront à répondre à chacune d'elles par oui ou par non. Les questions seront lues après la clôture des débats, puis le président fera sortir l'accusé. La cour et le jury, à leur tour, se retireront dans la chambre du conseil, d'où ils ne reviendront qu'après avoir délibéré. Si l'accusé est reconnu non coupable, un arrêt d'acquittement est prononcé. S'il est reconnu coupable, la cour et le jury délibèrent et votent sur l'application de la peine avec ou sans circonstances atténuantes. L'arrêt est rendu en audience publique après comparution de l'accusé.

Dans notre code d'instruction criminelle, le jury, composé de douze jurés, délibérait seul sur les faits de la cause, c'est-à-dire sur la culpabilité de l'accusé. L'examen se faisait en secret dans la chambre des délibérations sous la présidence d'un de ses membres, chef du jury, désigné par le sort, qui lisait ensuite solennellement et en audience publique le verdict du jury. C'est sur la base de ce verdict que la cour, délibérant à son tour et seule, prononçait l'arrêt sur l'application de la peine.

Le système a été critiqué, à cause d'un certain nombre d'acquittements que le jury préférait quelquefois provoquer par un verdict négatif plutôt que d'exposer l'accusé à la sévérité de la cour. Une loi transféra alors au jury le pouvoir d'accorder les circonstances atténuantes. Le système, encore insuffisant, fut de nouveau modifié en 1932 : la loi ordonnait une collaboration limitée entre la cour et le jury délibérant et statuant ensemble sur l'application de la peine. En 1941, le nombre des jurés fut réduit à sept et, surtout, il fut institué que la délibération commune porterait non seulement sur la peine, mais même sur la culpabilité. L'institution démocratique du jury a pris un tout autre visage à partir du moment où trois juges professionnels et expérimentés étaient appelés à exercer sur leurs collègues d'un jour, totalement impréparés à la fonction publique, l'influence déterminante qui s'attache en tout état de cause à leur état et à leur personnalité.

Après la Libération, l'institution du jury est restée sans changement jusqu'aux transformations accomplies par la réforme de 1958. Il y a aujourd'hui neuf jurés avec les trois magistrats, et la majorité défavorable à l'accusé ne peut être que de huit voix sur douze.

Les voies de recours en matière pénale sont — comme dans les matières privées — ordinaires ou extraordinaires. En matière criminelle, les voies de recours ordinaires n'existent pas ; l'opposition est écartée par la procédure spéciale de contumace, et l'appel est impossible contre les décisions de la cour d'assises en raison de sa composition et de son statut particuliers. L'opposition et l'appel ne sont possibles qu'en matière correctionnelle et de police. L'opposition fait revenir le procès jugé par défaut devant le juge même qui a rendu la sentence ; l'appel des jugements correctionnel et de police est soumis à la cour d'appel. Les voies de recours extraordinaires connaissent, avec le recours en cassation, le pourvoi en révision, institué pour réparer les erreurs judiciaires. Le pourvoi en révision réussira lorsque, après condamnation, un fait viendra à se produire ou à se révéler, ou lorsque seront représentées des pièces, inconnues lors des débats, de nature à établir l'innocence du condamné.

Une fois les voies de recours épuisées et la condamnation devenue définitive, la sentence aura acquis l'autorité de la chose jugée et la peine infligée sera exécutée conformément à la loi. Mais la peine et souvent même la condamnation peuvent être effacées dans certaines circonstances ; je dirai maintenant comment.

La grâce et la prescription de la peine éteignent celle-ci tout en laissant subsister la condamnation. Le droit de grâce a toujours été une prérogative des chefs de l'Etat. Il est exercé par le président de la République après consultation du Conseil supérieur de la magistrature. La grâce a pour objet d'affranchir le condamné de l'exécution d'une partie ou de la totalité de la peine qui a été infligée. Au contraire, la prescription de la peine se produit automatiquement. Toute peine non exécutée pendant un certain délai, qui varie suivant la gravité de la condamnation, est prescrite. Les peines criminelles se prescrivent par vingt ans, les peines correctionnelles par cinq ans et celles de police par deux ans.

En sens opposé, la réhabilitation, qu'elle soit judiciaire ou légale, sans éteindre la peine, d'ailleurs généralement accomplie, efface la condamnation, qui disparaît du casier judiciaire. Naturellement, la réhabilitation abolit toutes les incapacités qui résultent de la condamnation.

Enfin l'amnistie efface à la fois la condamnation et la peine. Seule une loi peut l'accorder, mais les lois d'amnistie sont fréquentes, surtout dans l'âge des bouleversements politiques que nous traversons.

VII. — LES INFRACTIONS CONTRE LA CHOSE PUBLIQUE

Les éléments constitutifs d'une infraction sont d'ordre très général. Pour caractériser un délit ou un crime, des éléments plus précis sont indispensables. C'est le code qui les énumère. Je ne puis terminer l'exposé de la justice répressive sans indiquer, ne fût-ce que très sommairement et seulement par grandes divisions, quels sont les délits et les crimes. J'y consacrerai cette division et la suivante.

Pascal a écrit que tous les délits ont eu leur place parmi les actions vertueuses. Mais en sens inverse, la multiplicité des rapports entre les hommes, la croissance de la civilisation, la poussée des arts, des sciences et des techniques, n'ont-elles pas abouti à une telle multiplication des règles que la plupart d'entre elles sont devenues des interdits et que, de nos jours, la moindre action humaine un peu imprévue est un délit ou à tout le moins une contravention ? Les lignes qui vont suivre montreront que les infractions sont innombrables et souvent spécialisées. Il y a aujourd'hui des délits qui ne peuvent être commis que par des commerçants ou par des artisans, d'autres qui s'attachent uniquement aux chefs d'entreprise ; il existe des infractions fiscales, sociales, militaires, rurales, douanières, économiques, sanitaires, professionnelles, et bien d'autres encore aux conditions strictement déterminées, aux combinaisons inattendues et aux ramifications infinies.

Dans le droit pénal classique, les crimes et les délits

se distinguent suivant qu'ils sont dirigés contre la chose publique ou contre les particuliers. Le clivage se fait entre, d'une part toutes les infractions qui menacent la sûreté de l'Etat, la constitution et la paix publique, d'autre part, toutes celles qui atteignent les individus dans leur personne ou dans leurs biens. C'est peu à peu que diverses branches de l'activité humaine se sont enrichies de leur propre droit pénal, le plus souvent contraventionnel, c'est-à-dire frappant automatiquement dès que les éléments légaux d'incrimination sont réunis et le procès-verbal dressé par l'autorité administrative compétente.

Les crimes et délits contre la sûreté de l'Etat occupent la première place dans le code pénal. Ce sont des infractions particulièrement graves, qu'il s'agisse d'attentats ou de simples atteintes à la sûreté extérieure ou intérieure de l'Etat, car toutes ces infractions se caractérisent par une idée commune : causer préjudice à la personne-France, soit en favorisant les entreprises des puissances étrangères ou en portant atteinte à la défense nationale, soit en essayant de briser l'unité nationale ou de renverser par des voies illégales l'organisation des pouvoirs publics.

Les attentats contre la sûreté extérieure de l'Etat sont la trahison et l'espionnage. Les éléments des deux crimes sont identiques, comme, par exemple, porter les armes contre la France, favoriser les armées étrangères, livrer à l'ennemi un territoire ou du matériel de guerre, inciter des militaires à passer au service de l'ennemi, livrer les secrets de la défense nationale. La différence est que le crime de trahison ne peut être commis que par un Français, tandis que l'espionnage ne peut être perpétré que par un étranger.

Semblables aux attentats, les simples atteintes à la sûreté extérieure de l'Etat sont des délits et non plus des crimes, c'est-à-dire des infractions d'ordre similaire mais moins graves, quelquefois d'ailleurs involontaires ; ainsi une divulgation, même par simple imprudence ou négligence, d'un secret de la défense nationale, constituera une atteinte punissable à la sûreté extérieure de l'Etat.

En matière d'infractions contre la sûreté intérieure de

l'Etat, il faut noter tout d'abord les attentats et complots dirigés contre le gouvernement avec intention de le détruire ou d'en changer la forme, de même que l'excitation des citoyens en vue de les pousser à s'armer contre l'autorité légitime. Je signale en second lieu les crimes tendant à troubler l'Etat par la guerre civile, l'emploi illégal de la force armée et le pillage public.

Pour tous les crimes et délits contre la sûreté extérieure et intérieure de l'Etat, sera exempt de la peine encourue le dénonciateur qui en donnera le premier connaissance aux autorités administratives ou judiciaires. C'est le principe de l'excuse absolutoire.

Les crimes et délits contre la constitution occupent une place à part dans le code. Il est assez difficile de les décrire avant d'avoir expliqué quelles sont les prérogatives des citoyens et énuméré les libertés publiques auxquelles sera consacré un prochain chapitre de cet ouvrage. Au reste, nous aurons encore l'occasion bien des fois de décrire certaines infractions et leurs sanctions, au moment où nous verrons comment, à partir des libertés publiques, le législateur a établi telles ou telles protections de certaines prérogatives du citoyen. Je dirai simplement ici que cette partie du code pénal réprime d'abord les infractions relatives à l'exercice des droits civiques, ensuite les attentats à la liberté, puis la coalition des fonctionnaires et enfin l'empiétement des autorités administratives et judiciaires.

Les articles du code qui déterminent et punissent les crimes et délits contre la paix publique sont nombreux et ils concernent les infractions les plus diverses.

La loi punit en premier lieu et très sévèrement le faux-monnayeur et le contrefacteur des sceaux de l'Etat ; ayant le monopole de l'émission de la monnaie, l'Etat s'est toujours montré particulièrement sévère pour ce crime qui conduisait et peut encore conduire à un trouble public très grave. Les termes de la loi sont vastes et l'infraction concerne, non seulement les effets publics, billets du Trésor et billets de banque, timbres nationaux, marteaux et poinçons de l'Etat, mais aussi les timbres-poste, les imprimés officiels et jusqu'à certaines vignettes. Des lois plus spéciales interdisent, pour les mêmes raisons, les surcharges des timbres-poste périmés ou non, ainsi que l'usage des vignettes postales ayant déjà servi.

Parti de la fausse monnaie, le législateur a rapidement étendu sa sévérité à toutes espèces de faux, plus spécialement à ceux qui concernent les écritures publiques et privées. Le faux en écritures est une altération frauduleuse de la vérité de nature à causer un préjudice. Les faux en écritures publiques et authentiques — actes politiques, judiciaires ou administratifs, ainsi que ceux émanant des officiers publics — sont réprimés avec une grande sévérité, car la foi qui leur est due est un des fondements de l'ordre public. Mais la loi groupe sous une rubrique similaire les faux en écritures de commerce et de banque et établit des incriminations parallèles — tout en frappant les coupables de peines moins sévères — pour les faux dans les passeports, permis de chasse, feuilles de route et certificats de toute nature, dont la délivrance frauduleuse ou de complaisance est strictement prohibée.

Aux crimes des fonctionnaires publics dans l'exercice de leurs fonctions sont réservées à juste titre de lourdes sanctions, et la loi est sévère à l'égard des fonctionnaires coupables de forfaiture ou d'abus d'autorité, à l'égard des concussionnaires, des prévaricateurs, des comptables publics qui détournent les deniers de l'Etat, des agents de la force publique qui se laissent corrompre. On peut classer également dans cette rubrique les crimes et délits commis par de simples particuliers qui sont attentatoires à la paix publique : faux témoignage et autres crimes et délits tendant à égarer la justice, infractions relatives à l'exécution des peines et enfin les infractions contre les agents publics, comme la rebellion, l'outrage, la violence, l'opposition à l'exercice des fonctions, le refus d'un service légalement dû, l'usurpation, la corruption de fonctionnaires et le trafic d'influence.

C'est aussi sous l'intitulé général des délits contre la paix publique que la loi répressive place les associations de malfaiteurs, le vagabondage et la mendicité, de même que les délits commis par voie d'écrits, images ou gravures distribués de façon anonyme.

VIII. — LES CRIMES ET DELITS
CONTRE LES PARTICULIERS

Après les infractions contre la chose publique, voici les attentats contre les particuliers.

Ceux-ci peuvent être de deux sortes — et c'est cette division qui a été adoptée par le code pénal —, suivant que l'infraction est dirigée contre la personne ou contre la propriété. De nombreuses dispositions protègent la vie, la liberté et l'intégrité physique de l'homme contre les attaques des violents et des malfaiteurs ; d'autres lois, en plus grand nombre encore, répriment les atteintes aux biens. Nous allons envisager les unes et les autres.

La loi s'occupe en premier lieu des crimes de sang. Sous la rubrique « meurtres et autres crimes capitaux », le code pénal vise les quatre infractions les plus graves : le meurtre proprement dit, le meurtre accompagné de circonstances aggravantes, l'infanticide et l'empoisonnement. Le meurtre ou homicide volontaire, c'est-à-dire le fait par une personne de donner volontairement la mort à autrui, est puni avec la dernière rigueur, surtout s'il s'agit d'homicide accompagné de circonstances aggravantes. Il en est ainsi notamment de l'assassinat, qui est un meurtre prémédité ou accompli à l'aide d'un guet-apens.

Mais les circonstances qui aggravent l'homicide volontaire peuvent être d'une tout autre nature. C'est ainsi que la loi considère comme cause d'aggravation l'emploi d'actes de barbarie ou de tortures. C'est ainsi encore que les circonstances aggravantes peuvent tenir à la qualité de la victime — certains fonctionnaires publics, par exemple, dans l'exercice de leurs fonctions, ou les propres parents ou ascendants du meurtrier, dans quel cas ce dernier sera qualifié de parricide. La loi donne le nom particulier d'infanticide au meurtre ou à l'assassinat d'un enfant nouveau-né. Enfin le crime d'empoisonnement, qui est l'attentat à la vie au moyen de substances toxiques, est sévèrement réprimé. En effet, il implique une préparation minutieuse et témoigne d'une terrible persévérance dans le dessein criminel.

Après les crimes capitaux, le code comprend la longue liste des infractions que sont les coups et blessures volontaires non qualifiés meurtre, ainsi que les autres crimes et délits volontaires. Les blessures et coups, les violences et voies de fait sont punis suivant les incapacités qui en ont résulté, les personnes qui en sont atteintes ou les circonstances de l'infraction. Dans cette rubrique se placent aussi les sévices infligés aux enfants, de même que l'avortement et la provocation à l'avortement. Sont également punis l'homicide et les blessures involontaires.

Une autre échelle pénale concerne les attentats aux mœurs. Le viol, l'attentat ou l'outrage à la pudeur sont réprimés suivant les circonstances de l'infraction et la personne de la victime. La loi est relativement sévère en cette matière. Elle punit notamment les proxénètes, les tenanciers de maisons de tolérance et les provocateurs, lorsqu'il y a excitation des mineurs à la débauche. L'adultère de la femme est punissable sur plainte du mari, mais l'adultère du mari, en revanche, n'est punissable que s'il y a entretien de concubine au domicile conjugal. C'est une antique survivance de l'inégalité des sexes...

Les arrestations illégales et séquestrations de personnes sont punies avec une grande sévérité. Une dernière série d'articles du code réprime les calomnies, les injures et les révélations de secrets.

La législation sur les atteintes à la personne s'accompagne, dans le code pénal, d'un long chapitre qui a trait aux crimes et délits contre les propriétés. Ce chapitre débute par la législation concernant le vol, soustraction frauduleuse de la chose d'autrui.

Il y a une importante différence entre ce délit et la plupart des autres dépossessions involontaires. Nous verrons tout à l'heure que dans l'escroquerie, comme dans l'abus de confiance, la victime remet elle-même la chose à un tiers qui se l'approprie sans droit. Dans le vol, c'est le voleur qui agit.

Le vol simple, puni de peine correctionnelle, peut devenir une simple contravention lorsqu'il s'agit par exemple de glanage ou de grapillage. Mais il peut se transformer aisément en crime pour constituer le vol qualifié (terme qui veut simplement dire : « vol qualifié crime »), s'il se produit dans certaines circonstances déterminées, qui sont considérées comme aggravantes. La circonstance aggravante peut tenir tout d'abord à la qualité de l'auteur du vol : domestique ou serviteur à gages, ouvrier ou apprenti travaillant habituellement chez la victime, hôtelier ou aubergiste considéré comme dépositaire nécessaire. Elle peut tenir ensuite au moment où le vol a été commis : la nuit. Elle peut tenir également au lieu d'exécution : habitations et dépendances, parcs et enclos, chemins publics. Enfin, il y a circonstances aggravantes lorsque les auteurs du vol opèrent en bande, lorsqu'ils sont porteurs d'armes, lorsqu'ils commettent une effraction, c'est-à-dire le forcement ou la rupture d'une clôture, lorsqu'ils escaladent, usent de fausses clés ou de faux titres ou emploient la violence.

L'escroquerie et l'abus de confiance, je l'ai dit, diffèrent du vol par le fait que ces délits supposent la remise volontaire de la chose par la victime. Un escroc est celui qui se fait remettre des fonds, des valeurs ou des objets quelconques en usant d'un faux nom ou d'une fausse qualité ou en employant des manœuvres frauduleuses. C'est le moyen frauduleux, la manœuvre, la mise en scène, le truquage, qui sont ici réprimés.

En revanche, dans l'abus de confiance, on poursuit la violation d'un contrat civil, par exemple d'un dépôt, d'un mandat : c'est un dépositaire infidèle qui détourne la chose déposée, ou un mandataire qui s'approprie la somme ou les objets à lui confiés en vue d'un usage déterminé.

Les détournements, les extorsions, le chantage, les filouteries, le recel de choses sont également des délits contre les biens.

Une autre catégorie de crimes et délits contre la propriété se caractérise essentiellement par une atteinte matérielle au bien visé. Toute une section du code y est consacrée, qui vise en premier lieu l'incendie volontaire, puis toutes autres destructions, dégradations et dommages.

Au bas de l'échelle des infractions se trouvent les contraventions généralement punies par des amendes. Les contraventions sont divisées en cinq classes. Celles qui appartiennent à la première, la plus modeste, sanctionnent des faits de minime gravité, comme d'avoir embarrassé la voie publique, d'avoir imprudemment jeté des immondices sur quelque personne ou d'avoir violé la défense de tirer en certains lieux des pièces d'artifices. Les contraventions de deuxième et de troisième classes sont plus sérieuses ; on y trouve le refus de recevoir en paiement la monnaie légale, ou la détérioration des chemins publics, ou le tapage nocturne. Les contraventions de quatrième classe répriment les rixes, voies de fait et violences légères, les dégradations volontaires de la propriété mobilière d'autrui et d'autres infractions similaires, qui se rapprochent des délits.

Telle est, à plus forte raison, la situation des contraventions de cinquième classe créées par la réforme de 1958. Ce sont en réalité certains petits délits qui ont été ramenés dans cette nouvelle catégorie, domaine particulier du juge du tribunal d'instance.

Si le code pénal est d'une grande richesse, les lois particulières d'ordre répressif sont encore plus riches et beaucoup plus nombreuses que les prescriptions codifiées. Mais ces lois répressives sont strictement rattachées à certaines branches de l'activité humaine. Elles sont mouvantes comme les législations particulières qui leur servent obligatoirement de support. Nous aurons encore l'occasion d'en rencontrer quelques-unes plus tard, lorsque j'évoquerai la vie administrative et la vie politique de notre pays.

LA VIE ADMINISTRATIVE

CHAPITRE IX

LES ORGANES

I. — L'ETAT

L'Etat est essentiellement le principe organisateur de la nation, qui ne pourrait plus vivre aujourd'hui dans la simplicité patriarcale des premiers âges : si les besoins élémentaires de la nation se sont multipliés au fur et à mesure que les populations se sont accrues, les progrès techniques et industriels ont déterminé, d'autre part, une complexité croissante des rapports entre les hommes.

Dans la plupart des cas où le besoin national risque d'être compromis par une gestion individuelle défectueuse, l'Etat doit prendre à sa charge le service, d'où la notion de service public, dont la caractéristique principale est qu'il doit fonctionner, coûte que coûte. Les exemples les plus nombreux sont fournis par les départements ministériels, dont dépendent les services publics les plus importants.

L'Etat peut et doit intervenir quelquefois d'une façon directe, qui peut être plus ou moins importante dans la vie de la nation. Ses interventions sont diverses mais elles ont toujours pour objet de maintenir l'ordre public et

une certaine organisation économique et sociale dont il
est à la fois l'expression et le gardien. Ces multiples interventions s'exercent par l'autorité de la police et de l'armée,
ou par la pression économique, ou par des mesures fiscales ; elles se font quelquefois à l'échelle nationale mais,
plus souvent encore, dans le cadre de la vie locale, à
l'échelon du département ou de la commune.

Les rapports entre l'Etat et les collectivités locales sont
de grande importance, et tout citoyen doit en comprendre
le mécanisme. Je vais l'expliquer après avoir dit que le
pouvoir central dirige la vie de la nation par les divers
ministères qui, autrefois fixés à sept, se sont rapidement
multipliés depuis le siècle dernier, dans la mesure où
s'accroissaient les activités de l'Etat.

Le nombre de ministères est actuellement assez élevé ;
si les principaux restent immuables, les moins importants varient suivant la composition de l'équipe politique
au pouvoir et les idées du chef du gouvernement. Le
ministère des Affaires étrangères s'occupe des relations
extérieures de l'Etat, le ministère de la Justice gère les
services judiciaires et pénitentiaires, le ministère de
l'Intérieur est chargé de la police, de la tutelle des collectivités locales — dont nous nous entretiendrons plus
tard — et des élections au parlement, le ministère de la
Défense nationale gère les forces armées et se décompose
traditionnellement en trois sous-secrétariats d'Etat correspondant aux trois armes.

Parmi les autres grands ministères, celui des Finances
s'occupe de la préparation du budget et de la perception
des impôts, tandis que celui de l'Education nationale est
chargé de tous les problèmes de l'enseignement.

Aux côtés de ces principaux départements ministériels,
il en existe d'autres, plus techniques : les ministères de
la Santé publique et de la Population, de l'Agriculture,
des Affaires économiques, des Travaux publics, de l'Industrie et du Commerce, de la Marine marchande, du
Travail et de la Sécurité sociale, des P. T. T., des Anciens
combattants et victimes de la guerre, et quelques autres
encore.

Tous ces ministères dépendent du Premier ministre
et constituent le pouvoir central de l'Etat, personne

morale souveraine. Toutes les décisions intéressant l'administration du pays devraient dépendre de ce pouvoir central, c'est-à-dire du gouvernement. C'est chose possible dans les petits pays ou dans les Etats peu développés, mais, en France, les inconvénients du système sautent aux yeux. Non seulement l'appareil administratif serait d'une lenteur et d'une lourdeur exceptionnelles, non seulement les services seraient peu maniables, mais l'éloignement de l'administration centrale par rapport à certaines parties du territoire serait de nature à compromettre le fonctionnement même de cette machinerie trop compliquée.

Deux systèmes sont utilisés par les Etats modernes, et par la France en particulier, pour éviter les inconvénients de la centralisation. C'est, en premier lieu, la déconcentration. Pour déconcentrer le pouvoir, le gouvernement délègue à des agents subordonnés de l'Etat une partie de ses pouvoirs. Ces agents de l'Etat, répartis dans les provinces et dans les différentes branches de l'administration auront le droit, en vertu de la loi ou par délégation du ministre, de régler eux-mêmes certaines questions.

La déconcentration pourrait donner lieu à des abus de la part des autorités déconcentrées, d'où certaines limitations imposées par le pouvoir central. Une première limitation est généralement territoriale : l'autorité déconcentrée n'a pas le droit de dépasser certains cadres géographiques. Une seconde limitation est d'ordre réglementaire : l'autorité déconcentrée ne peut agir en dehors d'une habilitation spéciale. Une troisième limitation est de nature hiérarchique : l'autorité déconcentrée doit respecter les décisions de l'autorité supérieure.

La déconcentration laisse l'essentiel du pouvoir entre les mains de l'autorité centrale. Une autre façon de décongestionner le pouvoir exécutif central est la décentralisation.

J'ai déjà dit que les services publics sont en principe gérés par l'Etat. Mais tous les services publics ne doivent pas obligatoirement dépendre du pouvoir central. Certains intérêts communs à tels groupements peuvent être gérés localement ou professionnellement par une autre per-

sonne morale. Que l'Etat en personne gère le service
public de la Défense nationale, quoi de plus naturel ?
Mais est-il nécessaire qu'il gère personnellement par
exemple les transports en commun de telle cité, service
public cependant particulièrement utile à cette ville ?
Certes non. Aussi la décentralisation consiste-t-elle à
confier la gestion des services publics à des personnes
morales de droit public autres que l'Etat, et autonomes.
La différence entre cette institution et la déconcentration
est que la décentralisation suppose, non seulement la
formation d'un corps d'agents spécialisés, mais la création d'une personne morale distincte de l'Etat, qui possède
son patrimoine propre et ses organes de gestion, généralement élus.

Comme pour la déconcentration, la décentralisation
totale n'est ni possible ni souhaitable. Elle conduirait en
droite ligne au morcellement administratif du pays en
plusieurs secteurs disparates, ce qui serait gravement
préjudiciable aux intérêts des citoyens : l'unité administrative, économique et sociale du pays est presque aussi
précieuse que son unité politique. La décentralisation
s'obtient par la tutelle administrative, qui est le pouvoir
de contrôle par lequel l'Etat s'assure que la personne
morale décentralisée respecte les règles imposées à son
fonctionnement.

La tutelle administrative n'a rien de commun avec la
tutelle civile. Cette expression signifie simplement que le
pouvoir central conserve un droit de regard sur les administrations décentralisées et, en principe, indépendantes.
Les droits du pouvoir central varient suivant les administrations soumises à la tutelle. Les unes prennent librement
leurs décisions, mais celles-ci peuvent être annulées, ou
bien encore leur exécution peut être suspendue. Les
autres ont besoin d'une approbation, le plus souvent
tacite, de l'autorité de tutelle. Quelquefois, la dépendance
est encore plus complète ; c'est celle qui permet à l'autorité de tutelle de se substituer aux organes décentralisés
qui n'agissent pas.

Ces quelques principes, rapidement exposés, nous font
déjà pressentir la multitude des problèmes administratifs,
et c'est bien un monde nouveau qui s'ouvre ici devant le

lecteur. Rien de ce qu'il a vu dans le développement de nos institutions civiles ne sera applicable à l'administration. Toutes ou presque toutes les règles qui régissent les rapports entre les individus devront être rejetées de ces matières touchant à la puissance publique, dont le fondement, la fonction, les besoins, les intérêts, l'idéal de pérennité, sont tout à fait différents de ceux du citoyen.

Je dirai, dans les lignes qui vont suivre, que l'administration ne connaît aucune des théories concernant les personnes et la famille, puisqu'il n'y a, en droit public, que des personnes morales ; que la théorie de la propriété s'altère pour devenir celle du domaine public, avec ses problèmes propres ; qu'enfin le droit des obligations est lui-même totalement transformé, à cause de l'inégalité fondamentale des cocontractants. Les principes qui gouvernent la responsabilité administrative ne s'appuient en rien sur la théorie civile de la corrélation absolue entre la faute et la responsabilité ; les conventions ne font pas toujours la loi des parties, et toute une série d'autres altérations surprendront le lecteur, mais le convaincront de leur nécessité lorsqu'il se sera pénétré de l'idée que le service public passe avant tout le reste, dans l'intérêt supérieur de la nation. Celui qui considère les institutions administratives sans comprendre leurs mécanismes particuliers, sans admettre leur infinie variété, sans accepter certaines nécessités totalement inconnues de la vie civile et qui, toutes, dérivent du pouvoir de commandement des agents publics sur les administrés, celui-là montre qu'il n'a pas encore pénétré l'esprit de nos institutions.

Et pourtant le régime administratif sous lequel nous vivons est un legs du plus lointain passé. Depuis que les hommes vivent sur cette terre, ils forment des groupes, et qui dit groupe dit administration. En France — pays d'administrateurs par excellence — les racines de l'organisation administrative plongent dans l'Ancien régime, caractérisé par une puissante centralisation, tempérée par une large déconcentration. Mais c'est la Révolution qui devait avoir l'influence la plus déterminante sur le régime administratif français.

Le législateur révolutionnaire a pris pour règle en cette

matière, comme en matière politique ou sociale, d'abord
l'idée d'égalité. Il en est résulté la recherche d'un cadre
simple qui devait abolir l'enchevêtrement des circonscriptions provinciales et les anciennes divisions territoriales, caractérisées, dans leur diversité, par de profondes
inégalités de régimes. Ce nouveau cadre, en se substituant
à l'ancien, a rendu uniforme l'organisation administrative, judiciaire, financière, militaire et politique du pays.
La deuxième idée qui a inspiré le législateur révolutionnaire fut celle de la liberté, avec sa tendance toute naturelle à la décentralisation. Eprise d'élections, la Révolution inaugure en cette matière une sorte de petit régime
représentatif à l'échelle locale et administrative.

C'est dans cet esprit, à la fois unificateur et décentralisateur, que furent créés les départements, dont l'originalité, au temps des diligences, est la dimension, qui
permettait d'aller facilement de n'importe quel point au
chef-lieu où étaient groupés tous les services. C'est ainsi
qu'à la fin de la Révolution, la France administrative se
présente sous la forme de quatre-vingt-trois départements
divisés en districts et en cantons et subdivisés en communes. La commune sera la pierre angulaire de cet
édifice fortement décentralisé, mais cette décentralisation,
fondée sur l'élection, au moment d'un bouleversement
social profond, aggravait l'anarchie qui régnait dans le
pays.

Pour le sauver du désordre, Bonaparte dut, entre autres
mesures d'urgence, rétablir un régime de centralisation
particulièrement énergique, en abolissant l'élection et en
lui substituant une hiérarchie administrative très stricte,
dans laquelle on trouve un fonctionnaire du gouvernement — préfet, sous-préfet ou maire — à tous les échelons de la vie nationale. Mais, si ce régime devait rendre
à la France la paix intérieure et la sûreté, il se révéla peu
propice au développement de la vie publique locale. Aussi
tout le XIXe siècle sera-t-il consacré — avec des hauts et
des bas, suivant l'évolution du pouvoir politique — à
adoucir le système administratif organisé par le Consulat
et confirmé par l'Empire. Cet adoucissement se manifeste dans un sens nettement décentralisateur, qui tend à
la fois à réintroduire l'élection pour la désignation des

agents locaux et à augmenter les pouvoirs et les attributions de ceux-ci. La décentralisation est aujourd'hui entrée dans les mœurs sur le plan départemental et municipal, elle a été consacrée par la Constitution de 1958, qui prévoit expressément l'existence des collectivités territoriales. C'est d'elles que j'entretiendrai maintenant le lecteur.

II. — LE DEPARTEMENT

Le département, tel que j'en ai montré la création et l'aboutissement, est aujourd'hui une circonscription déconcentrée de l'Etat à la tête de laquelle se trouve le préfet, haut fonctionnaire que nomme le président de la République, par un décret pris en conseil des ministres sur proposition du ministre de l'Intérieur. Il a toujours été admis qu'en raison de l'importance de son rôle, de la complexité de ses attributions et de la confiance absolue dont il doit bénéficier de la part du gouvernement, sa nomination devait être laissée à la discrétion de celui-ci. Aussi aucune condition n'est-elle exigée, pas même une formation professionnelle spécialisée.

Cependant, tout en conservant la liberté du choix, le gouvernement tend aujourd'hui à recruter les préfets parmi les fonctionnaires et, en général, à assurer la stabilité de cette carrière. Une formation administrative est d'ailleurs utile étant donné le caractère particulier de la carrière préfectorale et les obligations des préfets, tenus à un loyalisme absolu vis-à-vis du gouvernement, qui a sur eux un pouvoir discrétionnaire ; c'est ainsi que leur avancement se fait exclusivement au choix. Mais si la sujétion du préfet est lourde, s'il peut être muté, suspendu ou rayé des cadres avec beaucoup plus de facilité que d'autres fonctionnaires, la contrepartie en est un pouvoir considérable.

En tant que représentant de l'Etat, le préfet est la première personnalité du département. Il est tout d'abord le chef des services administratifs et par conséquent le

chef de tous les fonctionnaires, exception faite, bien
entendu, des magistrats, représentants du pouvoir judiciaire. C'est le préfet qui veille à l'exécution des décisions
gouvernementales et c'est lui également qui assure le bon
fonctionnement des services publics de l'Etat. Le préfet,
qui représente sur place le pouvoir central, doit aussi
informer celui-ci de la vie politique locale.

En sa qualité d'autorité déconcentrée le préfet a vu
s'agrandir le cercle de ses attributions et s'augmenter les
pouvoirs qui lui sont octroyés. Le plus important est le
pouvoir de police ; le préfet peut, en effet, en cas d'urgence, faire arrêter les personnes suspectes de crimes
contre la sûreté de l'Etat et il peut aussi réquisitionner
la force armée pour maintenir l'ordre. Il a en outre des
attributions financières puisque, d'une part il signe les
contrats passés par l'Etat, d'autre part il reçoit des
ministères les crédits nécessaires pour payer les dépenses
engagées par l'Etat dans son département et ordonne la
remise des fonds aux créanciers. Je citerai parmi d'autres
attributions importantes du préfet celle de représenter
l'Etat en justice dans toutes les actions intentées devant
les autorités judiciaires du département. Le préfet exerce
aussi la tutelle de l'Etat sur les communes.

Outre ces fonctions importantes, les attributions les
plus variées incombent au préfet, depuis la délivrance
des passeports, des cartes d'identité et des permis de toute
sorte, jusqu'à la répartition des subventions ou la réglementation de l'affichage.

En dehors de ces activités qui lui échoient en sa qualité
de représentant du pouvoir central, le préfet possède
encore des attributions départementales. Il instruit les
affaires soumises au conseil général dont je vais, dans
un instant, raconter le fonctionnement, et il exécute les
décisions prises par cette assemblée.

Les décisions du préfet se présentent sous la forme
d'arrêtés, signés par lui seul. Pour les décisions soumises
à l'approbation ministérielle, celle-ci est réputée tacitement accordée si aucune observation n'est formulée dans
les deux mois. Mais le contrôle normal de toutes les décisions administratives est exercé par les citoyens. Le
recours hiérarchique permet aux administrés de déférer

les arrêtés au ministre, le recours contentieux permet de les soumettre au tribunal administratif.

La multiplicité des attributions préfectorales et l'importance de la tâche poursuivie nécessitent la présence auprès du préfet de multiples collaborateurs, dont deux travaillent sous ses ordres immédiats : le secrétaire général et le chef, ou directeur, de cabinet. Le secrétaire général de la préfecture, qui a rang de sous-préfet, dirige les services administratifs de la préfecture. C'est lui qui remplace le préfet en cas d'absence ou d'empêchement. C'est lui aussi qui assure la direction des bureaux dont le personnel, réparti en divisions, accomplit le travail administratif. Certains pouvoirs du préfet lui sont souvent délégués. Le chef de cabinet seconde le préfet dans toutes ses activités. Quant aux sous-préfets, ils sont placés à la tête de chaque arrondissement. Enfin, en dehors de l'administration préfectorale elle-même, chaque département comprend des services spécialisés, comme les régies financières, les inspections académiques, les ponts et chaussées, le génie rural et bien d'autres encore, qui, tout en dépendant directement de leurs ministères respectifs, travaillent en étroite collaboration avec la préfecture.

J'ai dit plus haut que, délégué du pouvoir central, le préfet possédait aussi des attributions départementales. Il est, pour ainsi dire, le pouvoir exécutif de la république en miniature symbolisée par son département et dont le pouvoir législatif est représenté par un parlement en réduction : le conseil général. Chaque département en possède un, comprenant uniformément un conseiller par canton, élu au suffrage universel direct mais sans aucune référence au nombre d'habitants, ce qui défavorise les grandes villes. Les conseils généraux sont composés d'un nombre inégal de conseillers, oscillant en général entre vingt et soixante.

L'élection a lieu tous les trois ans pour le renouvellement de la moitié des conseillers, dont le mandat est fixé à six ans. Le scrutin est uninominal à deux tours. N'est proclamé élu au premier tour que le candidat ayant obtenu plus de la moitié des suffrages exprimés, à condition que ce chiffre représente au moins le quart des électeurs inscrits. Au second tour, la majorité relative départage les candidats en ballottage. Tous les citoyens inscrits sur les listes électorales et âgés de vingt-cinq ans au moins sont éligibles, sauf certains cas assez nombreux d'inéligibilité d'ordre local qui s'ajoutent aux inéligibilités générales, les mêmes qu'en matière politique. La loi a prohibé l'élection des fonctionnaires du département. La régularité des élections peut être contestée, tant par les électeurs que par les membres du conseil général, ainsi que par le préfet, devant le tribunal administratif, avec droit d'appel devant le conseil d'Etat.

Le conseil général se réunit deux fois par an en session ordinaire et peut tenir une ou plusieurs sessions extraordinaires si le besoin s'en fait sentir. Il ne peut être dissous que par décret et pour motifs graves. La révocation individuelle des conseillers peut avoir lieu en cas d'inéligibilité ou d'incompatibilité survenue après l'élection, de refus de remplir les fonctions dévolues par les lois ou d'absence injustifiée durant toute une session. Les conseillers ne sont pas rémunérés, mais ils reçoivent une indemnité de déplacement, des indemnités journalières et le remboursement des frais justifiés.

Le conseil général est convoqué par le préfet. Il se réunit sous la présidence du doyen d'âge et élit son prédent, qui préside les séances et en assure la police. Le président procède ensuite à l'élection du bureau. Le préfet a droit d'entrée aux séances. Il prend place à la droite du président mais, s'il lui est loisible d'intervenir dans la discussion, il ne vote pas.

Le conseil général possède une compétence très large, allant de l'administration des immeubles départementaux et de la gestion du personnel départemental, jusqu'aux actions judiciaires qu'il intente ou soutient au nom du département. Mais c'est la décision seule qui lui incombe et non l'exécution, qui revient au préfet.

Les délibérations du conseil général entraînent évidemment des dépenses qui supposent des recettes. Les unes et les autres sont votées au budget dont il sera question à la fin de ce chapitre, lorsque j'exposerai la gestion financière de l'Etat.

En fait, si le conseil général est l'autorité de droit

commun du département, il ne jouit que d'une liberté très relative dans l'administration des affaires départementales, car la plupart des ressources sont absorbées par des dépenses dites obligatoires, c'est-à-dire destinées à assurer le fonctionnement des services publics départementaux, dont les plus importants et les plus dispendieux sont l'assistance et la voirie.

Le conseil général a aussi des attributions consultatives ; mais s'il donne son avis sur les questions intéressant l'administration, il lui est interdit d'exprimer des vœux d'ordre politique. Il intervient aussi dans l'administration municipale par la tutelle qu'il exerce sur les communes, conjointement avec le préfet : il établit ou modifie les foires et marchés, décide du sectionnement électoral, classe les chemins de la voirie municipale et possède une foule d'autres attributions, importantes pour la vie départementale.

Les délibérations du conseil général sont exécutoires de plein droit dix jours après le vote : ce délai est laissé au préfet pour attaquer, s'il est nécessaire, les décisions qui excèdent les pouvoirs du conseil général ou qui violent la loi.

J'ai déjà dit que le conseil général se réunissait deux fois par an seulement. Mais les services départementaux nécessitent une gestion permanente et quelquefois, dans les cas urgents, une intervention immédiate. Aussi la loi a-t-elle créé un organe plus réduit, capable d'être réuni facilement et de connaître sans retard les affaires les plus simples. Cet organe est un comité de quatre à sept membres élu au sein du conseil lui-même et qui porte le nom de commission départementale. Les membres en sont choisis dans la mesure du possible de façon à représenter les différents arrondissements, mais les parlementaires et le maire du chef-lieu en sont exclus, afin de limiter l'influence de la commission. Réunie une fois par mois par le préfet, qui peut assister aux séances sans voix délibérative, la commission connaît des affaires par délégation du conseil général. La délégation légale lui donne compétence notamment pour approuver les contrats passés par le département avant leur signature par le préfet, ou pour examiner le projet de budget avant qu'il ne soit soumis au conseil général, mais c'est surtout par une délégation volontaire que le conseil général précise les points sur lesquels la commission départementale exercera sa compétence.

Je ne m'étendrai guère sur l'arrondissement, ni sur le canton. L'arrondissement, subdivision du département, n'a aucune personnalité juridique ; le sous-préfet en est l'administrateur, et ses attributions, fort restreintes, consistent surtout à alléger le travail du préfet et, depuis peu, à exercer les pouvoirs de tutelle sur les communes de l'arrondissement. Le canton, subdivision de l'arrondissement, n'est même pas une circonscription administrative ; c'est une simple circonscription électorale, pour l'élection des conseillers généraux.

III. — LA COMMUNE

L'administration régionale, telle que je l'ai décrite dans la division qui précède, a nécessairement un caractère artificiel, qu'elle tient de ses origines mêmes, puisque la division de notre pays en départements avait surtout pour objet d'assurer la commodité administrative par l'uniformité territoriale. En revanche, la commune est un groupement naturel d'habitants, constitué spontanément et possédant de tout temps la personnalité morale.

Maintenue par la Révolution, la commune a reçu du législateur une organisation uniforme qui a subsisté jusqu'à nos jours, non sans que durant le XIXᵉ siècle elle subisse, comme l'organisation départementale, le contrecoup des différents régimes qui se sont succédés en France. Mais, comme pour le département encore, le mouvement vers la décentralisation a, sous la IIIᵉ République, triomphé sur le principe centralisateur, la Constitution de 1946 a consacré cette évolution démocratique et la Vᵉ République l'a maintenue.

De même que le département, la commune à son tour est une sorte de microcosme républicain, avec un parlement et un organe exécutif, mais pour la première fois on constatera qu'à cet échelon les deux pouvoirs sont électifs ; il n'y a donc pas lieu de s'étonner que la tutelle administrative soit plus lourde sur l'administration communale que sur celle du département.

Nantie de la personnalité morale, la commune est un être vivant qui possède un nom et un territoire. L'un et l'autre peuvent subir des transformations ou des modifications prononcées en conseil d'Etat après enquête et consultation. La commune possède aussi des biens qui appartiennent soit au domaine public, soit au domaine privé. L'importance de ce dernier est considérable. Les biens privés de la commune s'accroissent par des dons ou des legs. Les revenus de ce domaine alimentent le budget de la commune, et sont donc d'un grand intérêt pour les habitants. Mais la commune n'a pas toujours la propriété de ce domaine privé : tantôt il peut n'appartenir qu'à une partie de celle-ci ; une personne morale distincte et capable de posséder le bien se constitue alors, et ce sera la section de commune ; tantôt le bien peut se trouver indivis entre plusieurs communes, et une commission syndicale des biens indivis sera formée par décret pour sa gestion.

La commune est administrée par un organe délibérant, qui est le conseil municipal, et par un organe exécutif, le maire et ses adjoints, constituant la municipalité.

Le nombre des conseillers municipaux, comme celui des conseillers généraux dans le cadre départemental, est variable suivant l'importance de la commune et oscille entre 9 et 36. L'éligibilité est universelle et résulte des attaches qu'on a dans la commune. Les inéligibilités sont semblables à celles du conseil général, de même que les incompatibilités. Il faut noter un cas particulier d'inéligibilité, celui des personnes assistées par la commune.

Le système électoral communal se rapproche de celui du parlement ou de celui du conseil général, suivant l'importance de la commune. Dans les villes de 120.000 habitants et plus, c'est le scrutin proportionnel qui a été consacré. La déclaration des candidatures est officielle et la constitution de listes électorales indispensable, chaque liste comprenant autant de noms que de sièges à pourvoir. Le calcul des sièges se fait sans apparentement

ni prime à la majorité absolue. Dans les autres communes, au contraire, fonctionne le système majoritaire à
deux tours avec les modalités de scrutin déjà décrites à
propos des élections au conseil général. Le contrôle des
élections est assuré par le tribunal administratif dont je
parlerai plus loin.

Le conseil municipal est élu intégralement, et se renouvelle en entier tous les six ans pour toute la France. Ce
n'est pas une assemblée permanente, et il se réunit en
quatre sessions annuelles, en février, mai, août et novembre. Mais le maire peut convoquer des sessions extraordinaires. Les séances sont publiques, sauf réunion en comité
secret. Elles sont présidées par le maire ou, à défaut, par
un adjoint. Le secrétaire est élu dans le sein du conseil
au début de chaque session.

Le conseil municipal peut être suspendu par le préfet
pour la durée d'un mois. Sans mettre fin aux pouvoirs
du conseil, la suspension empêche les réunions. Mais
une mesure plus grave peut frapper le conseil : la dissolution. Celle-ci intervient par décret motivé en conseil des
ministres, lorsque, par suite du partage des voix, l'administration de la commune devient impossible. Avant la
réforme de 1959, les villes de 9.000 à 120.000 habitants
élisaient leur conseil municipal à la proportionnelle, ce
qui multipliait les tendances et, partant, les risques de
dissolutions. En cas de dissolution du conseil municipal,
l'administration de la commune est assurée, en attendant
son renouvellement, par une délégation spéciale, composée de trois à sept membres nommés par décret. La
délégation élit un président, qui remplit les fonctions de
maire, et éventuellement un vice-président, pour remplacer le maire-adjoint. La démission d'office de certains
conseillers municipaux peut être individuellement prononcée par le préfet, sauf recours devant le tribunal
administratif.

De même que le conseil général est l'autorité départementale fondamentale, de même le conseil municipal
règle par ses délibérations les affaires de la commune
dont il est l'organe législatif. A l'échelon communal, le
conseil municipal a les mêmes attributions que le conseil
général : il s'occupe des biens de la commune, qu'il peut

acquérir ou aliéner, il règle le régime des foires et marchés, il soutient en justice les procès de la commune. Il
donne ses avis en matière de plans d'alignement et d'urbanisme, et surtout il vote le budget communal, dont
certaines dépenses sont obligatoires : instruction publique,
voirie vicinale, frais d'assistance et de police, quelques
autres encore. Les conseils municipaux, pas plus que les
conseils généraux, ne peuvent émettre de vœu d'ordre
politique.

La tutelle de l'Etat sur la gestion communale s'exerce
par le sous-préfet ou, dans les arrondissements dépendant
du chef-lieu du département, par le préfet. La tutelle se
manifeste par le contrôle des délibérations, qui toutes
doivent être soumises à l'administration préfectorale dans
les quinze jours. Les décisions qui excèdent les pouvoirs
du conseil municipal sont annulées par arrêté motivé du
préfet. L'approbation est nécessaire seulement lorsqu'il
s'agit de décisions importantes, spécialement en matière
budgétaire, et elle est considérée comme acquise si l'autorité préfectorale garde le silence durant quarante jours.

La municipalité, composée du maire et de ses adjoints,
dont le nombre varie de un à douze, suivant l'importance
de la population, est choisie dans son sein par le conseil
municipal lors de sa première réunion présidée par le
doyen d'âge. L'élection se fait au scrutin secret. La majorité absolue est requise durant deux tours. Au troisième
tour, la majorité relative suffit. Le scrutin est uninominal ; on commence par élire le maire, chef de l'administration municipale, puis les adjoints, au fur et à mesure
que les élections précédentes sont acquises. L'élection
peut donner lieu à un recours contentieux devant le tribunal administratif.

La municipalité est un organe permanent, le maire et
les adjoints devant accomplir leurs fonctions quotidien-
nement. En cas d'empêchement ou d'absence du maire,
il y a suppléance ou délégation. Les fonctions du maire
et des adjoints peuvent être interrompues par mesure
disciplinaire, soit par arrêté motivé du préfet s'il s'agit
d'une suspension, soit par décret motivé s'il y a lieu à
révocation. Traditionnellement gratuites, les fonctions
municipales donnent lieu aujourd'hui à une indemnité

de fonction qui consiste en une rémunération forfaitaire.

Les attributions exécutives de la commune sont dévolues dans leur ensemble au maire seul, les adjoints n'ayant de pouvoirs que dans la mesure où ils reçoivent une délégation spéciale. Le maire est à la fois agent du pouvoir central avec attributions administratives et extra-administratives et organe de la commune. En tant que représentant du pouvoir central, il publie et exécute les lois et les règlements. Il est chargé également des mesures de sûreté générale. Il dirige certaines opérations administratives importantes, comme le recensement et les réquisitions, et il surveille les écoles publiques et les prisons. Les attributions extra-administratives du maire sont également très importantes, car il est officier de l'état civil et officier de police judiciaire.

Les attributions du maire en tant qu'organe de la commune ne sont pas moins variées. Il est en premier lieu l'exécuteur des décisions du conseil municipal. C'est en cette qualité qu'il est ordonnateur du budget communal, qu'il passe les contrats ou qu'il représente la commune en justice. Il a, en second lieu, des pouvoirs qui lui permettent d'agir directement hors l'intervention du conseil municipal. La plus nette expression de son autorité propre se traduit dans le pouvoir hiérarchique sur les agents de la commune et dans le pouvoir de police municipale et rurale.

Lorsque le maire agit en sa qualité de représentant du pouvoir central, il se trouve tout naturellement sous l'autorité de l'administration supérieure, sous-préfet, préfet et ministre, dont il est le subordonné, ce qui implique le pouvoir d'annulation et de réformation de ses arrêtés par ses supérieurs hiérarchiques. Lorsqu'il agit comme organe de la commune, il est soumis à la surveillance de l'administration supérieure, c'est-à-dire à la tutelle du sous-préfet ou du préfet, qui peut aller jusqu'à la substitution d'action. D'autres contrôles s'exercent encore sur l'activité du maire, celui de son conseil municipal auquel il doit rendre compte de son administration et celui de ses administrés qui peuvent provoquer un recours hiérarchique de tutelle, s'il ne s'exerce pas d'office, ou un recours juridictionnel devant le tribunal administratif.

Avant d'en terminer avec l'organisation municipale de notre pays, je dois ajouter que le régime tel que je l'ai décrit ne s'applique pas à Paris ni au département de la Seine. Ces importantes agglomérations ont un statut particulier qui peut schématiquement se décrire de la façon que voici. L'organe délibérant comme l'organe exécutif est double. Le premier se compose, pour la ville de Paris, d'un conseil municipal de 90 membres élus pour six ans à la représentation proportionnelle et, pour le département de la Seine, d'un conseil général qui comprend les 90 membres du conseil municipal de Paris et 60 membres élus par les habitants des autres communes du département.

L'organe exécutif est assuré conjointement par le préfet de police et par le préfet de la Seine. Le partage des compétences entre ces deux hauts fonctionnaires se fait par attributions, le premier ayant les pouvoirs de police, le second ceux de l'administration générale. Les maires des vingt arrondissements de Paris sont de simples collaborateurs du préfet de la Seine.

IV. — LES ETABLISSEMENTS PUBLICS

L'établissement public est une personne morale de droit public créée pour assurer la gestion d'un service public. La tendance moderne à la décentralisation administrative est très nettement soulignée par l'extraordinaire floraison des établissements publics, car plus se développent ces établissements qui par leur seule existence postulent la décentralisation, plus s'affirme le caractère libéral de notre régime administratif.

Le premier caractère d'un établissement public est donc d'être un organisme public. Cela le rapproche des collectivités territoriales. Mais son autre caractéristique est justement d'échapper à la gestion directe de l'Etat, de sorte que, son objet étant cependant défini comme une gestion de service public, son domaine est considérable. La tentative de classement de l'établissement public peut se poursuivre dans deux directions principales : l'établissement public à caractère administratif et l'établissement public à caractère industriel ou commercial.

Les établissements publics à caractère administratif sont nombreux et d'origine déjà ancienne. Ils se divisent traditionnellement en trois groupes que je vais nommer en donnant des exemples qui éclaireront sur leurs attributions. En premier lieu, je note les établissements à caractère d'assistance et de bienfaisance qui peuvent être nationaux, départementaux ou communaux, comme les anciens bureaux de bienfaisance et d'assistance devenus bureaux d'aide sociale, les divers hôpitaux ou hospices, et nombre d'autres institutions de cette catégorie. En second lieu, bien moins nombreux, viennent les établissements financiers, tels que la Caisse des dépôts et consignations, organismes qui jouent un grand rôle dans nos finances publiques. En troisième lieu — et c'est le groupe le plus important —, il faut nommer les établissements nationaux culturels et de recherches, tels l'Institut de France, le Centre national de la recherche scientifique, le Collège de France, l'Ecole nationale d'administration, la Réunion des musées nationaux, des bibliothèques nationales, des théâtres lyriques, nos grandes scènes nationales, les conservatoires nationaux. Tous les établissements d'enseignement public en font également partie, tels les universités et les lycées, les caisses des écoles et bien d'autres encore.

Les établissements publics à caractère industriel et commercial, d'origine plus récente, sont moins nombreux, car la plupart d'entre eux ont un caractère semi-public et non public. Parmi ces derniers, je note les chambres de commerce, d'agriculture, les ports autonomes, ainsi que divers offices nationaux.

Mais il importe surtout de ne pas confondre les établissements publics avec ceux qu'on appelle semi-publics. Il faut garder constamment présent à l'esprit ce critère : l'établissement public est défini par le service public dont il a la charge, l'établissement semi-public assume en premier lieu une activité privée. Cependant l'établissement semi-public se rapproche de l'établissement public parce qu'il est reconnu d'utilité publique.

Depuis peu, beaucoup de types nouveaux d'activités sont apparus sur la scène de notre économie. Ils enrichissent considérablement notre système professionnel, je l'ai déjà brièvement noté dans le chapitre consacré au travail. Ce sont ces activités nouvelles, dans lesquelles les caractères privés et publics coexistent sans qu'on puisse déterminer avec exactitude la rubrique sous laquelle il convient de les classer, qui ont donné naissance à ces établissements semi-publics d'entreprises nationalisées ou d'économie mixte. Mais il est difficile de classer ces hybrides sous l'une ou l'autre rubrique, et cela n'est peut-être pas nécessaire. Il suffit de constater leur existence et leur épanouissement pour comprendre que notre régime économique est aujourd'hui en pleine évolution.

Je saisis l'occasion qui m'est ainsi offerte d'en expliquer l'apparition. La formule classique de l'établissement public et de la régie, dont je dirai un mot à la fin de cette division, a suffi tant que l'Etat s'est borné à son rôle administratif. Mais les conséquences de la première guerre mondiale, et plus particulièrement la nécessaire évolution consécutive à la seconde, ont exigé certaines interventions de l'Etat dans le domaine économique, ainsi qu'une adaptation de la puissance publique à de nouvelles tâches purement professionnelles. C'est ainsi que sont nées les premières sociétés commerciales dont le capital se trouvait partiellement entre les mains de l'Etat. Ces sociétés d'économie mixte sont aujourd'hui extrêmement répandues, et on peut citer, à titre d'exemples, la S.N.C.F., Air-France, les sociétés de construction aéronautique. On doit rapprocher de ces sociétés les entreprises nationalisées, charbon, électricité, gaz, banques de dépôt, grandes compagnies d'assurances. Notons cependant que ce rapprochement est purement extérieur, car la nationalisation n'est pas un mode de gestion des services publics, mais une simple substitution de la propriété de l'Etat à celle des particuliers. Cependant ce parallèle est capital à un autre point de vue. Les sociétés d'économie mixte d'une part, les sociétés nationalisées d'autre part, montrent que la puissance publique s'est engagée aujourd'hui dans des voies nouvelles. Il est légitime de penser qu'au fur et à mesure que les nationalisations se développeront, leur gestion devenant saine, avantageuse et enrichissante pour l'Etat, les impôts deviendront de plus en plus rares et de moins en moins lourds.

J'ai dit que l'autre caractère de l'établissement public est sa personnalité morale. C'est cette qualité qui assure son autonomie, car le service public sans personnalité est simplement un service public de l'Etat, du département ou de la commune, assuré par la collectivité dont il est l'émanation et dont j'ai donné en son temps plusieurs exemples. Au contraire, l'établissement public est tout à fait indépendant des collectivités territoriales, sans cependant en être totalement détaché puisqu'il doit, cela va de soi, se développer sur le territoire d'une commune déterminée. Mais ce rattachement à l'Etat, au département ou à la commune, justifie simplement les attributions d'un établissement qui peut être national, départemental ou communal. L'indépendance des établissements publics est dans la tradition de notre libéralisme et du régime démocratique.

J'ajoute, pour en terminer avec les caractéristiques des établissements publics, que l'une des plus importantes est la spécialité. Si les collectivités territoriales répondent à des besoins généraux, l'établissement public ne peut en aucun cas avoir une activité étrangère au service qu'il doit assurer ; sa personnalité disparaît lorsque le service dont il a la charge n'est plus en cause.

D'origine publique, alors que l'établissement d'utilité publique est d'origine privée, l'établissement public ne peut être créé que par une loi. Quelquefois celle-ci l'organise entièrement et dans ses moindres détails ; le plus souvent elle se borne à tracer un cadre suivant lequel se formeront par décret les établissements du même genre. Aussi les organes propres aux établissements publics peuvent-ils difficilement être décrits dans leur ensemble. Ils sont extrêmement différents selon l'établissement dont il s'agit, la gestion de l'un ne ressemblant nullement à celle d'un autre.

On peut simplement préciser que les établissements publics ont toujours, comme les collectivités territoriales, un organe délibérant et un organe exécutif. Cependant le mode de nomination, d'élection ou de désignation de l'un et de l'autre est trop différent pour qu'une loi générale puisse être dégagée. Comme en matière de collectivités territoriales, la décentralisation des établissements publics connaît une limite naturelle, celle de la tutelle administrative. Mais il faut souligner que le génie de ces institutions répugne à une tutelle trop lourde ; celle des établissements publics est la plus douce de toutes.

Les établissements publics peuvent être supprimés, dans quel cas la principale difficulté naîtra de l'attribution à faire des biens de la personne morale. Si la suppression est due à la disparition du service, c'est la loi édictant cette suppression qui devra décider de l'attribution du patrimoine. Si au contraire, le service public survit après la disparition de sa personnalité et sa transformation en régie, c'est la régie qui héritera des biens de l'établissement public supprimé.

La régie est une très ancienne façon de gérer les services publics non décentralisés. La régie directe est le système le plus simple, qui ne comporte aucune déconcentration ; c'est l'Etat ou les collectivités locales qui gèrent un tel service public. A côté de la régie directe, la régie autonome participe du phénomène de la déconcentration. Dans ce cas, le service public est doté d'une autonomie administrative et financière. C'est la régie autonome qui a été adoptée par le plus grand de nos services publics, celui des P. T. T.

Enfin, les services publics sont souvent gérés par des organes privés ; il en est ainsi notamment des ordres professionnels et de la sécurité sociale. Mais la formule le plus souvent employée est celle de la concession, institution qui permet à une collectivité publique de confier la gestion d'un service à un particulier. Dans ce cas, la collectivité publique, ou concédant, associe à la gestion du service public le concessionnaire, qui aura un monopole ou un privilège, devra assurer le fonctionnement du service à ses risques et périls et trouvera sa rémunération dans les redevances versées par les usagers. De cette façon, la concession, comme d'ailleurs la régie et, en général, tous les autres modes de gestion des services, se rapproche des contrats administratifs dont je parlerai plus loin.

V. — LA FONCTION PUBLIQUE

D'une façon générale, la gestion des services administratifs est confiée à des fonctionnaires qui sont, ainsi que
le précise le statut de la fonction publique, nommés dans
un emploi permanent et titularisés dans un grade de la
hiérarchie des cadres d'une administration centrale de
l'Etat, des services extérieurs qui en dépendent ou des
établissements publics de l'Etat. Le lien de subordination
entre la personne morale administrative et le fonctionnaire ne s'apparente donc pas à celui qui unit le salarié à
son employeur. Ce n'est pas un contrat de travail, c'est un
statut, c'est-à-dire un acte réglementaire par lequel la
puissance publique fixe unilatéralement la situation d'une
certaine catégorie de personnes. Mais cette situation est
fixée une fois pour toutes et aucun arbitraire n'existe, ni
dans la désignation du fonctionnaire, ni dans sa carrière.
Il n'y a pas d'accord entre le fonctionaire et l'Etat, parce
que tout procède de la volonté de celui-ci. Mais, dans notre
régime démocratique, la volonté de l'Etat elle-même est
précisée et limitée par des textes légaux.

Le statut de la fonction publique, lentement élaboré
par l'usage et par la jurisprudence, a reçu une forme légale à la Libération ; ce statut n'édicte que des règles d'application générale, et se complète par des dispositions
particulières propres à chaque catégorie de fonctionnaires.

Les organes centraux de la fonction publique se composent du Premier ministre, de la Direction de la fonction
publique et du Conseil supérieur de la fonction publique.
C'est le Premier ministre qui signe tous les textes concernant la fonction publique, mais le plus souvent encore il
délègue ses pouvoirs à un secrétaire d'Etat qui dépend de
lui. Sous son autorité se trouve la Direction, qui veille à
l'application du statut, et le Conseil supérieur, qui comprend 28 membres dont 14 nommés sur proposition des
organisations syndicales. Si la Direction veille à l'application du statut, le Conseil supérieur coordonne la fonction publique et joue le rôle d'instance suprême à l'égard

des commissions et comités internes dont il sera maintenant brièvement question.

A l'intérieur de chaque administration, le ministre intéressé doit créer deux catégories d'organismes : les commissions administratives paritaires qui s'occupent des intérêts matériels des fonctionnaires, et les comités techniques paritaires qui permettent aux représentants élus des fonctionnaires de participer, dans une certaine mesure, à l'organisation du service. Ces comités techniques sont une innovation dans le statut de la fonction publique et accusent ses tendances syndicalistes. Les commissions et les comités comprennent, comme l'indique leur qualificatif de « paritaire », autant de représentants de l'administration que du personnel.

Pour devenir fonctionnaire, il faut d'abord être nommé. Ne peuvent être nommés aux emplois publics que les personnes possédant la pleine capacité physique, nationale et civique, telle qu'elle a déjà été à plusieurs reprises définie au cours de cet ouvrage. Le statut particulier de chaque corps de fonctionnaires prévoit des modes de nomination très divers. Il existe d'abord la nomination discrétionnaire par l'autorité. Mais l'arbitraire du gouvernement déplaît à l'esprit moderne imbu d'égalité et de mérite. Aussi ce système tend-il à disparaître, et ne subsiste-t-il aujourd'hui qu'en ce qui concerne notamment la nomination des préfets, sous les réserves que j'ai dites. Je mentionne aussi la nomination sur titres par un choix entre les candidats remplissant certaines conditions, comme la possession de diplômes déterminés, ainsi que la nomination dans les « emplois réservés », destinés à certaines catégories de personnes spécialement dignes d'intérêt.

Mais l'immense majorité des nominations se fait aujourd'hui par le procédé du concours. Le candidat doit satisfaire à des conditions d'âge et posséder les diplômes prescrits ; il doit être autorisé à concourir. Une fois le candidat admis à concourir, ses droits sont protégés d'une façon très efficace et l'Etat doit procéder aux nominations dans l'ordre de classement du concours.

La situation du fonctionnaire se modifie au fur et à mesure que sa carrière se poursuit. Aux bornes de son existence professionnelle, déterminées par le statut, correspondent les avancements d'échelon et de grade qui sont les promotions dont il bénéficie. L'avancement d'échelon correspond à une augmentation de traitement. C'est à l'ancienneté que se font les avancements d'échelon, mais aussi suivant la façon dont le fonctionnaire est noté annuellement par ses supérieurs hiérarchiques. Le temps passé à chaque échelon peut être réduit ou augmenté suivant la manière dont l'agent s'acquitte de son service. Il en résulte un certain automatisme dans l'avancement, à peine tempéré par l'appréciation des supérieurs hiérarchiques. En revanche, l'avancement de grade, qui est la faculté d'accéder à un poste supérieur, se fait uniquement au choix, l'autorité appréciant l'aptitude du fonctionnaire à occuper des postes plus élevés. Mais ces nominations doivent se faire au choix parmi les fonctionnaires qui sont inscrits sur un tableau d'avancement dressé chaque année après consultation d'un comité paritaire, où siègent des représentants du personnel. Quelquefois, cet avancement se fait sur la base d'un concours interne.

Le traitement du fonctionnaire dépend de son ancienneté et de son grade dans la hiérarchie. Une pension de retraite sous forme de rente est versée par l'Etat aux fonctionnaires atteints par la limite d'âge.

Longtemps refusés aux fonctionnaires, le droit de se grouper en syndicats et le droit de grève leur sont aujourd'hui expressément reconnus, avec cependant certaines restrictions. La protection de l'Etat leur est acquise lorsqu'ils sont pris à partie, insultés ou malmenés dans l'exercice de leurs fonctions.

En contrepartie de ces avantages, les fonctionnaires sont soumis à certaines obligations, dont la violation constitue une faute grave. L'activité du fonctionnaire doit être toute entière consacrée à l'Etat, et il ne peut se livrer à aucune autre occupation rémunérée. Loyal à l'égard de la puissance publique, le fonctionnaire doit servir avec zèle. Il est soumis à l'obéissance hiérarchique envers ses supérieurs, qui peuvent lui donner des ordres dans les limites de leurs attributions. Il est tenu au secret professionnel.

Le statut prévoit les diverses sanctions disciplinaires

que peut encourir le fonctionnaire, et qui sont strictement réglementées et proportionnées aux infractions commises. Le principe de la légalité des peines s'y applique, car il existe une énumération légale des sanctions disciplinaires. Les voici dans l'ordre : l'avertissement, le blâme, la radiation du tableau d'avancement, le déplacement d'office, l'abaissement d'échelon, la rétrogradation, la révocation sans suspension des droits à la pension et la révocation avec suspension de ce droit.

Mais aucune sanction ne saurait intervenir sans que soient respectées les formes d'une procédure indispensable pour la protection des droits de l'intéressé. Le dossier doit lui être communiqué, afin qu'il puisse connaître les fautes qui lui sont reprochées et préparer sa défense devant le conseil de discipline, sorte de commission administrative paritaire devant laquelle il comparaît. Il est évident que les sanctions disciplinaires ne se rapprochent que d'une façon relative des sanctions pénales ; c'est dans son activité professionnelle et dans sa carrière que le fonctionnaire est atteint, non dans sa vie de citoyen. Mais une faute peut être à la fois professionnelle et pénale.

« Une fois fonctionnaire, toujours fonctionnaire. » Celui qui a décidé de se consacrer à l'administration ne peut quitter le service comme il lui plaît. Même la retraite ne rompt pas le lien de sujétion, elle dispense seulement le fonctionnaire de s'acquitter de ses obligations. Il peut donner sa démission certes, mais il faut que l'Etat l'accepte pour que le lien de subordination soit rompu. En revanche, la puissance publique, elle, peut révoquer un fonctionnaire pour faute lourde, comme elle peut aussi le licencier dans certains cas où, par suite de circonstances particulières, le besoin ne se fait plus sentir d'une catégorie déterminée de fonctionnaires. Dans ce dernier cas, une loi est nécessaire, qui prévoit en même temps diverses compensations pour les fonctionnaires licenciés.

Telle se présente aujourd'hui la fonction publique, telle elle était à peu de choses près sous l'Ancien régime. Mais au XVIIIe siècle, elle était à la fois administrative et judiciaire, et les parlements avaient le pouvoir de censurer non seulement les procès entre particuliers mais aussi les actes de l'administration. La vie administrative du pays n'en était rendue que plus difficile. C'est la raison pour laquelle les parlements furent abolis par la Révolution. Les constituants proclameront à cette occasion — se fondant sur la doctrine de la séparation des pouvoirs — que les fonctions judiciaires sont distinctes des fonctions administratives. Un certain arbitraire fut alors à redouter, les plaintes contre les actes des fonctionnaires ne pouvant plus être formulées qu'auprès de leurs supérieurs hiérarchiques. Mais ce système de l'administration-juge s'est assez rapidement transformé par l'adjonction à l'administration active d'organes spécialisés dans l'étude des réclamations, lesquels sont vite devenus des juridictions indépendantes, véritables tribunaux administratifs.

Je dirai maintenant ce que sont les juridictions administratives.

VI. — LA JUSTICE ADMINISTRATIVE

La compétence des tribunaux administratifs peut paraître relativement simple à première vue ; ne s'agit-il pas de juger des procès où sont en cause les personnes morales de droit public et qui concernent une activité née de l'exécution d'un service public ? A la vérité, le problème est complexe, le critère difficile à préciser et les exceptions nombreuses.

La ligne de démarcation entre les compétences des tribunaux judiciaires et celles des tribunaux administratifs est très floue et les limites des différentes compétences sont tracées d'une façon si imprécise qu'il a même fallu établir une juridiction spéciale qui, sous le nom de Tribunal des Conflits, arbitrera la compétence de telle façon que le plaideur sache à quel ordre de juridiction il devra s'adresser. Cette juridiction spéciale n'est d'ailleurs pas un organisme permanent, mais une sorte de haute commission arbitrale composée du ministre de la Justice, de trois conseillers d'Etat, de trois conseillers à la Cour de cassation, ainsi que de deux membres élus par les sept autres.

D'une façon générale, le critère de la compétence administrative s'établira selon certains principes qu'une longue tradition du Conseil d'Etat a mis en valeur. Le premier exige que l'activité dont il s'agit soit administrative, ce qui exclut tous les litiges entre particuliers et tous les litiges mettant en cause le Parlement ou la justice judiciaire. Le second principe a trait au service public de l'activité soumise à la justice. Cependant, même dans ce cas, la compétence administrative sera éliminée dans deux hypothèses : d'une part, lorsque l'administration emploie des procédés de gestion privée et, d'autre part, lorsque le procès concerne l'état des personnes et les atteintes à la liberté ou à la propriété privée, matières traditionnellement réservées à la justice judiciaire.

Une fois la compétence précisée, si les tribunaux administratifs doivent statuer sur le litige, le procès sera examiné par les juridictions dont je vais maintenant exposer l'organisation.

La justice administrative est rendue essentiellement par les tribunaux administratifs régionaux, juridictions de première instance, et par le Conseil d'Etat.

Le tribunal administratif a remplacé l'ancien Conseil de préfecture. Sauf celui de Paris, dont le ressort s'étend au département de la Seine seulement, les tribunaux administratifs sont interdépartementaux et possèdent de véritables circonscriptions territoriales. Chaque tribunal comprend un président et quatre membres ; l'un de ceux-ci fait fonction de commissaire du gouvernement, chargé de préparer les conclusions dans lesquelles il expliquera et développera le point de vue du droit.

Le rôle juridictionnel du tribunal administratif est très large : il est juge de droit commun de tous les litiges administratifs pour lesquels un texte de loi ne précise pas de compétence particulière. Il est donc pratiquement juge de première instance du contentieux administratif — à charge d'appel devant le Conseil d'Etat — de toutes les affaires de sa compétence. D'autre part, au point de vue de la compétence territoriale, le tribunal compétent est celui dans le ressort duquel siège l'autorité administrative dont l'acte est attaqué. Une importante dérogation à ce principe concerne les contrats administratifs. En cette

matière, il est loisible aux parties de convenir de porter
leurs différends devant tel ou tel tribunal de leur choix,
à condition que cette attribution de compétence inter-
vienne avant la naissance du litige et que l'intérêt public
ne s'y oppose pas.

Le Conseil d'Etat est le juge administratif par excellence, car il est à la fois juge de premier ressort, juge
d'appel et juge de cassation. Son rôle dans l'évolution
du droit administratif et de la pratique administrative
est très important.

Organisé par le Premier Consul en 1800, le Conseil
d'Etat n'était, en réalité, que l'ancien Conseil du roi,
réapparu sous une forme nouvelle, mais avec des attributions accrues. Son importance n'a jamais diminué
sous les divers régimes que la France a connus depuis
lors.

Le Conseil d'Etat est composé d'un vice-président, de
cinq présidents de section, de conseillers en service ordinaire, de maîtres des requêtes et d'auditeurs de première
et de seconde classe. Le secrétaire général est choisi parmi
les maîtres des requêtes. La présidence du Conseil d'Etat
appartient au Premier ministre qui est suppléé par le
garde des sceaux. A la vérité, cette présidence n'est pas
effective et les séances de travail sont présidées par le
vice-président du Conseil d'Etat qui, premier fonctionnaire de la hiérarchie administrative, se trouve à égalité
avec le Premier président de la Cour de cassation, le plus
haut magistrat de l'ordre judiciaire.

A ce personnel de carrière, recruté par concours et dont
l'avancement est quasi automatique, s'adjoignent des
conseillers en service extraordinaire, personnalités qua-
lifiées dans les différentes branches de l'activité nationale,
nommées pour un an et dont le mandat est renouvelable.

Les auditeurs et les maîtres des requêtes préparent les
affaires dont le Conseil aura à s'occuper. Ils rédigent les
rapports. C'est dans leur sein que sont pris les commissaires du gouvernement, désignés par décret. Les conseillers délibèrent et prennent les décisions.

Composé de cinq sections, le Conseil d'Etat établit une
rigoureuse séparation entre ses attributions contentieuses,
auxquelles est affectée la section du contentieux, et ses

attributions administratives, distribuées parmi les quatre autres sections : finances, travaux publics, intérieur et affaires sociales.

La section du contentieux est divisée en onze sous-sections. Les affaires dites « du grand contentieux » sont examinées et instruites par l'une des six premières, puis jugées par deux sous-sections réunies. Les cinq autres sous-sections sont spécialisées dans le « petit contentieux » : emplois réservés, élections, réquisitions, pensions et autres.

L'Assemblée plénière du contentieux est formée du vice-président du Conseil d'Etat, des onze présidents de sous-sections et de quatre conseillers des sections administratives.

Avant 1953, le Conseil d'Etat était juge de droit commun dans la plupart des procès déférés actuellement aux tribunaux administratifs. Mais il reste encore le juge de droit commun des procès qui lui sont expressément réservés par des textes légaux, tels que les litiges relatifs à la situation individuelle des fonctionnaires ou les recours pour excès de pouvoir formés contre les décrets, ou encore les recours dirigés contre les actes administratifs dont le champ d'application dépasse le ressort d'un tribunal administratif.

Le Conseil d'Etat est juge d'appel des litiges soumis en première instance aux tribunaux administratifs. Il est juge de cassation des décisions de certaines juridictions particulières, comme la Cour des comptes.

La procédure devant les tribunaux administratifs est beaucoup plus simple que devant les tribunaux judiciaires ; c'est la raison pour laquelle je n'ai pas cru devoir entrer dans les détails, ainsi que je l'ai fait pour la justice judiciaire. Au surplus, la configuration générale des deux justices n'est guère différente. Le demandeur saisit le tribunal administratif d'une requête, mais la procédure prend aussitôt le caractère inquisitoire, en ce sens que le juge dirige le procès comme il l'entend, un peu comme le juge pénal. Il demande à l'administration intéressée de produire un mémoire en défense lequel est communiqué au demandeur. Celui-ci peut répliquer, toujours par écrit. Des plaidoiries peuvent être pronon-

cées, mais ce sont les écrits qui lient le juge. Une fois
la décision intervenue, le rôle du tribunal est terminé et
l'exécution ne peut être imposée à l'administration. Cependant, celle-ci se montre toujours respectueuse des
décisions de son juge.

Le contentieux administratif comporte deux branches
essentielles : le contentieux de l'annulation et celui de
la pleine juridiction.

Le contentieux de l'annulation a pour objet, comme
son nom l'indique, l'annulation des décisions administratives irrégulières. Cette annulation s'obtient par l'introduction d'un recours pour excès de pouvoir. Pour que
ce recours soit recevable, il doit être formulé dans un
délai de deux mois à partir de la décision qui porte préjudice au requérant. Celui-ci doit avoir intérêt à l'annulation de l'acte et aucune autre voie de recours ne doit être
possible. Si l'acte est entaché d'un vice de forme, d'incompétence, de détournement de pouvoir ou s'il viole la
loi, il sera annulé.

Création originale de notre droit administratif, le
contentieux de l'annulation est cependant moins important que celui de pleine juridiction, qui met en scène,
non plus un requérant qui attaque un acte, mais deux
plaideurs, dont l'un est l'administration. Ce contentieux
se rapproche ainsi beaucoup du procès civil. Comme
dans le contentieux de l'annulation, le requérant prouvera
qu'il a intérêt au procès et agira dans un délai de deux
mois à peine de forclusion. Mais une règle originale, celle
de la décision préalable, s'applique à la plupart des matières administratives de pleine juridiction. C'est une
sorte de recours hiérarchique qui doit être intenté avant
tout procès administratif. Le citoyen qui a un grief contre
l'administration doit d'abord s'adresser à cette administration pour obtenir satisfaction. Si l'administration accepte
le règlement amiable, c'est alors l'économie d'un procès. Si
elle refuse, c'est-à-dire si elle prend la décision préalable
de rejet, le requérant saisit le juge. Il faut noter que le
silence de l'administration qui se prolonge pendant quatre
mois à dater du recours est considéré comme une décision
implicite de rejet.

C'est la responsabilité de l'administration qui constitue la branche la plus importante de ce contentieux.

A la vérité, dans son principe, la responsabilité de la personne morale ressemble singulièrement à la responsabilité civile telle que je l'ai exposée dans le chapitre consacré aux obligations. En général, cependant, la reconnaissance de la responsabilité de la puissance publique n'est pas aisée ; le dommage doit être direct et individuel, et doit provenir d'un fonctionnement défectueux du service public. Mais, pour ce qui concerne la faute, le droit administratif a quelque peu relâché la rigueur habituelle en cette matière ; si la faute de l'administration est souvent difficile à établir, dans un grand nombre de cas on applique la théorie du risque : il suffit que l'administration ait créé un risque sérieux pour que sa faute puisse être considérée comme acquise et dès lors sa responsabilité engagée ; de sorte que, dans certains cas, la responsabilité de l'administration sera quasi-automatique.

Mais, si l'administration commet des fautes dont elle répond et crée des risques dont elle est tenue, les fonctionnaires eux-mêmes peuvent, par leurs actes, engager la responsabilité de leur administration. Celle-ci pourra certes sanctionner la faute ou l'imprudence de son agent ; elle pourra même le faire condamner à lui rembourser l'indemnité qu'elle a eue à décaisser au profit de la victime. Mais c'est elle seule qui sera responsable, car c'est elle seule qui sera interposée entre le fonctionnaire et le tiers lésé. Toutefois, si la faute commise est dite détachable du service, c'est-à-dire indépendante du fonctionnement de ce service, le fonctionnaire incriminé pourra être mis directement en cause par la victime. L'administration n'y prendra aucune part sauf, dans certains cas, pour infliger ensuite à son agent une sanction disciplinaire.

CHAPITRE X

LES MÉCANISMES

I. — LE DOMAINE PUBLIC

L'idée de la domanialité publique se fonde sur l'observation que si certains biens des personnes administratives ne servent qu'à procurer des revenus, d'autres sont indispensables au public. La propriété privée n'est nullement incompatible avec les principes administratifs, et les personnes morales publiques possèdent un domaine privé. Mais précisément elles possèdent aussi un domaine public, dont la caractéristique essentielle est d'être à la disposition du public, ou affecté à l'accomplissement d'un service public, ou destiné à la satisfaction d'un besoin public.

Le domaine public sera donc protégé d'une façon toute particulière contre l'abus que pourrait commettre l'administration elle-même en le vendant, d'où l'inaliénabilité, sauf bien entendu désaffectation, formalité replaçant le bien domanial dans le domaine privé. Il sera protégé également contre le particulier par l'imprescriptibilité, c'est-à-dire par l'impossibilité dans laquelle on se trouve d'usucaper. Ces précautions sont tout à fait légitimes. Voit-on une parcelle de voie ferrée vendue à un particulier ou prescrite par lui ? En revanche, quoi de plus légitime que la vente d'une vieille ligne de chemin de fer inutilisable et désaffectée à un marchand de ferraille ? Mais le bien public entraînera à la charge de l'administration une obligation essentielle : celle de garder le domaine public et de l'entretenir en bon état de fonctionnement.

Je vais maintenant décrire rapidement le domaine public tout comme j'ai, au début de cet ouvrage, expliqué ce qu'est la propriété privée. Le domaine public de l'Etat est de loin le plus important. Il comprend d'abord tous les biens affectés au service public, les communications d'intérêt national, c'est-à-dire les voies de communication terrestres, telles que les routes nationales, chemins de fer d'intérêt général, installations des P. T. T. ; ensuite les voies de communication maritimes et fluviales, y compris les fleuves et rivières navigables et flottables, les rivages de la mer, les étangs salés, les ports, les phares, les canaux ; enfin les bases nécessaires à la navigation aérienne, c'est-à-dire les aérodromes et leurs installations. D'autre part, le domaine public de l'Etat comprend tous les biens affectés aux services publics ; on peut citer comme exemples toutes citadelles, fortifications, terrains militaires, bibliothèques, musées, hôpitaux ou palais nationaux.

Le domaine public du département est peu développé, et comprend essentiellement toute la voirie départementale et les bâtiments affectés aux services publics du département. Le domaine public de la commune ne comprend, en ce qui concerne la voirie, que les chemins vicinaux ordinaires, les chemins ruraux et la voirie urbaine, rues, places, jardins publics. Les bâtiments affectés aux services publics communaux font également partie de ce domaine public.

J'ajoute que les biens meubles peuvent appartenir au domaine public. Il en est ainsi des pièces de musée, des livres des bibliothèques, des manuscrits des archives, des armes de l'armée et de bien d'autres encore dont l'énumération limitative n'est guère possible.

Le lecteur a remarqué que, dans le domaine public, le

groupe le plus important est constitué par la voirie. L'importance économique, politique et militaire du réseau de communications est primordiale dans un Etat moderne, d'où quelques règles importantes en ce qui concerne la fixation des limites de la voirie. Comme il était impossible de recourir au bornage du droit civil, qui aurait permis une discussion et, peut-être, une chicane sur la consistance même du domaine public, un régime compatible avec la domanialité a été prévu. C'est d'abord la délimitation, qui consiste pour l'autorité administrative à constater, par voie de décrets de domanialité, l'affectation de la voirie naturelle. C'est ensuite l'alignement pour la voirie artificielle. L'alignement fixe d'autorité la limite de la propriété privée riveraine en tenant compte du plan d'alignement pour les voies existantes et du plan d'extension pour les voies projetées, plans d'urbanisme généralement dictés par un souci de commodité, d'esthétique et d'hygiène. Le résultat de l'alignement est en tout cas de placer dans le domaine public la superficie de terrain nécessaire à la voirie.

La délimitation et l'alignement sont des modalités d'agrandissement du domaine public. L'affectation en est une autre. Par cette opération, un immeuble dépendant du domaine public ou détenu par la personne administrative à un titre quelconque est mis à la disposition d'un département ministériel pour lui permettre d'assurer le fonctionnement du service public dont il a la charge.

Mais c'est essentiellement par l'expropriation pour cause d'utilité publique, lorsqu'il s'agit d'immeubles, ou par la réquisition, lorsqu'il s'agit d'objets mobiliers, que s'obtient l'acquisition des biens, donc l'accroissement du domaine public. L'expropriation est une procédure par laquelle l'administration force un propriétaire à lui céder un bien immobilier dont elle a besoin dans un intérêt public et dont ce propriétaire refuse la vente amiable. L'expropriation est une procédure lourde et difficile, mise en œuvre seulement dans des cas importants, mais le nombre d'opérations auxquelles on reconnaît le caractère d'utilité publique permettant l'expropriation est aujourd'hui considérable, de même que le nombre de personnes pouvant exproprier. J'ajoute que la notion d'utilité publi-

que s'est largement développée et que la simple considération de l'intérêt général permet aujourd'hui la mise en
œuvre de l'institution. Cette utilité publique peut être de
tout ordre : économique ou social, sanitaire ou esthétique.

A l'origine, l'expropriation ne réalisait pas la conciliation des prérogatives de l'administration et des intérêts
du particulier exproprié, car, avant 1810, l'administration
fixait elle-même l'indemnité, ce qui était un acte de souveraineté, mais pouvait conduire à des injustices. On
songea alors à confier aux tribunaux judiciaires, gardiens
de la propriété privée, le soin de déterminer l'indemnité.
Il en résulta des indemnités élevées et fort onéreuses pour
les finances publiques. On demanda alors à un jury de
propriétaires contribuables de déterminer l'indemnité
sous le contrôle des tribunaux. L'expérience fut encore
plus décevante, le jury se montrant encore moins ména-
ger des deniers de l'Etat. Plus tard une commission arbitrale d'évaluation se vit confier le soin de fixer l'indemnité. C'est aujourd'hui l'attribution d'un juge foncier.

La procédure même de l'expropriation se déroule en
deux phases. La première, administrative, se fait en deux
temps : d'abord la déclaration d'utilité publique, qui
décide l'expropriation après enquête et qui prévoit toute
critique du projet ; ensuite l'arrêté de cessibilité, qui
désigne les parcelles atteintes par l'expropriation et précise la date de la prise en possession. La seconde phase
est judiciaire, et comprend, elle aussi, deux opérations.
D'abord intervient l'ordonnance par laquelle le juge prononce l'expropriation. A partir de ce moment, le transfert
de la propriété est accompli, mais les anciens propriétaires
conservent encore la possession du bien, l'entrée en
possession de l'administration étant subordonnée au
paiement par elle d'une indemnité. D'où une deuxième
opération, qui résulte de la décision d'un juge foncier.
Désigné par le premier président de la cour d'appel pour
cinq ans, il rendra sa sentence après avoir recueilli
tous éléments d'information, visité les lieux et, le cas
échéant, entendu des plaidoiries. Sa décision est susceptible d'appel devant la cour d'appel. Dès que l'indemnité
a été versée par l'administration, rien ne s'oppose plus
à ce qu'elle entre en possession de l'immeuble.

Certaines circonstances commandent des procédures particulières d'expropriation. Je me bornerai à citer l'expropriation pour travaux militaires, qui a bénéficié d'une législation spéciale d'urgence et d'extrême urgence permettant à l'administration l'entrée en possession des biens expropriés avant le versement de l'indemnité ou même avant sa fixation définitive. Cette législation a été par la suite étendue à certains travaux publics urgents et aux grands travaux contre le chômage.

L'expropriation n'étant applicable qu'aux immeubles, la pratique a introduit pour les biens mobiliers l'idée de réquisition. A la vérité, la réquisition se fonde simplement sur l'urgence qu'il y a, dans certaines circonstances exceptionnelles, à se procurer de grandes quantités de denrées ou autres objets. C'est pour les troupes en campagne que primitivement la réquisition a été établie et elle a gardé ce caractère exceptionnel, de sorte qu'elle n'est possible qu'en cas de mobilisation ou de calamité, ou encore pour l'exécution d'un service public essentiel. Mais les principes sur lesquels se fonde la réquisition la distinguent très nettement de l'expropriation. C'est une procédure purement administrative, et le pouvoir judiciaire n'y intervient jamais, à moins qu'il n'y ait, ensuite, contestation sur l'indemnité. Une notification doit être faite au propriétaire avant la prise de possession des objets par l'administration, mais l'indemnisation n'est pas préalable, comme en matière d'expropriation ; elle est toujours versée après l'exécution.

L'utilisation du domaine public par les particuliers et, d'une façon générale, l'accès aux dépendances domaniales est diversement réglementé. J'éliminerai tout de suite certains immeubles du domaine public dont l'accès est interdit, comme les ouvrages affectés aux services de la défense nationale, ou dont l'accès est subordonné à l'obtention d'un laissez-passer individuel, comme certains arsenaux. Dans la grande majorité des cas, l'utilisation par les particuliers du domaine public est courante et constante ; elle peut être collective ou privative.

Lorsqu'il s'agit de la circulation sur les voies publiques ou sur les plages, lorsqu'il s'agit de navigation sur les voies navigables, l'utilisation collective est libre et égale.

C'est tout simplement l'application de la plus élémentaire des libertés publiques, celle d'aller et venir. Cependant, il existe certaines limites tant à la liberté qu'à l'égalité de l'usage individuel de ce domaine public. La liberté de circulation se heurte aux règlements de police, de la sécurité et du bon ordre de la circulation. Il faut aussi noter, à titre d'exemples, certains droits spéciaux des riverains des voies publiques.

Ces exceptions confirment la règle de l'utilisation libre et égale du domaine public. Mais des droits à l'utilisation privative peuvent être consentis par l'Etat à des particuliers, et la règle se trouve alors battue en brèche à leur profit. C'est ainsi que l'administration peut octroyer unilatéralement des droits, qui sont alors accordés à titre précaire, comme le permis de stationnement aux chauffeurs de taxi ou comme le permis accordé à l'installation d'un poste de distribution d'essence. L'administration peut ensuite et surtout consentir des droits contractuels : stands dans les halles et marchés, concessions de caveaux dans les cimetières ou encore concessions de voirie.

II. — LES ACTES UNILATERAUX

L'expropriation pour cause d'utilité publique et la réquisition sont deux exemples d'actes unilatéraux de l'administration agissant pour le bien de la collectivité sans se soucier des intérêts particuliers, et quelquefois en les violant délibérément. Or, ces actes unilatéraux sont nombreux et variés. Leur examen constitue une des pages les plus curieuses, mais aussi les plus attachantes de nos institutions de droit public.

Les prérogatives essentielles de l'administration en cette matière sont contenues dans les principes de la décision exécutoire et du pouvoir discrétionnaire. Le principe de la décision exécutoire signifie qu'une fois prise, la décision administrative est exécutoire par elle-même. En d'autres termes, aucune formalité complémentaire ne s'interpose, comme dans les institutions de droit privé, entre la décision et l'exécution. La justification de cette prérogative se trouve d'une part dans l'idée que l'admi-

nistration gère les services publics et n'agit que dans
l'intérêt collectif, de sorte que ses initiatives doivent toujours bénéficier de la priorité, et qu'il convient de les
faciliter très largement ; elle se trouve d'autre part dans
l'idée de l'indépendance de l'administration à l'égard du
pouvoir juridictionnel, qu'il émane des tribunaux administratifs eux-mêmes ou, à plus forte raison, des juridictions de l'ordre judiciaire. Le principe du pouvoir discrétionnaire amplifie celui que je viens d'expliquer. Le
pouvoir discrétionnaire de l'administration lui permet de
prendre des décisions en dehors de toute règle de droit.
Il lui appartient, et à elle seule, d'apprécier l'opportunité
de sa décision, c'est-à-dire des motifs ou des circonstances qui lui font adopter tel parti.

Il est, dès lors, évident que l'administration possède,
grâce à ces deux principes, une arme redoutable. Cependant, le régime juridique des actes unilatéraux concilie
les prérogatives de l'administration avec les principes
fondamentaux des libertés publiques auxquelles sera consacré notre prochain chapitre.

Les actes administratifs unilatéraux sont individuels
lorsqu'ils ne concernent qu'une situation particulière,
comme par exemple la nomination ou la révocation d'un
fonctionnaire ; ils sont réglementaires lorsque l'administration pose des règles générales semblables à celles qui
sont définies par la loi. Les actes individuels ne sont
soumis à aucune forme particulière, et pourront prendre
celle d'une délibération, d'un arrêté ou d'un décret. En
revanche, l'acte réglementaire est beaucoup plus grave
et beaucoup plus important ; sa forme autant que les
mesures qu'il prescrit l'apparentent incontestablement à
la loi, dont il adopte le caractère de généralité, de permanence et d'obligation. Pourtant, deux points l'en différen-
cient. D'abord, si la loi est toujours considérée comme
l'expression de la volonté générale, le règlement n'est que
l'expression de son auteur, l'autorité administrative. Une
seconde différence est encore plus nette : la loi, étant la
manifestation du pouvoir législatif, se suffit toujours à
elle-même, tandis que le règlement n'est pas pleinement
indépendant ; il doit être conditionné, prévu, souvent
prescrit par une loi.

Dans les deux cas d'actes unilatéraux de l'administration, qu'il s'agisse de l'acte individuel ou de l'acte réglementaire, leur entrée en vigueur sera régie par les
principes généraux applicables à tous les actes juridiques : l'acte devra être porté à la connaissance des intéressés, spécialement par la notification pour les actes
individuels, par la publication pour les actes réglementaires.

La validité des actes unilatéraux pose le problème de
l'éventuelle opposition entre les intérêts de l'administration et les libertés publiques. Le contrôle des actes
administratifs se fera avec un soin particulier par les
tribunaux administratifs, lorsque ces actes leur seront
déférés par voie de recours pour excès de pouvoir ; c'est
une procédure qui permet au juge d'annuler tout acte
administratif entaché d'incompétence, de vice de forme,
de détournement de pouvoir ou de violation de la loi.
En dehors de ce recours, l'administré pourra soulever
l'exception d'illégalité, qui n'est cependant jamais possible
contre les actes individuels mais seulement contre les
actes réglementaires : l'administré se fonde en l'espèce
sur le fait que le règlement a été pris illégalement, compte
tenu des termes de la loi à laquelle il est subordonné.
Enfin, il est toujours possible à l'administré de provoquer
le contrôle des actes administratifs par voie administrative en formant un recours gracieux.

Une fois l'acte administratif devenu pleinement valable,
soit parce que les recours ont été rejetés, soit parce qu'il
n'en fut point formé, un autre problème surgira, celui de
l'exécution. En principe, elle sera volontaire. Mais, en cas
de refus d'obéissance de la part de l'administré, deux
moyens ont largement raison de sa mauvaise volonté.
C'est d'abord l'exécution forcée, qui découle directement
du caractère exécutoire de l'acte administratif. Ce sont
ensuite les sanctions pénales et administratives. Ces dernières ne sont d'ailleurs applicables que lorsqu'elles ont
été déterminées par la loi, et l'administration ne peut en
aucun cas les prescrire. La suppression du permis de
conduire par exemple est une sanction pénale pour certaines infractions et l'administration peut l'appliquer
dans les cas spécialement prévus par la loi, mais l'admi-

nistration ne peut établir elle-même une pareille sanction, ni l'appliquer aux cas non énumérés dans les textes répressifs qui sont, on le sait, d'interprétation étroite.

L'exécution de toutes les décisions administratives est en définitive confiée à la police administrative, dont l'objet est d'assurer l'ordre public en conformité avec les dispositions prises par l'administration. La police judiciaire est strictement répressive, je l'ai déjà indiqué dans le chapitre consacré à la poursuite des crimes et des délits, tandis que la police administrative, qui s'exerce par des actes unilatéraux exécutoires et discrétionnaires suivant les principes qui viennent d'être posés, est une police préventive, en ce sens qu'elle est créatrice de l'ordre public.

Mais, à l'intérieur même de la police administrative, il importe de distinguer une police générale et une police spéciale. La première a effectivement pour seule mission et pour seule fin d'assurer le bon ordre, la sûreté et la salubrité publiques. Les mesures de police prises à ce titre seront donc très larges, et s'appliqueront à tout fait risquant de troubler l'ordre public. Au contraire, les polices spéciales s'exercent dans des domaines précis et nettement déterminés, comme par exemple la police des débits de boissons, celle de la santé publique, celle des sépultures, celle de la médecine, celle des étrangers ou celle de la circulation.

Les autorités investies de pouvoirs de police sont essentiellement le maire pour la police municipale et le préfet pour de nombreuses polices spéciales. A Paris, où il existe une police d'Etat dont l'organisation est particulière, c'est le préfet de police qui dirige celle-ci en même temps qu'il dirige la police municipale. Parmi les ministres, seul celui des Travaux publics possède des pouvoirs de police administrative en ce qui concerne les chemins de fer. Enfin le Premier ministre, titulaire du pouvoir de police pour l'ensemble du territoire, est compétent pour préciser les conditions d'application des lois de police, spécialement par voie de règlements d'administration publique.

En régime normal, la mission de la police administrative est la protection des libertés publiques dans le respect absolu de la légalité. Son rôle est de concilier les aspirations des citoyens avec les impératifs du maintien de l'ordre.

La liberté d'aller et venir se heurte à certaines exceptions prévues par la police des cortèges et manifestations sur la voie publique et par celle de la circulation des véhicules. La liberté du domicile et le droit de propriété sont limités par les prescriptions de la police de la salubrité ; l'administration peut par exemple ordonner la destruction d'une maison qui menace ruine ou l'abattage d'un bétail contaminé.

Le régime du commerce est la liberté ; cependant certaines restrictions légales sont prescrites, telles que la réglementation des heures d'ouverture ou de vente, l'interdiction du commerce à certaines personnes, l'autorisation administrative pour des commerces déterminés, la taxation et le contrôle des prix de certains produits. La police administrative sera, là encore, chargée de l'application des mesures prescrites. Elle veillera également sur l'application des dispositions administratives prises pour l'ouverture ou l'exploitation des théâtres, cinémas et autres spectacles.

Elle s'occupera de l'ensemble de la vie municipale : des étalages comme des courses, des précautions contre les accidents comme de la police des voies navigables, des clôtures comme de la tranquillité publique, des jeux comme des bals publics, des hôtels et auberges comme de l'exactitude du débit des denrées. C'est encore la police municipale qui veillera sur la salubrité publique et — en relation avec les pompiers, corps d'élite de l'armée —, sur le danger des incendies.

En régime exceptionnel, l'élargissement des pouvoirs de police apparaît normalement, tantôt par l'appréciation par le juge administratif de l'existence d'un état d'urgence, tantôt par les dispositions expresses de la loi qui établit une légalité d'exception, comme par exemple l'état de siège.

Le contrôle du pouvoir de police est tel qu'il vient d'être décrit pour tous les autres actes unilatéraux, mais il s'ajoute ici un contrôle complémentaire indirect : celui qui permet d'engager une responsabilité administrative, sur laquelle j'aurai l'occasion de revenir un peu plus tard.

III. — LES CONTRATS ADMINISTRATIFS

Lorsque j'ai dit comment s'est formé le domaine public, j'ai montré la grande différence qui sépare les biens administratifs de la propriété privée. J'ai expliqué pourquoi les règles n'étaient pas et ne pouvaient pas être semblables. De même, en ce qui concerne les contrats, lorsqu'on a dit accord de volontés, on n'entend pas exactement la même chose en matière privée et en matière administrative. Cependant, un contrat passé entre particuliers sera toujours un contrat de droit privé, tandis qu'un contrat auquel l'administration est partie n'est pas nécessairement un contrat administratif, car rien n'empêche l'administration de conclure des contrats de pur droit privé. En principe, le régime du contrat administratif sera déterminé par son objet : si l'administration agit dans l'intérêt général, elle formera un contrat administratif ; si elle agit dans un intérêt particulier, par exemple dans l'intérêt de son domaine privé, elle conclura un contrat de droit commun.

Le contrat administratif se caractérise par le fait que, d'une part, il se rapporte à un service public et que, d'autre part et surtout, il met en œuvre des procédés de droit public, c'est-à-dire que ses clauses sont exorbitantes du droit commun. En réalité, c'est en lui-même, dans la façon dont il se présente, dans la manière dont se comportent les cocontractants, qu'un contrat administratif se détermine en tant que tel. Le système, avec toutes ses servitudes, d'un contrat ordinaire n'atteindrait pas le but que se propose l'administration en concluant une convention : servir la collectivité.

En même temps que le contrat administratif se distingue du contrat ordinaire, il se distingue de l'acte unilatéral de l'administration. Celui-ci est un acte de volonté unilatérale et j'en ai expliqué les modalités dans la division précédente, celui-là est quand même un accord de volontés.

Le contrat administratif ne peut être conclu aussi librement qu'un contrat civil. Les règles de fond et de forme destinées à garantir à la fois l'intérêt général et les deniers publics en compliquent la formation, car il s'agit d'éviter les pressions, ou les complaisances, ou les augmentations injustifiées de prix, ou tous ces périls à la fois. C'est ainsi que diverses restrictions sont apportées à la formation des contrats administratifs, dont la plus importante se fonde sur le principe de l'adjudication. Celle-ci interdit le libre choix du cocontractant, notamment en matière de marchés de travaux publics, afin de laisser à tous les candidats une chance égale de traiter avec l'administration.

L'adjudication se fondera donc sur la publicité et sur la concurrence. Lorsque l'administration se propose de conclure un marché, elle provoque un appel d'offres en faisant connaître les conditions générales du marché. Les entrepreneurs intéressés par l'offre de l'administration font connaître par un document, qu'on appelle soumission, le prix minimum auquel ils peuvent traiter. Si l'administration a indiqué elle-même un prix maximum, les soumissions se feront par voie de rabais sur le prix fixé. L'adjudication est toujours prononcée au profit de celui qui propose les conditions les plus avantageuses. Dans certains marchés où la qualité du cocontractant est particulièrement importante, l'administration peut procéder à une adjudication restreinte, limitant ainsi la concurrence entre certaines entreprises préalablement sélectionnées et considérées comme techniquement aptes à soumissionner.

Si l'adjudication est la règle, elle comporte cependant des exceptions, dont la principale est le marché de gré à gré. Dans ce cas, le cocontractant sera librement choisi par l'administration, qui débattra avec lui les modalités et les conditions du contrat. Cette modalité de marché s'imposera dans certaines circonstances particulières, par exemple lorsque la fabrication ou le produit sont couverts par un brevet ou une marque, si l'adjudication n'a pu aboutir pour absence de soumissions ou si, enfin, la valeur du marché est de peu d'importance.

Le contrat administratif comporte en général un élément important : c'est le cahier des charges, qui est l'ensemble des documents fixant les conditions d'exécution du contrat. Le document essentiel est le cahier des clauses administratives générales, qui contient toutes les prescriptions juridiques établies pour déterminer les rapports de l'Etat et de ses cocontractants. Encore que chaque département ministériel ait organisé son propre cahier, une mesure récente prévoit l'unification de ces documents contractuels.

Une fois conclu, par exemple par l'adjudication, le contrat administratif requiert encore l'approbation du ministre, du préfet ou du sous-préfet, suivant qu'il s'agit d'un marché de l'Etat ou d'une collectivité locale. Cette approbation, expression la plus pure du pouvoir de tutelle administrative, nécessite souvent, pour les marchés les plus importants, l'avis d'une commission consultative.

L'exécution des contrats administratifs se fera selon certaines modalités communes à tous les contractants et je n'en parlerai guère ici ; je détacherai cependant quelques règles particulières, qui concernent soit les prérogatives de l'administration, soit les droits du cocontractant. Les prérogatives de l'administration tendent essentiellement à permettre d'assurer le fonctionnement régulier du service public. C'est ainsi par exemple que les faits nouveaux qui pourraient mettre fin au fonctionnement du contrat et qui, dans un contrat de droit privé, auraient libéré le cocontractant, vont rester sans influence sur la poursuite du contrat auquel l'administration va forcer son cocontractant. C'est une prérogative considérable, qu'il faut ajouter à celle qui permet à l'administration, en cours de contrat, de modifier certaines obligations : elle peut faire accélérer la cadence des travaux, réduire certains tarifs, infliger des amendes et même annuler le contrat en cas de manquements graves, sans avoir besoin de passer par l'intermédiaire de la justice. Ces mesures unilatérales, librement fixées ou aggravées par l'administration, s'appellent le fait du prince, parce qu'elles sont le fait de l'autorité publique.

Mais l'administration ne peut pas pousser le fait du prince jusqu'à ruiner son cocontractant, lorsque, les circonstances économiques ayant changé, l'exécution du contrat ou sa poursuite se révèlent pratiquement impossibles aux clauses et conditions fixées par le marché. C'est alors qu'intervient la théorie de l'imprévision, qui permet de protéger les droits du cocontractant : elle autorise en effet en toutes circonstances la modification des clauses du contrat pour survenance de conditions économiques nouvelles ; dans la mesure où ces conditions économiques dépasseront par leur ampleur le risque inhérent à tout contrat, on pourra arguer de l'imprévision et faire modifier dans un sens plus libéral les modalités contractuelles. Sur ce point, l'administration est plus humaine pour son cocontractant que l'individu ; on sait en effet qu'en droit privé cette théorie ne s'applique pas et que le contrat de droit commun devra toujours s'exécuter, quelle que soit la modification des conditions extérieures.

Parmi les principaux contrats administratifs, le plus intéressant, car il est très répandu, est le travail public. Selon une formule classique, c'est un travail exécuté sur un immeuble pour une personne publique dans un but d'intérêt général. Le travail public n'est jamais soumis aux règles civiles. S'il est vrai que rien n'empêche l'exécution par l'administration elle-même du travail en forme de régie, l'autorité publique préfère en général recourir au marché de travaux publics. Dans un cas comme dans l'autre, ce sont les procédés administratifs qui s'appliqueront.

Les procédés d'exécution en matière de travaux publics seront l'offre de concours, l'occupation temporaire et la récupération des plus-values.

L'offre de concours est un contrat administratif assez banal. Antérieure à l'exécution, l'offre de concours viendra d'un particulier qui désire collaborer à l'exécution du travail public en fournissant une aide en argent ou en nature. L'occupation temporaire est différente de l'offre de concours, puisqu'elle suppose une collaboration forcée et non plus volontaire à l'exécution du travail public. Cette prérogative de l'administration lui permet d'utiliser les terrains non clos au voisinage d'un travail public pour les besoins de celui-ci. Elle consiste essentiellement dans l'occupation des terrains voisins, occupation ne pouvant du reste dépasser cinq ans. La récupération des plus-values sera une aide matérielle extérieure, mais à la fois forcée et postérieure à l'exécution. Elle consiste à récupérer sur les propriétés voisines de l'ouvrage public une part de la plus-value qui leur a été ainsi procurée.

IV. — LE BUDGET DE L'ETAT

L'Etat et les autres collectivités publiques, toutes les personnes morales administratives, de même que les services publics, dépensent de l'argent pour vivre, exactement comme le font les particuliers. Ces dépenses, chiffrées par milliards et qui portent le nom de dépenses publiques, seront couvertes par divers moyens, dont l'impôt est le principal ; mais il y en a encore plusieurs autres sur lesquels nous passerons plus rapidement.

Nos institutions financières, comme d'ailleurs la plupart de nos institutions, subissent à l'heure présente une importante et profonde transformation.

Autrefois, au temps du régime libéral, toute intervention de l'Etat dans la vie économique de la nation semblait une inadmissible atteinte à la toute-puissance de la personne. L'Etat prélevait de modestes impôts et son rôle consistait surtout à employer ses ressources dans des domaines traditionnels : défense nationale, instruction publique, fort rudimentaire au demeurant, police et services publics essentiels. Place nette devait être faite à l'initiative individuelle.

Peu à peu, le rôle de l'Etat s'est accru. A tous les services qu'il rend aujourd'hui aux citoyens s'ajoutent les grands travaux entrepris dans l'intérêt général, l'administration d'un immense domaine public, le fonctionnement d'entreprises nationalisées, la construction de routes, de canaux, de chemins de fer, de nouvelles usines, d'hôpitaux, l'entretien d'une armée de professeurs — l'instruction publique étant aujourd'hui beaucoup plus poussée et largement distribuée à toutes les classes sociales. L'Etat s'occupe d'assistance, il effectue une redistribution des revenus par les organismes de sécurité sociale. Il est industriel et il est commerçant. Son rôle dans la vie nationale est sans commune mesure avec celui qui lui était dévolu il y a seulement un quart de siècle.

Bien mieux, l'Etat peut aujourd'hui peser sur l'économie de la nation d'une façon déterminante et procéder à une véritable redistribution des richesses en favorisant ou en défavorisant telle ou telle branche de l'activité nationale, par exemple en l'exonérant ou, au contraire, en la surchargeant d'impôts. Il intervient même plus directement dans le fonctionnement des entreprises en accordant des subventions à certaines d'entre elles. De cette façon, le rôle et la fonction de l'Etat et, d'une façon générale, des collectivités publiques dans la vie économique et sociale du pays se trouvent profondément rénovés.

Les dépenses publiques sont de plusieurs sortes. D'abord, les dépenses de fonctionnement relatives à la marche normale des services publics. Ensuite, les dépenses qu'on peut appeler d'investissement ou d'équipement et qui tendent à accroître le patrimoine de la nation. Enfin les dépenses de répartition, qui correspondent à un transfert des biens et tendent à réaliser un peu plus de justice dans la distribution des richesses. Cet accroissement constant des dépenses de l'Etat tient à des causes nombreuses, dont la principale est la multiplication des fonctions de l'Etat, mais dont certaines autres doivent être recherchées dans l'apparition de besoins nouveaux, dans un élargissement de l'effort civilisateur, dans l'augmentation de la population, ainsi que dans l'apparition de nouvelles inventions et de nouveaux moyens techniques.

Comme un particulier, l'Etat doit équilibrer ses dépenses et ses recettes. Un décret de 1956 a tenu compte des impératifs modernes des finances publiques et a prescrit que « le budget de l'Etat prévoit et autorise, en la forme législative, les charges et les ressources de l'Etat. Il est arrêté par le parlement dans la loi de finances qui traduit les objectifs économiques et financiers du gouvernement ». Cette définition reste valable sous le régime de la Constitution de 1958.

Ces idées conduisent à préciser les caractères généraux de l'acte budgétaire. C'est d'abord un acte comprenant toutes les dépenses et toutes les recettes de l'Etat ou d'une collectivité publique ; le contrôle en est ainsi considérablement facilité. C'est ensuite un acte unique, encore que cette règle de l'unité du budget comporte certaines limites. C'est aussi un document législatif, en ce sens que la loi du budget est de la compétence parlementaire conformément à une tradition très ancienne. Enfin, outre que le budget est toujours établi pour une période d'une année et ne peut être reconduit, il concerne nécessairement une période à venir, puisque la loi précise bien qu'il « prévoit et autorise ».

Parmi les principes fondamentaux concernant les finances publiques figure encore et surtout l'idée de l'équilibre budgétaire. Mais le concept assez simpliste de la doctrine classique est aujourd'hui largement dépassé. Dans la doctrine attachée au libéralisme économique, l'équilibre du budget signifie simplement que toutes les dépenses doivent toujours être couvertes par des recettes, sous les peines économiques les plus sévères. L'expérience a prouvé que cette doctrine ne correspondait nullement à la réalité des faits et que les catastrophes prédites par les économistes ne se sont jamais réalisées. Le déséquilibre du budget de l'Etat ne conduit pas au désastre s'il s'inscrit normalement — ce qui est courant —, dans un équilibre général de l'économie nationale. Or, cet équilibre est atteint sous trois conditions : qu'il n'y ait pas de chômage, que les prix soient stables et que l'essor économique se poursuive. Dans les périodes d'intense activité économique, comme celle qui a débuté après la deuxième guerre mondiale, la réunion de ces conditions est un phénomène universel.

Dans l'élaboration du budget, le ministre des Finances joue un rôle prépondérant. C'est d'ailleurs lui qui prépare entièrement le budget des recettes. En revanche, chaque ministre prépare, pour son département, le budget des dépenses. En premier lieu, il fait une évaluation globale de ses besoins. Après diverses tractations avec le ministre des Finances, qui joue en quelque sorte un rôle de censeur auprès de tous ses collègues, les projets sont centralisés et repris par le ministre, qui établit le projet de loi des finances et le dépose sur le bureau de l'Assemblée.

Voté par le parlement, le budget sera exécuté, ce qui donnera lieu à une procédure complexe. En effet, l'exécution des dépenses comme des recettes est soumise à la règle fondamentale de la distinction des administrateurs, chargés de provoquer les opérations budgétaires, et des comptables, chargés de les réaliser, ces deux fonctions étant rigoureusement séparées.

Le contrôle de l'exécution du budget s'exerce de trois manières différentes.

Il existe, en premier lieu, un contrôle administratif qui prend deux aspects. D'une part, c'est le contrôle hiérarchique, conforme à l'organisation de la fonction publique, c'est-à-dire le contrôle qu'exerce le supérieur sur ses agents subordonnés. D'autre part, c'est un contrôle purement budgétaire effectué par le ministère des Finances sur tous les autres ministères. Il commence par le contrôle automatique des comptables sur les ordonnateurs. Il se poursuit par les vérifications sur pièces et sur place, confiées aux inspecteurs des finances. Il s'achève par le contrôle des dépenses engagées. L'idée fondamentale qui a présidé à la création des contrôleurs des dépenses engagées a été de placer, à côté de chaque ministre compétent, un agent technique capable de vérifier et éventuellement de prendre les décisions budgétaires. C'est ainsi qu'aujourd'hui, par l'intermédiaire de ce fonctionnaire, tous les ministres sont soumis à un véritable pouvoir de contrôle et de surveillance du ministre des Finances.

Un second contrôle est juridictionnel ; il est exercé par la Cour des comptes. La Cour des comptes est formée de hauts magistrats répartis en trois degrés hiérarchiques : auditeurs de première et seconde classe, conseillers-référendaires et conseillers-maîtres. Ces magistrats, inamovibles, ont à leur tête un Premier président. Ils sont répartis en cinq chambres et constituent la juridiction de droit commun des comptes soumis pour l'examen de leur régularité. Ses arrêts peuvent faire l'objet de pourvois devant le Conseil d'Etat.

Enfin le dernier contrôle est parlementaire. Il s'exerce d'une façon permanente en cours d'exécution du budget et se fonde sur le pouvoir général de contrôle des parlements dans les régimes démocratiques. Il s'exerce aussi au moment du règlement définitif du budget, c'est-à-dire au moment où celui-ci s'achève par la loi des comptes. C'est donc toujours le parlement qui examine en dernier ressort la situation du budget de l'Etat et des finances publiques.

V. — LE REGIME FISCAL

Pour les raisons exposées dans la précédente division, on retiendra que les dépenses publiques des Etats modernes du monde occidental s'accroissent dans des proportions considérables. Rien d'étonnant dès lors qu'à cet accroissement prodigieux de dépenses corresponde une recherche soutenue de recettes. Quelles sont donc les ressources sur lesquelles l'Etat peut compter ? Elles sont à classer en trois catégories : en premier lieu, les revenus du domaine public et des participations financières, de même que les taxes et les ressources parafiscales, ensuite les emprunts et les moyens de trésorerie, enfin la fiscalité.

Je passerai rapidement sur les autres ressources de l'Etat, qui font appel à des notions trop techniques, pour examiner avec quelque détail notre régime fiscal.

Les revenus du domaine public sont constitués par de nombreuses redevances, au reste plus importantes pour les collectivités locales que pour l'Etat. On y ajoute traditionnellement les successions vacantes et, depuis la guerre, la liquidation des biens ennemis et la confiscation des profits illicites. Les revenus des participations financières proviennent du fait que l'Etat moderne est actionnaire et obligataire de diverses sociétés privées ou d'économie mixte, et qu'il accorde des prêts à intérêt à des entreprises privées conformément au plan de modernisation et d'équipement. Les revenus des exploitations publiques et des exploitations nationalisées peuvent être

également classés sous cette rubrique, qui tient généralement compte de la situation actuelle de l'Etat, lequel,
après avoir été simplement propriétaire terrien au temps
où la terre était considérée comme la seule richesse, est
devenu aussi, nous l'avons dit, industriel et même commerçant.

Les ressources domaniales ayant décru, des taxes,
notamment celles qui constituent le prix des services
industriels, se sont considérablement développées, ainsi
que la parafiscalité, dont l'objet est de trouver des
ressources particulières, spécialement affectées à la
couverture de dépenses déterminées : financement des
organismes sociaux et professionnels. Les principales
ressources parafiscales proviennent des cotisations de
sécurité sociale, et c'est ainsi que cette institution, grâce
à la parafiscalité, tend aujourd'hui à un véritable auto-
financement.

A ces ressources qui, avec l'impôt, forment le revenu
régulier et habituel de l'Etat, s'opposent les emprunts et
moyens de trésorerie, qui constituent d'importantes ressources destinées à couvrir les besoins de nature exceptionnelle. L'emprunt public est une dette contractée par
l'Etat ou par une collectivité publique quelconque envers
les prêteurs qui apportent les fonds moyennant un intérêt.
La souscription à l'emprunt est un acte volontaire et contractuel. La loi qui autorise l'emprunt fixe les modalités
de remboursement et le taux de l'intérêt, ainsi que d'autres
caractéristiques accessoires, comme les primes spéciales
de remboursement ou certains privilèges fiscaux.

En dehors de l'emprunt, dont les modalités sont multiples, l'Etat dispose encore de moyens de trésorerie, comme
l'émission des bons du Trésor ou les avances de la Banque
de France. Les bons du Trésor sont émis à court terme
pour faire face à des besoins urgents et temporaires, d'où
l'expression de « dette flottante » employée à leur propos.
Les avances de la Banque de France se font en contrepartie de la remise des bons du Trésor.

C'est évidemment, et de loin, l'impôt, prestation requise
par voie d'autorité, qui reste le procédé le plus courant
permettant à l'Etat de se procurer les ressources dont il
a besoin pour couvrir les charges publiques. Les carac-

tères généraux de l'impôt découlent de la définition même que je propose : c'est un prélèvement forcé à caractère définitif et sans contrepartie directe.

Les impôts obéissent à deux grands principes. D'une part, il est nécessaire d'assurer le rendement de l'impôt ; d'autre part, il est indispensable de répartir équitablement la charge de l'impôt entre tous les contribuables car, suivant une formule célèbre, « les meilleurs impôts sont ceux qui donnent le maximum de rendement en occasionnant le minimum de mécontentement ».

Le principe du rendement ne justifie pas de longs développements. A ce point de vue, l'impôt doit être productif et stable. Il doit aussi être élastique, c'est-à-dire pouvoir être augmenté sans provoquer les réactions de défense du contribuable.

Le principe d'égalité s'est heurté pour sa part, à de grandes difficultés d'interprétation, et son évolution a été assez curieuse. On a d'abord considéré que le terme « égalité » devait s'entendre au sens mathématique de proportion identique entre le revenu et la contribution. L'esprit se satisfaisait à la pensée que si le revenu de 1.000 payait 100, le revenu de 100.000 devait payer 10.000. Mais, très vite, on s'est aperçu que cette prétendue égalité aboutissait à des conséquences inacceptables. Ainsi par exemple, il est impossible d'admettre qu'un célibataire sans enfants et un père de famille nombreuse, gagnant la même somme, acquittent le même impôt. Ainsi encore l'expérience montre, et la simple observation le confirme, qu'il est beaucoup plus difficile d'abandonner 100 sur 1.000 que 10.000 sur 100.000 et, à plus forte raison, un million sur 10 millions. D'où la tendance moderne de prendre en considération les charges familiales, ce qui aboutit à certains dégrèvements à la base et autorise une échelle de contributions différente suivant qu'il s'agit d'un célibataire ou d'une famille sans enfants, ou, au contraire, d'une famille nombreuse. D'où encore la tendance moderne qui a abouti à la notion de progressivité de l'impôt, et qui permet de frapper plus lourdement les gros revenus et plus faiblement les petits. Il en résulte que pour arriver à une véritable égalité, réelle et non verbale, il faut que le taux de l'impôt diminue si le revenu est modeste et si les charges familiales du contribuable sont lourdes.

Pour établir l'impôt il convient d'abord de choisir la matière imposable ; notre système fiscal a opté contre l'impôt sur le capital et pour l'impôt sur le revenu. En revanche, notre fiscalité utilise à la fois l'impôt direct et l'impôt indirect. Le premier, supporté surtout par ceux qui possèdent des biens et des capitaux ou exercent des professions stables et rémunératrices, consiste à prélever annuellement au profit du fisc une fraction du revenu du contribuable. Le second, assis sur certains produits, atteint le revenu du contribuable au moment où il acquiert ces marchandises.

Une fois la matière imposable choisie, il faut encore l'évaluer. Deux systèmes ont donc été utilisés, celui de l'évaluation par présomptions et celui de l'évaluation par témoignages. Le premier suppose le montant du revenu d'après certains indices ou signes extérieurs ; il admet également le forfait, c'est-à-dire un chiffre fixé d'accord avec le fisc ou même, dans les cas limites, l'évaluation administrative. Le second implique le témoignage personnel du contribuable, sorte de confession fiscale, qui nécessite soit un système perfectionné de contrôle, soit le témoignage des tiers, sorte de dénonciation fiscale, grâce à laquelle la déclaration d'un contribuable est recoupée par celle d'un autre.

Etabli et évalué, l'impôt est ensuite liquidé, ce qui veut dire qu'on en détermine le montant avec précision ; enfin, le fisc procède au recouvrement de l'impôt, dernière opération technique qui aboutit à l'encaissement par le Trésor des sommes dues par le contribuable.

Le système fiscal français est très complexe. Une importante réforme, du temps de la première guerre mondiale, a complètement refondu l'ancien système, datant de la Révolution, qui comprenait les « quatre vieilles » contributions et leur a substitué deux catégories d'impôts, ancêtres de la taxe proportionnelle et de la surtaxe progressive d'aujourd'hui. Mais la transformation consécutive à la deuxième guerre mondiale a été encore beaucoup plus profonde, puisque le législateur fiscal n'a gardé le système ancien que pour le revenu des personnes physiques. Il a créé en outre l'impôt sur les sociétés et les taxes sur le chiffre d'affaires.

Les revenus des personnes physiques sont donc soumis à deux prélèvements superposés : une taxe, puis une surtaxe.

La taxe proportionnelle, dont le taux est, en principe, de 22 %, frappe tous les revenus de la personne, quels qu'ils soient. Certes l'évaluation de chaque revenu se fera selon ses modalités propres, et on comprend bien que l'évaluation d'un revenu foncier ne se calculera pas de la même manière que, par exemple, le bénéfice d'une profession non commerciale. Mais, ce qu'il est essentiel de retenir, c'est que la taxe proportionnelle s'applique à tous les revenus d'un contribuable. Sont soumis à ce prélèvement proportionnel le revenu foncier, les bénéfices industriels et commerciaux, les rémunérations des gérants des sociétés et des associés en participation, les bénéfices des exploitations agricoles, les bénéfices des professions non commerciales, les revenus des valeurs mobilières et même les traitements et salaires, ces derniers bénéficiant cependant du régime particulier du versement forfaitaire des entreprises.

La surtaxe progressive peut être comparée à une deuxième vague d'impôts passant après la première. Elle s'applique à la totalité des revenus du contribuable avec cependant quelques exceptions, car il existe certains revenus soumis à la taxe et non à la surtaxe. Mais, comme son nom l'indique, la surtaxe est un impôt progressif dont le taux varie suivant le revenu du contribuable. Rien ne sera prélevé sur la fraction de bénéfice net inférieur à une certaine somme, mais les importants revenus paieront jusqu'à 60 % et même, pour les célibataires, 70 %.

Une grande nouveauté a été la création, après la guerre, de l'impôt sur les sociétés et autres personnes morales qui, auparavant, étaient imposables, comme les personnes physiques, suivant les revenus de leur activité. Actuellement, l'impôt sur les sociétés est obligatoirement appliqué à toutes les sociétés de capitaux, à tous les organismes publics, ainsi qu'aux personnes morales exerçant une activité lucrative, comme c'est le cas par exemple de certaines associations. En revanche, cet impôt est facultatif pour les sociétés de personnes, qui peuvent opter pour le régime de l'impôt sur le revenu des personnes physiques, auquel d'ailleurs elles sont automatiquement assujetties si elles ne prennent pas parti.

Enfin, les taxes sur le chiffre d'affaires constituent de véritables impôts sur la dépense. La plus importante est la taxe à la valeur ajoutée, qui frappe les ventes ou les importations. Etablie sur les prix des objets, elle est, parmi les impôts indirects, la contribution à la fois la plus complexe et la plus productive.

Parmi les impôts indirects régis par une administration séparée mais dépendant du ministère des Finances, il faut citer tout particulièrement les impôts sur les boissons, qui sont d'un rapport considérable et qui frappent tous les vins et alcools. Parmi les autres impôts indirects d'un rapport moins élevé, nous noterons les taxes sur divers produits, notamment les produits des monopoles tels que les allumettes, les tabacs ou les poudres à feu.

Deux autres administrations ajoutent encore aux ressources de l'Etat : les Douanes et l'Enregistrement. Les droits de douane sont des droits perçus sur les marchandises importées ou exportées. Mais aujourd'hui ces contributions ont moins un rôle fiscal qu'un rôle économique, car leur destination essentielle est la protection de certaines industries nationales. L'administration de l'Enregistrement est une autre régie financière, d'origine très ancienne, qui perçoit des taxes à l'occasion de la transcription de certains actes sur des registres publics, formalité qui confère date certaine à ces documents.

Une dernière ressource est tirée du produit de la Loterie nationale, organisme institué en 1933 en opposition avec le principe de notre droit qui interdit les loteries. Elle est administrée par un comité de direction qui fonctionne sous l'autorité du ministère des Finances.

VI. — L'ARMEE

J'ai dit, en terminant la description de la vie civile, qu'il était indispensable de renvoyer à une étude ultérieure les deux périodes cruciales de la vie du jeune Français : son passage obligatoire à l'école durant sa minorité et l'accomplissement de ses premiers devoirs de majeur : le service militaire. C'est en étudiant les libertés publiques que je traiterai, à propos de la liberté de l'enseignement, de l'école et de l'université. Mais je ne puis soustraire de la vie administrative l'étude de l'armée, la défense nationale étant non seulement une des obligations essentielles du Français, mais aussi un des principaux mécanismes de l'administration française.

L'organisation militaire poursuit, en effet, plusieurs buts. Elle assure tout d'abord l'instruction militaire des citoyens. Elle prépare en temps de paix et réalise en temps de guerre des mesures permettant la réunion des ressources en personnel et matériel nécessaires à la constitution et à l'entretien des armées. Elle assure la protection permanente des opérations éventuelles de mobilisation, de transport et de réunion des armées et des opérations de mobilisation économique, ainsi que la défense des territoires d'outre-mer. En cas d'insuffisance des forces de police et à titre tout à fait exceptionnel, l'organisation militaire assure le maintien de l'ordre à l'intérieur.

Notre organisation militaire comprend l'armée de terre, l'armée de l'air, et l'armée de mer, ou marine militaire. Autrefois partie de l'armée de terre, l'armée de l'air, qu'on appelle encore aéronautique, en est aujourd'hui séparée. Elle comprend l'ensemble des forces aériennes organisées pour la défense de la métropole et de la communauté française d'outre-mer. La marine militaire comprend les forces maritimes, constituées, à leur tour, par des éléments navals, aériens et terrestres ; les services chargés de pourvoir aux besoins de ces forces en font également partie.

Suivant l'article 15 de la Constitution de 1958, le Président de la République est le chef des armées. Tel était déjà son titre dans la précédente Constitution. C'est lui qui préside et dirige les conseils et comités militaires supérieurs. Le chef hiérarchique de l'armée est le ministre des armées, assisté par le chef d'état-major de l'armée et les généraux inspecteurs de l'armée. En dehors du ministère, de très nombreux conseils et comités exis-

tent au sein des forces armées. On compte parmi les plus
importants le Conseil supérieur de la Défense nationale,
le Conseil supérieur des forces armées, le Comité des
chefs d'état-major, le Comité d'action scientifique de la
Défense nationale, le Centre d'instruction des opérations
amphibies. D'autres comités ou commissions siègent
auprès du ministre des armées et de ses collègues de la
la marine et de l'air : le Comité des poudres et salpêtres,
la Commission des travaux géographiques, la Commission
des écoles militaires, le Comité technique de la marine, la
Commission permanente d'essais des bâtiments de la
flotte, et bien d'autres encore.

Mais il faut maintenant noter qu'une ordonnance de
1959 a profondément modifié notre système militaire traditionnel en l'incorporant dans une organisation générale de la défense, organisation beaucoup plus vaste et
dont l'armée n'est qu'un des rouages.

La défense a pour objet d'assurer en tout temps, en
toutes circonstances et contre toutes les formes d'agression, la sécurité du territoire ainsi que la vie de la population. L'organe essentiel de la défense est le Comité de
défense, présidé par le président de la République et
composé du Premier ministre, du ministre des Affaires
étrangères, de celui de l'Intérieur, de celui des Armées et
enfin du ministre des Finances et des Affaires économiques. D'autres ministres, pour des questions relevant
de leur département, peuvent aussi être convoqués.

Sous l'autorité du Premier ministre, un Comité d'action scientifique de la défense assure l'orientation et la
coordination de la recherche scientifique et technique de
la défense, de même que l'orientation et la coordination
des services de documentation et de renseignement sont
assurés par un Comité interministériel du renseignement.

Tous les Français entre dix-huit et soixante ans sont
assujettis au service national, qui comprend d'une part
le service militaire, d'autre part le service de la défense.
Le premier assure les besoins de l'armée, le second satis-
fait aux besoins de la défense en personnel non militaire.
Les étrangers sans nationalité et ceux qui bénéficient du
droit d'asile sont également assujettis au service national.

Je laisserai de côté le service de la défense pour expo-

L'ARMÉE

ser avec quelque détail l'organisation du service militaire.

La durée totale de cette obligation est la même pour tous ; elle est fixée à dix-sept années dont les cinq premières constituent la disponibilité et les douze autres la réserve.

La seule dispense résulte de l'inaptitude physique à l'accomplissement de ce devoir qui est considéré aussi comme un honneur : en effet la loi militaire exclut de l'armée les personnes indignes. C'est ainsi que tous les criminels, et certains délinquants, suivant la peine et le genre de délits commis, seront exclus de l'armée régulière pour être versés dans des bataillons spéciaux.

L'armée se recrute essentiellement par appel annuel du contingent de tous Français ayant atteint leur majorité. Chaque homme suit le sort de sa classe et l'appel de celle-ci comporte, en premier lieu, la confection de tableaux de recensement annuels, dressés par les maires et affichés dans chaque commune. Les jeunes gens appelés doivent obligatoirement passer devant le conseil de révision, qui authentifie et rend définitives les opérations de recrutement.

Ce conseil est un corps constitué, composé, sous la présidence du préfet ou de son délégué, d'un membre du conseil général du département, d'un membre du conseil d'arrondissement et d'un officier général ou supérieur délégué par l'autorité militaire. Avant de passer devant le conseil de révision, les jeunes gens qui en font la demande comparaissent devant une commission médicale composée de trois médecins militaires.

La séance du conseil de révision est publique. A l'ouverture, les tableaux de recrutement sont lus à haute voix et les appelés sont présentés par les médecins assistant le conseil. Ceux-ci font connaître leur avis sur l'aptitude des jeunes gens aux divers armes ou services. Le conseil statue après avoir éventuellement entendu les intéressés ou leurs parents.

Le conseil de révision classe les jeunes gens en catégories. La distinction qui existait autrefois entre le service armé et le service auxiliaire est supprimée. C'est le conseil qui statue sur l'inaptitude au service. C'est aussi le conseil qui accorde des sursis d'incorporation dans l'intérêt des familles, des professions ou des études, c'est-à-dire autorise les jeunes gens à n'accomplir leur service militaire qu'une ou plusieurs années après leur classe d'âge.

L'incorporation dans l'armée active a lieu sur la base des dates de naissance, et la durée du service compte du jour de l'incorporation effective du soldat, c'est-à-dire du premier jour de sa présence sous les drapeaux. Dans l'année qui précède leur incorporation, les futurs appelés passent dans des centres de sélection qui en assurent l'affectation rationnelle, suivant leurs aptitudes physiques, intellectuelles ou professionnelles.

Appelés sous les drapeaux, les jeunes gens sont affectés aux différents corps où ils vont effectuer leur service actif. Ils sont immatriculés dans un registre tenu dans chaque région militaire. La position de l'homme y sera régulièrement tenue à jour jusqu'à sa libération définitive du service militaire. Comme un reflet de ce registre matricule, chaque homme possédera un livret individuel et, après la fin de son service actif, il recevra un fascicule indiquant ses obligations en cas de mobilisation.

Durant la disponibilité et la réserve, les militaires restent en général affectés aux divers corps de troupe où ils ont effectué leur service actif. C'est dans ces corps qu'ils accomplissent des périodes de réserve qui ont pour but d'approfondir et d'entretenir leurs connaissances militaires et leur esprit combatif.

Mais il faut noter que le classement dans telle ou telle classe de mobilisation dépend de la situation familiale du citoyen. C'est ainsi que, dès la naissance de son second enfant, le père de famille sera transféré dans la classe de mobilisation de quatre ans son aînée. C'est ainsi que le père de trois enfants passera dans la classe la plus âgée de la réserve. C'est ainsi enfin que le père de quatre enfants sera libéré de toute obligation militaire.

Tous les militaires, durant leur service, durant leurs périodes de réserve ou pendant leur carrière, sont soumis à la discipline militaire, qui est très stricte et exige la parfaite soumission de l'inférieur à son supérieur hiérarchique. En cas d'infraction à la discipline, les règlements prévoient diverses mesures disciplinaires et punitions

telles que — pour les officiers — les arrêts simples, les
arrêts de rigueur ou les arrêts de forteresse, telles que
— pour les hommes de troupe et sous-officiers — la con-
signe au quartier, la salle de police, la prison ou la
cellule. Pour des infractions disciplinaires très sérieuses,
des mesures plus graves peuvent être prises après comparution du coupable devant les tribunaux militaires.

Les tribunaux militaires font partie d'une vaste organisation qui porte le nom de justice militaire et qui
comprend les tribunaux permanents et les tribunaux de
cassation des Forces armées. Le rôle de ces juridictions
spéciales, assez réduit à l'origine — puisqu'elles jugeaient
essentiellement des délits se rattachant à l'obligation
militaire, comme la désertion ou l'insoumission —, s'est
considérablement accru à partir du moment où leur
compétence s'est étendue à la répression des atteintes à
la sûreté extérieure de l'Etat, puis à celle des crimes de
guerre. Enfin, depuis 1939, ces tribunaux sont également
compétents pour réprimer toutes infractions commises
par les militaires dans le service.

LA VIE POLITIQUE

CHAPITRE XI

LES LIBERTÉS PUBLIQUES

I. — LE FONDEMENT DES LIBERTES PUBLIQUES

Jusqu'à présent, j'ai envisagé le citoyen dans sa famille et son cadre professionnel. J'ai dit comment il pouvait défendre ses droits et comment la puissance publique intervenait, dans certaines hypothèses, pour le punir et le ramener dans le droit chemin, s'il s'en écartait. J'ai, enfin, abordé un nouvel aspect de la vie du citoyen en montrant comment il entre en contact avec la puissance publique, dont j'ai décrit les organes et les mécanismes.

Dans les deux derniers chapitres de cet ouvrage, je dirai comment le citoyen devient membre de droit de la société. Je montrerai d'abord comment la collectivité dont il fait partie lui permet de jouir des prérogatives de la vie sociale.

Les sociétés humaines se sont constituées en groupements ou en communautés plus ou moins fortement charpentées. La communauté moderne la plus importante est la nation. Elle comprend, sur un territoire donné, l'ensemble des citoyens, unis par leur passé et par le désir d'un avenir semblable. Un philosophe du siècle dernier a cru déceler la caractéristique essentielle d'une nation dans la volonté des hommes qui la composent de vivre en commun et sous les mêmes lois. On a cherché et découvert des similitudes de mœurs, de langue, de croyances, d'habitudes de vie, de degré de civilisation. Ces critères ne sont pas suffisants lorsqu'on les envisage séparément. C'est l'ensemble de ces caractères et de quelques autres encore qui formeront le fait national.

L'entité sociale qu'est la nation est politiquement représentée par une personne morale, l'Etat, dont il a déjà été longuement question. L'Etat assure l'unité nationale et protège les citoyens ; il gère les intérêts collectifs et les services communs. Mais son statut ne ressemble à celui d'aucune autre personne morale, car il réunit l'ensemble des pouvoirs constitués ; l'Etat est souverain.

C'est la constitution, encore appelée la loi fondamentale, qui établit les pouvoirs de l'Etat et précise leur rôle et leurs rapports entre eux. Elle les limite en même temps en garantissant aux citoyens un certain nombre de libertés publiques inviolables. On peut fixer à la Révolution française l'apparition de cet individualisme, et son acte de naissance est la Déclaration des droits. C'est l'article 2 de ce document qui définit le but de toute association politique, c'est-à-dire de toute société organisée ; la « conservation des droits naturels et imprescriptibles de l'homme ».

Toute la philosophie du XIXᵉ siècle tendait à organiser un Etat libéral, c'est-à-dire un Etat qui comprenne et admette l'existence d'un domaine où seul l'individu soit maître, à l'exclusion de toute ingérance de la puissance publique. On distingue deux sources à ce libéralisme doctrinal : la première, politique, est l'idéologie révolutionnaire de la fin du XVIIIᵉ siècle ; la seconde, économique, est l'idée que l'initiative privée, dégagée de l'influence de l'Etat, aboutit plus facilement à la création des richesses. L'intervention de l'Etat semblait, dans la politique, une régression vers l'absolutisme aboli, dans l'économie, un mal en soi.

Ces conceptions traditionnelles des libertés publiques et des fonctions de l'Etat furent bientôt l'objet de rudes attaques. C'est surtout au XXᵉ siècle, entre les deux guerres, que le divorce s'accusa entre les doctrines individualistes classiques et les tendances des écoles politiques anti-individualistes. Les régimes fascistes supprimaient alors les libertés publiques, au nom d'une vision du monde où la société n'était jamais la somme des individus qui la composent, mais un être différent, vivant et se développant selon ses lois particulières, et façonnant les êtres humains pour ses propres buts, présentés comme supérieurs. Le marxisme, de son côté, critiquait durement le libéralisme des démocraties occidentales, reprochant aux libertés publiques d'y être purement verbales et de ne jamais correspondre aux réalités.

L'influence de ce modernisme s'est fait et se fait encore sentir dans notre pays. Cependant, la structure politique de l'Etat français est telle que les idées de séparation des pouvoirs et de protection des libertés fondamentales par l'Etat lui-même sont encore la base du régime. Sous le régime de la Constitution du 4 octobre 1958, et plus spécialement de son article 34, les fondements de nos libertés publiques sont, la Déclaration de 1789 et le préambule de la Constitution de 1946.

La Déclaration de 1789 traite des libertés fondamentales qui garantissent la sûreté de la personne physique ; on accorde à celle-ci les libertés intérieures, qui ont trait aux croyances et aux connaissances, et les libertés extérieures, qui ont trait aux activités et à l'expression de l'individu. Un second groupe de libertés est formé par les « principes particulièrement nécessaires à notre temps » répertoriés par le préambule de la Constitution de 1946.

La liberté individuelle est la première des libertés publiques. Elle est la racine de toutes les autres, elle est la base de toute la construction : les hommes naissent libres. C'est l'article premier de la Déclaration des droits qui le proclame. La liberté individuelle correspond à la sûreté que définit l'article 66 de la Constitution en une formule lapidaire : « Nul ne peut être arbitrairement détenu ». Il s'ensuit que l'homme peut aller et venir sans risquer d'être arrêté ou détenu ou emprisonné ou séquestré, ou même molesté ou maltraité. Le prolongement naturel de la liberté individuelle et de la sûreté de la personne est l'inviolabilité du domicile, considéré comme un lieu d'asile de la personne humaine.

Si la liberté individuelle assure la sauvegarde physique du citoyen, le droit de propriété en assure la sauvegarde matérielle ; son corollaire est la liberté du commerce et de l'industrie. J'en ai déjà parlé dans un précédent chapitre, et il n'en sera donc plus guère question dans les lignes qui vont suivre. En revanche, je traiterai des libertés de pensée, c'est-à-dire de la liberté religieuse et de l'enseignement. Je terminerai avec les libertés d'expression.

Deux nouveaux principes ont été inscrits dans le préambule de 1946, celui de la soumission au droit public international et celui de l'application des libertés publiques à l'Union française.

La soumission au droit public international est la conséquence de l'adhésion de la France à la charte des Nations unies. Ce principe reçoit deux importantes applications. D'une part, il entraîne la supériorité des traités internationaux sur la loi interne, et la Constitution de 1958 prévoit expressément cette conséquence dans son article 55. D'autre part, il admet la limitation de la souveraineté de l'Etat lorsqu'il s'agit d'organiser et de défendre la paix, en même temps qu'il proclame la renonciation à toute guerre de conquête ou contre la liberté.

Le préambule de 1946 s'est attaché en dernier lieu à étendre le bienfait des libertés publiques à l'ensemble de l'Union française ou, comme on peut le dire depuis 1958, à l'ensemble de la Communauté. Cette extension résulte du principe d'égalité tant entre les peuples qu'entre les individus, sans distinction de race, de religion ou de croyance. Dans son dernier alinéa, le préambule dit ce qu'est la mission de la France à l'égard des peuples dont elle a pris la charge : les conduire à la liberté de s'administrer eux-mêmes et de gérer démocratiquement leurs propres affaires. Au reste, depuis 1946, certains de ces peuples ont déjà obtenu leur indépendance.

II. — LES LIBERTES PHYSIQUES

Je dirai d'abord quelques mots de l'essentielle liberté physique qu'est la sûreté. Je n'aurai pas à la décrire longuement, car j'en ai déjà beaucoup parlé dans le chapitre consacré à la justice répressive, spécialement lorsque j'ai montré de quelles minutieuses garanties étaient entourés les arrestations ou les internements des citoyens et combien sérieuses étaient aussi les garanties de la défense.

Cependant, un important problème a surgi récemment à ce propos, lorsque des découvertes scientifiques ont prouvé qu'un usage déterminé de certains produits, tel le penthotal, provoque, lorsqu'il est injecté dans la veine, un état de semi-inconscience durant lequel le patient, en réponse aux questions qui lui sont posées, dévoile des actes cachés et exprime ses pensées les plus secrètes. Ce « sérum de vérité » n'a pas du reste conduit à des résultats très probants, et il risque de donner lieu à des abus : dans l'état second où se trouve le patient, un aveu fantaisiste peut souvent lui être arraché par un questionneur adroit.

De toute façon, si certains procédés autrefois admis par les policiers, tels que la prolongation des interrogatoires durant plusieurs heures sans répit ou pendant la nuit sont à prohiber et à éliminer de l'information préparatoire, simplement parce qu'ils privent, à la longue, la personne soumise à ces traitements, de ses facultés de libre détermination, — à plus forte raison doit-on éviter la narco-analyse, dont l'emploi est contraire à la liberté publique la plus élémentaire, la liberté physique de l'homme.

Si la narco-analyse est à prohiber au nom de la liberté individuelle, il existe des atteintes au corps humain qui sont, au contraire, indispensables. Ce sont celles notamment que prescrivent les lois sanitaires et les règlements de la santé publique, telles par exemple les prises de sang pour le dosage de l'alcool en cas d'accident de voie publique, ou la vaccination obligatoire des enfants. Ces considérations nous amènent à décrire l'administration sanitaire, l'une des plus importantes du pays.

L'administration sanitaire en France dépend d'un ministère, celui de la Santé publique, dont les principales directions s'occupent de l'hygiène publique et sociale, de la médecine générale, de l'enfance et de l'adolescence, de la protection de la maternité, de l'entraide sociale et de la pharmacie. Les services extérieurs sont uniformément organisés, par régions, avec une inspection régionale, et par départements, avec une direction départementale.

Près du ministère se trouvent un certain nombre de conseils consultatifs en matière d'hygiène, dont les fonctions sont très importantes. C'est ainsi que le Conseil supérieur de l'hygiène publique délibère sur toutes les questions intéressant l'hygiène publique et la protection de la santé publique, ainsi que sur l'exercice de la médecine et de la pharmacie. C'est ainsi, encore, que le Conseil permanent d'hygiène sociale, de création plus récente, est chargé d'étudier les moyens de lutte contre les fléaux sociaux. Je cite encore l'Institut national d'hygiène qui est un établissement public national doté de la personnalité civile et de l'autonomie financière. Sa mission est d'effectuer tous travaux de laboratoire intéressant la santé publique, d'étudier les résultats des recherches scientifiques de tous ordres, de confronter les résultats des enquêtes menées dans diverses collectivités avec les investigations de laboratoire et enfin de tenir à jour la documentation complète sur la situation sanitaire du pays. C'est au sein de cet institut qu'une ordonnance de 1945 a créé l'Ecole nationale de la santé publique. J'en aurai terminé avec ces organismes officiels lorsque j'aurai nommé le dernier-né, le Centre national de l'éducation sanitaire, démographique et sociale, organisé en vue de la diffusion des notions essentielles d'hygiène et de prophylaxie.

L'administration locale de la santé et de la salubrité publiques s'organise à l'échelon départemental. C'est le Conseil général de chaque département qui délibère sur l'organisation de l'hygiène publique après avis du Conseil d'hygiène départemental. C'est cet organisme qui, en fait et par l'intermédiaire des commissions sanitaires de circonscription, s'occupe de la santé publique du département. A Paris, le préfet de la Seine se partage avec le préfet de police les attributions sanitaires de la capitale ; ils sont assistés, chacun en ce qui le concerne, par le Conseil d'hygiène publique et de salubrité de la Seine.

La protection sanitaire s'étend à tous les citoyens et plus spécialement aux jeunes ; elle se poursuit par la lutte contre les maladies et les épidémies. Ces deux fonctions des services de santé sont évidemment parmi les plus importantes.

La protection médico-sociale maternelle et infantile est organisée à l'échelle d'un département, lui-même divisé en circonscriptions et secteurs. C'est le directeur départemental de la santé publique, sous le contrôle de l'inspecteur régional de la santé et avec l'aide d'une assistante sociale-chef, qui dirige le service de protection du département. La circonscription comporte un centre de protection maternelle et infantile, qui comprend des consultations prénatales et des consultations de nourrissons. A chaque région sont attachés des médecins consultants de pédiatrie nommés par le ministre ; ils sont les conseillers techniques des directeurs départementaux en matière de maternité et de première enfance.

Pour bénéficier des allocations nombreuses qui lui sont accordées, toute femme enceinte doit suivre les conseils d'hygiène et de prophylaxie qui lui sont donnés par l'assistante sociale. Plusieurs examens ont lieu durant la grossesse et des primes d'assiduité peuvent même être accordées aux futures mères qui fréquentent les consultations prénatales et les séances de vulgarisation de puériculture.

Jusqu'au début de l'obligation scolaire tous les enfants sont l'objet d'une surveillance sanitaire préventive et souvent d'une surveillance sociale, effectuée par les assistantes sociales, qui s'assurent que les enfants reçoivent tous les soins que nécessite leur état et que les prestations familiales sont bien utilisées à leur profit. Des consultations de nourrissons et des interventions médicales complètent cette surveillance, qui se matérialise par des notations portées au carnet de santé dont est pourvu tout enfant à sa naissance et qui le suivra toute sa vie.

Le service d'hygiène scolaire et universitaire prend en charge l'enfant dès son entrée en classe. Au cours de leur

sixième année, tous les enfants sont obligatoirement
soumis à une visite médicale suivie, à partir de ce moment, par des examens périodiques. Une importante visite
est celle qui précède l'incorporation scolaire et qui donne
lieu à la délivrance d'un certificat médical d'aptitude sans
lequel aucun enfant ne peut être admis dans un établissement scolaire. La vaccination est obligatoire. A partir de
son admission à l'école, l'enfant sera soumis à des examens médicaux périodiques. Une réglementation oblige
tous les maîtres et généralement tout le personnel se
trouvant en contact avec les élèves à se soumettre aux
mêmes examens médicaux et, en tout cas, au moins tous
les deux ans, à un examen médical de dépistage des
maladies contagieuses.

La protection contre les maladies et la lutte contre les
épidémies est la deuxième fonction des services de la
santé publique.

La lutte contre les épidémies est assurée par les muni-
cipalités. C'est en effet le maire qui est chargé de prévenir,
par des précautions convenables, et de faire cesser, par
la distribution des secours nécessaires, les maladies épi-
démiques ou contagieuses. Le préfet participe également
à la lutte contre les fléaux et peut, en cas de danger
imminent, ordonner d'urgence les mesures prescrites par
le règlement sanitaire. Mais la déclaration obligatoire de
certaines maladies graves prévient en général les mesures
de cette nature. La liste des maladies soumises à déclaration a été fixée par décret et la désinfection est alors
obligatoire, soit en cours, soit après la maladie. La désinfection est ordonnée par arrêté du maire approuvé par
le préfet. J'ajoute enfin que, en vue de lutter contre les
épidémies, la dératisation et la désinsectisation peuvent
également être rendues obligatoires.

Les vaccinations contre certaines maladies, je l'ai déjà
dit, sont, elles, toujours obligatoires. Telles sont les vaccinations antivariolique, antidiphtérique et antitétanique
qui ont lieu à divers âges. Pour ce qui concerne plus
spécialement la vaccination antivariolique, elle est effectuée au cours de la première année de la vie, puis recom-
mencée dix ans plus tard. On revaccine enfin les jeunes
gens au moment du service militaire. La vaccination anti-

LES LIBERTÉS PHYSIQUES 383

typhoïdique est obligatoire pour les militaires de l'armée active.

En dehors des mesures que je viens de décrire, et plus particulièrement de la vaccination, la lutte contre les maladies est une des plus grandes tâches entreprises par l'administration de la santé publique. La lutte contre la tuberculose en est un exemple. C'est le médecin consultant régional de phtisiologie qui oriente la lutte antituberculeuse dans la région sanitaire qui lui est confiée. Les services antituberculeux comprennent des médecins départementaux ainsi que des médecins chargés du service des dispensaires antituberculeux et des établissements de cure. Les dispensaires sont destinés à assurer, à l'échelon départemental, la prophylaxie individuelle, familiale et collective de la tuberculose. Les établissements de cure comprennent des sanatoriums, des hôtels de cure, des préventoriums, des aériums et enfin des centres de placement familiaux surveillés. Enfin, tout hôpital de chef-lieu de département compte un centre de phtisiologie.

De la même manière s'organise la lutte contre les maladies vénériennes, qui sont d'ailleurs en constante régression, et contre le cancer, à l'heure actuelle ennemi numéro un.

Je dirai, pour terminer, que le contrôle sanitaire aux frontières et dans les ports fait l'objet d'une réglementation spéciale, ainsi que la prophylaxie des eaux destinées à la consommation, qu'une réglementation minutieuse impose des mesures sanitaires aux immeubles, qui peuvent même être expropriés pour cause d'insalubrité, et qu'enfin un service des épizooties veille sur les mesures de police concernant les animaux.

III. — LES LIBERTES DU DOMICILE ET DE LA CIRCULATION

Le respect du domicile et le secret de la correspondance qui en est le prolongement, d'une part, la liberté de circulation, qu'on appelle aussi liberté d'aller et de venir, d'autre part, sont encore des libertés physiques éfémentaires que j'ai détachées des précédentes pour la simple commodité de mon propos. Je les traiterai avec quelque détail, mais comme dans la division précédente, je m'occuperai essentiellement des exceptions à la règle et montrerai que les limitations, ici encore, sont le plus souvent indispensables.

Le domicile est inviolable parce qu'il est considéré comme le prolongement de la personne et bénéficie, en quelque sorte, du concept essentiel de sûreté qui s'attache aux droits fondamentaux de celle-ci. La Constitution de 1791 dispose déjà qu'aucun agent de la force publique « ne peut entrer dans la maison d'un citoyen si ce n'est pour l'exécution des mandements de police et de justice ou dans les cas formellement prévus par la loi ».

En soi, l'inviolabilité du domicile serait une notion absolue, car elle concerne, non pas la protection de la propriété privée, mais le respect de l'intimité du citoyen, c'est-à-dire de sa personne. Cependant cette notion est plus ou moins effective suivant les circonstances ; ainsi la protection de l'appartement même est plus complète que celle des dépendances ou du jardin ; ainsi encore elle s'exerce davantage de nuit que de jour.

Il existe, bien entendu, des exceptions au principe de l'inviolabilité du domicile. En premier lieu, c'est la perquisition ou la visite domiciliaire faite par l'autorité judiciaire, soit pour rechercher des malfaiteurs ou des preuves d'un délit, soit pour exécuter des jugements. Seul un magistrat instructeur ou un agent pourvu d'un mandat émanant de l'autorité judiciaire peuvent l'accomplir.

Le droit fiscal autorise également des visites domiciliaires. Déjà l'Ancien régime connaissait l'institution des « garnissaires », qui s'installaient chez les contribuables récalcitrants et étaient nourris par eux. Ces agents du fisc, appelés plus tard porteurs de contrainte, ne disparurent qu'au milieu du siècle dernier et leur fonction fut remplacée par une simple sommation avec frais. Mais encore aujourd'hui, une intervention effective des agents du fisc peut avoir lieu, spécialement en matière de contributions indirectes et de douanes. Certaines personnes, distillateurs, marchands de vin, débitants de boissons, sont encore soumises à des visites et perquisitions de ces agents, en raison de leur profession. Un contrôle sévère s'exerce aussi en matière de culture du tabac.

D'autres exceptions à l'inviolabilité du domicile proviennent de la nécessité de vérifier l'observation des lois sociales et sanitaires, d'hygiène d'ateliers, de travail des enfants et quelques autres.

Les perquisitions ne peuvent avoir lieu la nuit, c'est là une règle générale qui ne souffre qu'une seule exception, celle de l'état de siège. Mais la notion légale du jour et de la nuit est quelque peu particulière et si, l'hiver, la nuit commence dès 6 heures du soir pour cesser à 6 heures du matin, elle s'étend entre 21 heures et 4 heures seulement pendant la période comprise entre le 1er avril et le 30 septembre.

Le respect du domicile comporte aussi la liberté du choix de celui-ci ainsi que de son utilisation. On peut fixer son domicile où l'on veut et les seules exceptions concernent certaines personnes, lorsque, par exemple, la fixation du domicile est légale. J'ai déjà expliqué cela dans le premier chapitre.

Pouvant fixer où elle le veut son domicile, toute personne peut évidemment en changer à son gré. Mais certaines exceptions, là encore, limitent le principe. C'est ainsi que les brocanteurs sont tenus de faire une déclaration au commissariat lors du changement de domicile. Ceci à cause de la vieille et tenace méfiance de la police à l'égard de cette profession. Pour des raisons strictement militaires, spécialement pour que leur fascicule de mobilisation puisse les toucher, les militaires de réserve doivent déclarer leur changement de domicile et même de résidence. Enfin le régime des étrangers en cette matière, ainsi que nous le verrons tout à l'heure, est très particulier.

Je dirai encore que la liberté de l'usage est réglementée essentiellement dans l'intérêt des voisins, qui peuvent, par exemple, être incommodés par le bruit ou les odeurs. Mais on a récemment réglementé encore plus sérieusement l'usage des lieux à cause de la grave crise des locaux d'habitation qui sévit depuis la guerrre ; ainsi l'administration possède aujourd'hui le droit — qu'elle utilise peu, il est vrai — de réquisitionner les locaux insuffisamment occupés.

Le respect du domicile se prolonge par le secret de la correspondance, autre manifestation du droit de la personne à la protection de son intimité. Ce principe de l'inviolabilité de la correspondance se rattache du reste également à la règle de moralité qui interdit l'immixtion dans les secrets d'autrui.

Encore qu'elle ait été assez lente à s'implanter en France, la protection de la correspondance est aujourd'hui sanctionnée par un texte spécial du code pénal. Cependant le principe de l'inviolabilité comporte certaines rares exceptions semblables à celles qui permettent de violer l'intimité du domicile. Et d'abord, évidemment, l'intérêt supérieur de la justice. Le juge d'instruction peut saisir les correspondances non seulement au domicile des intéressés mais encore au bureau de poste ; les mêmes facilités sont accordées également au préfet en sa qualité d'autorité administrative. Pendant la guerre, une censure postale est instituée, qui s'exerce par voie de sondage. Enfin, le sondage du courrier international peut aussi être pratiqué en temps de paix, si l'exportation des devises est interdite par la loi.

L'administration qui a la charge des correspondances est celle des postes, télégraphes et téléphones. Autrefois ministère, puis sous-secrétariat d'Etat, c'est aujourd'hui un secrétariat d'Etat. Le ministre chargé du service des P. T. T. est assisté d'un Conseil des directeurs et aussi d'un Conseil supérieur. L'administration centrale comprend une commission des marchés et une commission des bâtiments, de même qu'un Conseil technique des P. T. T. et un comité permanent des télécommunications.

Les services extérieurs se composent d'un service régional, d'un service départemental et des services d'exécution qui s'occupent de la réception, de l'acheminement et de la distribution du courrier et généralement de tous objets confiés à la poste. L'affranchissement, c'est-à-dire l'acquittement par l'expéditeur du port de ces objets, s'opère au moyen d'apposition sur ceux-ci de figurines, les timbres-poste, qui furent introduites en France en 1849.

Les objets de correspondance sont multiples et leur

transmission peut donner lieu à différentes opérations. En dehors des lettres et paquets clos, on trouve des cartes postales, des papiers de commerce et d'affaires, des imprimés ordinaires et périodiques ainsi que des échantillons. Les transmissions peuvent se faire par simple remise au guichet postal, ou dans les boîtes postales, ou par recommandation, formalité ayant pour but de permettre à l'expéditeur d'obtenir, sous forme d'un reçu, la justification de son envoi. Une formalité supplémentaire de déclaration de valeur permet l'expédition, par voie postale, d'argent, de valeurs ou de bijoux. Enfin, plusieurs autres services sont confiés à la poste : mandats, recouvrements, envois contre remboursement, colis-postaux, c'est-à-dire autant d'opérations qui peuvent intéresser le commerce. Il existe aussi une caisse d'épargne postale.

J'ajoute que le privilège postal couvre non seulement toutes les opérations postales mais aussi l'installation et l'exploitation du télégraphe et des lignes téléphoniques.

La dernière des libertés physiques est celle d'aller et de venir. Toute personne a le droit de circuler librement tant à l'intérieur des frontières du pays qu'à l'extérieur, soit pour quitter la France, soit pour y rentrer, venant de l'étranger. Toute personne peut se déplacer comme bon lui semble, à pied ou en véhicule ou par le train ou d'une autre façon quelconque. Mais cette liberté fondamentale est, comme les autres, souvent réglementée.

Elle l'est tout d'abord au point de vue de la circulation intérieure. A l'intérieur du pays, les règles de la circulation routière, par exemple, ainsi que l'obligation de posséder un document spécial, le permis de conduire, s'imposent à toute personne qui désire piloter une automobile. De même les passages cloutés, qui sont faits pour rendre la circulation plus aisée, doivent être obligatoirement empruntés par les piétons. D'autre part, des régimes spéciaux ont été établis pour certains groupes, comme les nomades, ou pour certaines professions, comme celle de marchand ambulant.

La liberté de circuler est plus sévèrement réglementée en ce qui concerne les déplacements internationaux. Il existe de notables restrictions à la circulation des Français à l'étranger et des étrangers en France. Encore que bien des pays aient aboli, par conventions réciproques, l'usage du passeport, ce document est cependant celui qui permet le plus facilement les déplacements des Français à l'étranger. Le passeport ne peut être refusé que pour des motifs d'intérêt public. Il est visé par le pays où désire se rendre le Français et on peut dire qu'aujourd'hui il n'y a pas de pays qui interdisent systématiquement aux Français l'accès de leur territoire. Réciproquement, la France n'interdit à aucun étranger le passage de son territoire ni un séjour de trois mois, mais une réglementation plus sévère préside à la délivrance de la carte de séjour, qui seule permet au ressortissant étranger de demeurer en permanence en France. La carte de résident temporaire est valable un an ; la carte de résident ordinaire est délivrée pour trois ans et est indéfiniment renouvelable ; celle de résident privilégié reste valide dix ans. Néanmoins, la condition d'étranger n'est jamais sans aléa ; il peut toujours être éloigné du territoire, ou expulsé, par simple mesure administrative, si le ministre de l'Intérieur le juge dangereux pour l'ordre public.

IV. — LA LIBERTÉ RELIGIEUSE

La liberté religieuse fait partie des libertés de pensée. Elle consiste, en premier lieu, dans le droit de croire ou de ne pas croire. Mais elle consiste également, pour les croyants, à pratiquer la religion de leur choix. Elle est donc, à la fois, une liberté de croyance et une liberté de culte. Le régime français actuel admet le libre exercice de tous les cultes sans en favoriser spécialement aucun.

Il n'en a pas été de même aux siècles précédents. L'Ancien régime fournit l'exemple de l'union de l'Etat avec une religion exclusive. Si pendant quelques decennies le culte protestant a pu s'exercer librement, depuis la révocation de l'édit de Nantes et jusqu'à la Révolution, le catholicisme est la religion d'Etat, les autres cultes étant interdits. Le non-conformisme religieux, déclaré hérésie, est un crime puni avec toute la rigueur des lois. Le clergé, « premier ordre de l'Etat », jouit de privilèges considérables, participe au service public de la justice, assure le service de l'état civil, monopolise l'enseignement et voit ses biens exempts de contributions.

La Déclaration des droits, en son article 10, dispose que « nul ne doit être inquiété pour ses opinions, même religieuses, pourvu que leur manifestation ne trouble pas l'ordre public établi par la loi », et la Révolution consolide la liberté religieuse en admettant les non-catholiques à tous les emplois civils et militaires. Cependant, durant quelques années, une grande confusion devait régner en matière religieuse, spécialement lorsque la République triomphante tenta de créer certains cultes officiels, comme ceux de l'Etre suprême ou de la déesse Raison.

Le concordat, signé par Napoléon, ouvre l'ère d'un régime qui durera cent ans. Le régime concordataire reconnaît à l'église catholique une situation officielle dans l'Etat. Les ministres du culte deviennent, en quelque sorte, des fonctionnaires et reçoivent un traitement. L'Etat, en contrepartie, possède un droit de regard et un contrôle sur la nomination des dignitaires de l'Eglise. Ce régime sera appliqué aux autres cultes officiellement reconnus, calviniste, luthérien et israélite. Toutes les autres religions échappent au contrôle de l'Etat ; leurs institutions cultuelles sont simplement tolérées et leurs ministres ne reçoivent aucune rétribution.

Déjà sous le Second Empire l'opposition républicaine et libérale réclamait l'abolition de ce régime concordataire ; les critiques devinrent plus sévères à la naissance de la IIIᵉ République, mais aboutirent seulement au début de ce siècle à la séparation des églises et de l'Etat. Le régime actuel, institué en 1905, sous forme d'une séparation rigoureuse, puis amendé, transformé et assoupli, est celui de la bonne entente. La liberté religieuse comporte actuellement deux volets : la liberté de conscience et la liberté du culte. L'Etat reste cependant résolument laïc. Si la République assure la liberté de conscience et garantit le libre exercice des cultes, elle « n'en reconnaît, n'en subventionne, n'en salarie aucun ».

Le principe de la liberté de conscience est écrit dans l'article premier de la loi de séparation de 1905. On est libre, en France, de se marier religieusement, à condition que le mariage civil précède la cérémonie. On peut faire pratiquer aux enfants la religion dans laquelle on croit devoir les élever, comme on peut les laisser hors de l'emprise d'une communauté religieuse quelconque. On peut aussi déterminer le caractère civil ou religieux de ses propres funérailles. Nul ne peut empêcher les citoyens de porter sur eux les emblèmes de leur foi. La qualité de fonctionnaire public ne peut s'opposer à l'exercice d'aucune religion.

Mais le libre exercice d'une religion ne doit pas empêcher le voisin d'en exercer une autre, ou de n'en exercer aucune, et, en tout cas, ne doit en rien troubler l'ordre public, ou la tranquillité publique, ou encore la paix publique. La liberté du culte doit donc s'exercer dans les limites naturelles des lois de police.

Réciproquement, les lois de police des cultes sont surtout destinées à veiller à ce que le libre exercice d'un culte ne soit point troublé. Des peines sont donc prévues contre ceux qui troublent ce libre exercice, de même que contre ceux qui tentent de faire pression sur quelqu'un pour le pousser à exercer un culte, ou, au contraire, pour l'en empêcher.

Mais il n'est pas douteux que l'Etat continue à favoriser certains cultes en mettant à leur disposition des édifices publics, églises, temples, synagogues ou mosquées, et il est évident aussi que la réglementation intéresse surtout en France l'église catholique, à cause notamment des manifestations extérieures du culte qui n'existent guère dans les autres religions. Or, les pouvoirs de police sont différents suivant que les cérémonies cultuelles se déroulent à l'intérieur des édifices cultuels ou à l'extérieur. Le maire ne peut intervenir au cours d'une cérémonie à l'intérieur d'une église que si l'ordre public est menacé, ce qui n'est guère imaginable aujourd'hui, sauf le cas où par exemple la fermeture de l'église s'impose pour des raisons de menace d'effondrement. Mais les cimetières étant laïcisés, c'est le maire qui en assure la police et, s'il ne peut interdire les emblèmes religieux sur les tombes, il veille au caractère laïc des parties publiques du cimetière. C'est le maire aussi qui règle les sonneries des cloches pour les cérémonies civiles.

D'une façon générale, les manifestations cultuelles extérieures ne peuvent pas être interdites, et le Conseil d'Etat s'est toujours montré libéral en cette matière. C'est ainsi que les processions sont permises lorsqu'elles sont fondées sur des traditions locales, et aussi tous les convois funèbres à caractère religieux.

Il me reste maintenant à préciser la notion de liberté religieuse en indiquant que, d'après la Constitution, la République est laïque, et en expliquant ce que signifie ce caractère de laïcité.

La République ne reconnaît aucun culte. De là découlent plusieurs conséquences, comme la suppression de toute inéligibilité à certains mandats, la perte de tout droit des ecclésiastiques aux préséances et aux honneurs, la disparition au profit des évêchés de tout privilège de juridiction, enfin et surtout la suppression des crédits aux cultes. Corrélativement, le chef de l'Etat n'intervient plus dans la nomination des dignitaires de l'Eglise.

Mais les limites de la laïcité se trouvent dans l'obligation pour l'Etat de prendre soin des églises et de leur mobilier et, surtout, d'en respecter l'affectation au profit des fidèles du culte.

V. — LA LIBERTE DE L'ENSEIGNEMENT

Le préambule de la Constitution de 1946 précise que la nation garantit l'égal accès de l'enfant et de l'adulte à l'instruction, à la formation professionnelle et à la culture. Il ajoute que l'organisation de l'enseignement public, gratuit et laïque à tous les degrés, est un devoir de l'Etat.

La liberté de l'enseignement, qui est à la base de cette doctrine, est une liberté complexe, pour une double raison. D'abord, historiquement liée aux problèmes de la liberté religieuse, la liberté de l'enseignement a eu des fortunes diverses depuis la Révolution. En second lieu, une opposition latente a toujours existé en cette matière entre la famille et l'Etat.

Pour ce qui est de la liberté d'ouvrir des écoles et de délivrer des diplômes, le monopole institué par Napoléon Ier au profit de l'Université a été progressivement supprimé. Aujourd'hui, quiconque produit les diplômes exigés peut, moyennant une déclaration prescrite, ouvrir un établissement d'enseignement. Les diplômes délivrés par ces établissements n'ont pas de valeur officielle, mais les élèves et étudiants ayant suivi ces cours peuvent se présenter aux examens des institutions publiques et voir ainsi couronner leur travail.

Sous réserve donc du principe de l'obligation scolaire, les parents peuvent envoyer l'enfant à l'établissement de leur choix. La seule différence provenait du fait que l'école publique était gratuite, l'école privée payante ; il paraissait naturel que ceux qui prétendaient élever leurs enfants dans des institutions libres en assument les charges. Mais, depuis une loi de 1951, une allocation trimestrielle est versée par l'Etat aux associations de parents d'élèves ; elle est destinée à l'organisation et à l'entretien des écoles privées.

Le principe de laïcité exclut de l'école publique toute préoccupation confessionnelle, tant en ce qui concerne les matières de l'enseignement qu'en ce qui concerne le personnel enseignant. Le principe de neutralité complète celui de laïcité : l'Etat prend toutes dispositions pour permettre à l'enfant d'avoir une instruction religieuse si tel est le désir de ses parents. Dans les universités, le principe de neutralité s'interprète en une entière liberté, laissée au maître, d'enseigner à ses étudiants idées et doctrines.

Avant d'exposer maintenant succinctement l'organisation des études, je décrirai l'administration de l'Education nationale.

L'administration centrale est dirigée par un ministre qui est quelquefois assisté par un ou plusieurs secrétaires ou sous-secrétaires d'Etat. Les directions du ministère sont nombreuses : une par ordre d'enseignement, du premier degré, du second degré, supérieur et technique, une par genre d'activité, jeunesse et sports, arts et lettres, archives, d'autres encore, comme les services de santé ou d'équipement scolaire et universitaire. Enfin, c'est à la direction des musées et bibliothèques que se rattachent nos collections nationales, et plus particulièrement le musée du Louvre, ainsi que l'ensemble de nos bibliothèques, dont la Bibliothèque nationale.

C'est aussi de l'administration centrale que dépendent les établissements publics nationaux suivants : le Centre national de la Recherche scientifique, l'Institut pédagogique national, le Bureau universitaire de statistique et de documentation scolaire et professionnelle et enfin le Centre national des œuvres universitaires et scolaires. D'importants conseils et comités sont également rattachés à l'administration centrale, notamment le Conseil supérieur de l'Education nationale, qui possède une compétence consultative pour les questions d'intérêt national concernant l'enseignement et une compétence contentieuse en matière disciplinaire. Les conseils d'enseignement sont au nombre de cinq : pour l'enseignement supérieur, pour ceux du premier et du second degré, pour l'enseignement technique et enfin pour l'éducation populaire et les sports. Divers comités consultatifs achèvent cette imposante construction des services centraux.

L'administration académique est une circonscription administrative qui correspond, en matière d'enseignement, à ce qu'est le ressort de la cour d'appel en matière de justice ou la région militaire dans l'armée. A la tête de la circonscription académique se trouve le recteur, assisté de ses services administratifs et techniques, et notamment du Conseil académique. A l'intérieur de chaque académie, les services de l'Education nationale sont organisés à l'échelle départementale et dirigés par un inspecteur d'académie.

Je vais maintenant brosser un rapide tableau de l'organisation des études telles qu'elles sont réparties entre les quatre directions d'enseignement : premier et second degré, technique et supérieur.

L'enseignement public du premier degré s'adresse plus particulièrement aux enfants de six à quatorze ans. Les écoles primaires élémentaires, qu'on appelle encore écoles communales, sont chargées de cet enseignement. L'instruction générale des enfants est complète et comporte les matières essentielles : lecture, écriture et calcul, histoire et géographie, leçons de choses et sciences appliquées, éducation morale et civique, dessin, chant, travail manuel, éducation physique et activités dirigées. Le certificat d'études primaires élémentaires sanctionne ces études.

Des écoles maternelles et classes enfantines précèdent l'école primaire élémentaire, qui se prolonge par des cours complémentaires, où les élèves reçoivent un enseignement moderne orienté vers la pratique et dont la durée est de quatre ans. Enfin certaines écoles publiques donnent un enseignement spécialisé, comme les écoles de plein air et de perfectionnement qui reçoivent les enfants débiles, les cours et centres post-scolaires agricoles, réservés aux jeunes gens de quatorze à dix-sept ans, et les écoles de formation du personnel, qui préparent les futurs instituteurs.

L'enseignement du second degré est donné aux élèves de onze à dix-huit ans dans les lycées et collèges ; il est sanctionné par le brevet d'études du premier cycle du second degré, après examen à la fin de la troisième, et par le baccalauréat, dont la première partie s'obtient à l'issue de la classe de première et la seconde à l'issue d'une classe terminale : philosophie, sciences expérimentales ou mathématiques.

Les quatre premières années de l'enseignement du second degré en représentent le premier cycle ; c'est celui de la formation générale et de l'orientation de l'élève. En sixième et en cinquième, les élèves des sections classiques reçoivent l'enseignement avec latin, ceux des sections modernes, sans latin. A partir de la quatrième, l'élève choisit le grec ou une deuxième langue vivante.

Les trois dernières années, de niveau supérieur, forment le deuxième cycle de l'enseignement. Les élèves choisiront les différentes sections correspondant à leurs aptitudes.

L'enseignement technique forme les travailleurs du commerce et de l'industrie, mais en associant nécessairement à la formation technique la culture générale. L'enseignement est organisé en tenant compte des besoins économiques de chaque région, mais l'inspiration générale est la même. Les centres d'orientation conseillent les familles sur le choix des études des enfants.

La formation d'ouvriers qualifiés se fait dans les centres d'apprentissage et dans les écoles professionnelles, tandis que celle des techniciens et agents de maîtrise se poursuit dans les collèges techniques et les écoles nationales professionnelles. Les cadres supérieurs sortent du Conservatoire national des Arts et Métiers, de l'Ecole centrale des Arts et Manufactures, de l'Ecole centrale lyonnaise, de l'Ecole des Hautes études commerciales, des Ecoles supérieures de commerce, des Ecoles nationales d'ingénieurs Arts et Métiers et enfin des écoles et instituts d'ingénieurs rattachés aux universités.

Enfin, l'enseignement supérieur enrichit les connaissances acquises dans tous les domaines et forme des chercheurs et des techniciens dans toutes les branches du savoir. Chaque circonscription académique a une université, qui comprend une faculté des lettres, une faculté des sciences et une faculté de droit. Elle peut comprendre également une faculté de médecine, une faculté de pharmacie ou une faculté mixte de médecine et de pharmacie. Chaque faculté est administrée par un doyen, nommé par le ministre parmi les candidats que propose le Conseil des professeurs.

En dehors des facultés et des instituts supérieurs, il existe un certain nombre d'établissements d'enseignement supérieur non rattachés aux universités.

C'est en premier lieu le Collège de France, qui groupe les professeurs les plus illustres en toutes matières enseignées, qui comprend aujourd'hui quarante-six chaires magistrales, et dont les cours sont publics et gratuits. Le Muséum national d'histoire naturelle, dont les cours sont également publics et gratuits, mais dont on ne peut fréquenter les laboratoires que sur une autorisation expresse, qui n'est délivrée qu'aux travailleurs agrégés. Mentionnons aussi le Bureau des Longitudes, avec son annexe, l'Observatoire de Paris, ainsi que les observatoires départementaux ; l'Ecole nationale des Chartes, qui prépare aux fonctions d'archiviste et de bibliothécaire, et l'Ecole nationale des Langues orientales vivantes ; enfin, l'Ecole pratique des Hautes études, créée en vue d'encourager et organiser les recherches en dehors des programmes officiels ; ses six sections se partagent les mathématiques, la physique et la chimie, l'histoire naturelle, les sciences historiques et philologiques, les sciences religieuses et enfin les sciences économiques et sociales.

D'autres grandes écoles existent également, les unes très anciennes, comme l'Ecole polytechnique, créée en 1794, qui forme des officiers d'artillerie ou du génie et les cadres des ingénieurs des services publics, les autres récentes, comme l'Ecole nationale d'Administration (E. N. A.), fondée après la Libération, qui a pour mission de former un cadre homogène de hauts fonctionnaires, ou encore le Centre national d'Etudes judiciaires, institué en 1959, qui assure la formation professionnelle des auditeurs de justice, pépinières de futurs magistrats.

Les conservatoires nationaux, comme celui de Musique ou d'Art dramatique, ainsi que l'Ecole nationale supérieure des Beaux-Arts, l'Ecole du Louvre, l'Institut national des Sports, font également partie des grandes écoles. Sans donner une énumération exhaustive, citons encore l'ancien Saint-Cyr devenu Ecole inter-armes, l'Ecole nationale de l'Air, l'Ecole navale, l'Ecole nationale supérieure du Génie maritime, l'Ecole nationale supérieure des Mines, celle du Pétrole, l'Institut national agronomique, l'Ecole nationale du Génie rural, les Ecoles nationales vétérinaires, l'Ecole nationale des Eaux et Forêts, celle de la France d'outre-mer, celle des P. T. T., celle des Télécommunications, et celle des Ponts et Chaussées, parmi des dizaines d'autres. L'une d'elles dépend de la Ville de Paris, c'est l'Ecole principale supérieure de Physique et Chimie.

Deux écoles normales supérieures méritent une mention particulière : l'Ecole normale supérieure et l'Ecole normale supérieure de jeunes filles. Elles forment aux carrières universitaires. D'autres écoles normales supérieures sont de création plus récente.

Enfin, il faut signaler les établissements d'enseignement supérieur ayant leur siège à l'étranger, tels l'Ecole française d'archéologie d'Athènes, l'Ecole française de Rome et l'Institut français d'archéologie orientale du Caire.

Au sommet de nos organismes culturels et scientifiques se trouve l'Institut de France qui comprend cinq académies : l'Académie française, l'Académie des Sciences, l'Académie des Inscriptions et Belles-Lettres, l'Académie des Sciences morales et politiques et l'Académie des Beaux-Arts. Trois d'entre elles sont composées de quarante membres, la dernière en compte quarante et un et l'Académie des Sciences soixante-quatorze.

VI. — LA LIBERTE D'EXPRESSION

« La libre communication des pensées et des opinions est un des droits les plus précieux de l'homme ; tout citoyen peut donc parler, écrire, imprimer librement sauf à répondre de l'abus de cette liberté dans les cas déterminés par la loi. » Ainsi s'exprime l'article 11 de la Déclaration des droits en posant la liberté de la presse, une des libertés fondamentales, sans laquelle, ainsi que le disait Mirabeau, « les autres ne peuvent être conquises ». De fait, si cette liberté a été obtenue dès la Révolution, Napoléon l'a aussitôt supprimée. Rétablie chaque fois qu'un gouvernement libéral prenait le pouvoir, abolie par chaque régime autoritaire, l'histoire de la liberté de la presse en France est celle d'une longue série d'échecs, de triomphes et de nouveaux échecs.

C'est seulement à l'orée de la IIIᵉ République que la grande loi de 1881 consacrait la victoire de cette liberté publique et fixait le régime de la presse tel que nous le connaissons actuellement.

Le journal se fonde aujourd'hui en toute liberté. Aucun cautionnement n'est exigé, ni même aucune autorisation administrative. La seule formalité est une déclaration au Parquet du lieu de la publication, contenant le titre du journal, les nom et domicile de son directeur et de l'imprimerie qui se charge de l'impression. Liberté de la presse, c'est aussi la liberté absolue de la publication des livres pour lesquels seule la mention du nom de l'imprimeur est nécessaire et le respect du dépôt légal de deux exemplaires à la préfecture, à la sous-préfecture ou à la mairie, pour les collections nationales. Liberté de la presse, c'est aussi et surtout la liberté de l'ouverture des librairies, des imprimeries, et c'est également la liberté de l'affichage.

Les limites de la liberté de la presse se trouvent d'abord dans la saisie judiciaire, qui est le droit pour le juge de saisir certaines publications obscènes ou contenant des provocations au meurtre ou aux délits de violences contre les personnes. La saisie administrative constitue une autre limitation de la liberté de la presse, mais elle n'est possible que dans les cas particulièrement graves d'atteinte à l'ordre public.

Le régime de censure est une exception à la liberté et il est habituellement institué pendant la guerre ou pendant les menaces de troubles intérieurs. La censure a fonctionné pendant les deux guerres et aussi pendant une semaine en 1958. Le régime de Vichy avait rétabli la suspension administrative. Une sorte d'autorisation préalable fut instituée à la Libération. On se rappelle aussi que tous les journaux ayant continué à paraître sous l'occupation furent interdits en 1944 et le sont restés depuis lors.

Mais la difficulté la plus sérieuse en cette matière n'est plus guère aujourd'hui de protéger la liberté contre l'immixtion de la puissance publique. Ce n'est plus l'Etat, ce sont les puissances d'argent qui tendent à s'emparer de la presse.

La croissance des journaux, leurs tirages, les énormes capitaux nécessaires pour le lancement d'un quotidien font mieux apparaître les difficultés, pour un journal, de vivre de ses seules ventes. La vente au-dessous du prix de revient et la compensation de cette perte par la publicité est chose courante. Il arrive également que la publicité ne compense par les pertes subies ; force est alors de conclure que le déficit est comblé par des subventions émanant de telles ou telles entreprises privées, et quelquefois de véritables puissances financières, qui ont intérêt à investir des capitaux dans les journaux qui servent leur politique économique ou simplement exercent une certaine influence sur le gouvernement.

Il est difficile d'imaginer dans notre société un moyen de pallier ces inconvénients. Certaines mesures ont été prises dans le but d'assurer le contrôle des publications à caractère politique, telles que l'interdiction des prête-noms, le contrôle de la comptabilité, la publication du bilan et du compte d'exploitation. La loi prévoit, d'autre part, que les actions des entreprises de presse seront nominatives, que les parts de fondateur ne pourront être créées, que les tarifs de publicité seront fixés à l'avance.

L'Etat a tenté, d'autre part, d'aider les entreprises de presse dans toute la mesure du possible. C'est ainsi que certains avantages et surtout un privilège fiscal leur sont consentis, spécialement par l'exonération de l'impôt sur les bénéfices industriels et commerciaux et par un régime préférentiel pour le transport et la plupart des opérations postales.

Les journaux et périodiques sont aidés par les agences de presse qui sont des fournisseurs d'articles, d'informations, de reportages, de photographies et de tous autres éléments rédactionnels. Avant la guerre, les agences étaient privées et soumises au régime de l'autorisation préalable. Aujourd'hui, c'est un établissement public, l'agence France-presse (A. F. P.) qui recueille et diffuse les éléments d'information destinés à la presse.

Aidés matériellement, aidés dans leur information, les journaux doivent être aidés dans la distribution, car la liberté de la presse serait un vain mot si l'on pouvait rendre impossible la distribution de tel journal. L'ancien monopole, détenu en fait par une entreprise privée de messageries, n'existe plus, et une loi d'après-guerre a proclamé la liberté de la diffusion de la presse imprimée. En dehors de la pleine liberté de la diffusion de ses propres publications pour chaque entreprise de presse, la loi a prévu la constitution d'entreprises spécialisées qui — sous le nom de sociétés coopératives de messageries de presse — s'occupent de la distribution de plusieurs journaux appartenant à des entreprises de presse différentes.

La liberté de la presse est garantie par l'absence de toute mesure préventive. Le système en vigueur est le régime répressif : la presse libre répond de ses excès.

La responsabilité de ce qui est imprimé dans son journal incombe en premier lieu au directeur de la publication. C'est lui qui est pénalement responsable des articles parus, et cela explique les conditions que doit réunir le citoyen pour avoir le droit d'assumer la direction d'un périodique : il doit être Français, majeur, jouir de ses droits civiques et demeurer au lieu de la publication. L'auteur est généralement poursuivi comme complice, et c'est évidemment lui qui est poursuivi à titre principal à défaut du directeur.

Pour protéger la liberté de la presse, on a aboli le délit d'opinion. On ne poursuit donc plus des délits de presse, mais on poursuit des délits ordinaires commis par la voie de la presse. Le délit le plus répandu en cette matière est la diffamation, qui est l'allégation d'un fait de nature à porter atteinte à la réputation d'une personne ou d'un corps. La simple reproduction d'une telle allégation constitue également la diffamation, et il n'est pas nécessaire de nommer la victime si on la désigne avec assez de précision pour qu'elle puisse être reconnue.

Mais si une personne privée diffamée peut dans tous les cas faire punir son diffamateur, le problème est un peu différent lorsqu'il s'agit d'un citoyen investi d'un mandat électif ou de fonctions publiques. On admet alors que la presse se livre à son égard à une critique qui est un droit élémentaire en régime démocratique. Si donc le prétendu diffamé poursuit le journal, le directeur de la publication aura la faculté d'apporter la preuve de la vérité de ses allégations. Cette preuve apportée, il s'ensuivra l'acquittement. En revanche, la condamnation sera inévitable si l'allégation a été mensongère. Les délits de presse, autrefois soumis au jury, sont aujourd'hui de la compétence du tribunal correctionnel.

En dehors de la procédure pénale, il existe aussi le droit de réponse, qui protège les particuliers. Ce droit est à la disposition de toute personne nommée ou désignée dans un article.

La liberté de la presse et du livre est un des volets de la liberté d'expression. L'autre, est la liberté des spectacles, moins importante, certes, au point de vue politique, mais dont l'importance croît chaque jour avec le développement du cinéma, de la radio et de la télévision.

Le statut du théâtre, ainsi que des spectacles de

curiosité dans lesquels on fait entrer le cirque, le bal
public, le cabaret, le music-hall et jusqu'aux spectacles
forains et courses de taureaux, est, depuis les premières
années de ce siècle, la liberté complète ; le régime de la
censure qui s'est maintenu pendant très longtemps a été
aboli. Cependant, les autorités administratives peuvent
interdire une pièce qui risque de troubler l'ordre public.

Le cinéma est encore aujourd'hui soumis à la censure,
exercée par le ministre de l'Information sur avis d'une
commission où siègent en nombre égal des délégués de
l'administration et des représentants des professions ciné-
matographiques. La commission examine tous les films
et accorde ou refuse son visa. On peut aussi saisir la
commission d'un projet de film avant de tourner. Le visa
est alors provisoire et des modifications ou des coupures
peuvent être demandées par la commission, sous peine
de refus du visa définitif. Mais un film ayant obtenu le
visa peut encore être interdit par le préfet ou le maire
dans les mêmes conditions qu'une pièce de théâtre et
pour la même raison.

La liberté de la radiodiffusion et de la télévision est
encore beaucoup plus restreinte. Nous vivons aujourd'hui
sous le régime d'un service public qui possède le monopole des émissions sur l'ensemble du territoire.

CHAPITRE XII

LA CONSTITUTION

I. — L'EVOLUTION CONSTITUTIONNELLE

Si l'Etat est le protecteur naturel des libertés publiques, il est aussi et surtout l'élément tangible d'une nation, il est le principe organisateur d'un peuple. Les organes en sont les pouvoirs constitués, c'est-à-dire le pouvoir législatif, ou Parlement, et le pouvoir exécutif, ou gouvernement. Je ne reviendrai plus sur le troisième pouvoir, le judiciaire, dont j'ai entretenu le lecteur dans un précédent chapitre.

Les deux pouvoirs, et les institutions qui permettent de les créer et de les mettre en œuvre, sont décrits dans un document législatif : la Constitution. Sa portée est bien plus considérable que celle de la loi ordinaire, car elle émane d'une Assemblée constituante spécialement désignée par le peuple à cet effet. Pour la Constitution du 4 octobre 1958 qui nous régit actuellement, il n'a pas été procédé exactement de cette manière classique. Mais nous y reviendrons bientôt.

Les prescriptions de la Constitution ne peuvent être modifiées que par une nouvelle intervention des constituants ; c'est pourquoi elles s'imposent avec une force particulière aux pouvoirs constitués, et, notamment, au législateur.

La forme politique de l'Etat est précisée en premier lieu, monarchie ou république ; dans le monde moderne cette distinction est d'un intérêt mineur, car elle ne concerne que le mode de désignation du chef de l'Etat, par l'hérédité dans les monarchies, par l'élection dans les républiques. Bien plus importante est l'inspiration politique des diverses constitutions, les unes se rattachant aux principes démocratiques, les autres aux principes totalitaires.

La plupart des constitutions françaises, ainsi que celle qui nous régit présentement, ont été démocratiques. Le régime démocratique a pour principe premier le gouvernement du peuple, par le peuple et pour le peuple ; c'est l'alinéa final de l'article 2 de notre Constitution qui le précise, après avoir posé dans l'alinéa premier que la France est une république indivisible, laïque, démocratique et sociale, qu'elle assure l'égalité devant la loi de tous les citoyens sans distinction d'origine, de race ou de religion et qu'elle respecte toutes les croyances. Le reste de l'article 2 est consacré à la détermination de l'emblème national, le drapeau tricolore, bleu, blanc, rouge, de l'hymne national, la « Marseillaise », et de la devise de la République : « Liberté, Egalité, Fraternité ».

L'article 3 de la Constitution déclare que la souveraineté nationale appartient au peuple français. Ce principe fondamental appelle une explication, de même que celui, non écrit, mais sous-jacent à tout régime démocratique, de la séparation des pouvoirs.

Notre conception française de la souveraineté tire ses origines du « Contrat social » de Rousseau, de même que notre conception de la séparation des pouvoirs a été pour la première fois décrite par Montesquieu dans « L'Esprit des Lois ».

Selon Rousseau, la souveraineté découle du contrat conclu entre les citoyens, c'est-à-dire de l'ensemble des volontés individuelles. On en déduit le grand principe fondamental de la souveraineté du peuple. Mais le gouvernement populaire direct n'est pas adapté aux besoins d'un grand pays et les hommes de la Révolution ont repoussé cette conséquence extrême de la doctrine de Rousseau pour lui substituer le principe de la souveraineté nationale, selon lequel la souveraineté appartient, non pas à chaque membre de la société politique, mais à la nation tout entière, c'est-à-dire à l'ensemble des citoyens.

La souveraineté nationale conduit au gouvernement représentatif, c'est-à-dire au régime dans lequel la nation, véritable et seule titulaire de la souveraineté, la délègue à ses représentants. Dans notre conception républicaine française, le principe comporte en outre l'avantage d'interdire à quiconque, section du peuple ou individu, l'appropriation à son seul profit de la souveraineté, qui reste le bien de tous.

Le concept de la souveraineté nationale pose les fondements de l'égalité entre les citoyens. La théorie de Montesquieu protège leurs libertés contre l'éventuel arbitraire du pouvoir. L'auteur de « L'Esprit des Lois » considère que l'exercice du pouvoir aboutit fatalement à un certain abus. Le seul frein du pouvoir, c'est un autre pouvoir, d'où l'idée que « le pouvoir arrête le pouvoir ». La conséquence doit en être la séparation entre les pouvoirs de l'Etat et plus particulièrement entre le législatif et l'exécutif, c'est-à-dire entre celui qui crée les lois et celui qui les applique.

Mais si les hommes de la Révolution ont compris la formule de Montesquieu comme une séparation rigide, l'évolution des idées et certains inconvénients graves ont conduit à l'adoption du système de la séparation souple, dans laquelle les pouvoirs doivent s'aider et se compléter au lieu de se contredire et de lutter l'un contre l'autre. C'est le régime parlementaire qui réalise le mieux cette forme de séparation, dans laquelle le Parlement détient le pouvoir législatif et le chef de l'Etat le pouvoir exécutif. Les ministres assurent la nécessaire liaison entre les deux pouvoirs, parce que le cabinet forme le gouvernement, c'est-à-dire appartient à l'exécutif, mais est politiquement responsable devant le Parlement, c'est-à-dire devant le pouvoir législatif.

Pour comprendre notre régime actuel, un coup d'œil sur le passé est indispensable ; sans m'y attarder, il faut, néanmoins, que je montre la profonde liaison entre les diverses constitutions de notre pays.

La première Constitution française est celle de 1791. Elle essaie d'établir la nécessaire transition entre l'Ancien régime et l'idéal révolutionnaire exprimé dans la Déclaration de 1789, qui deviendra son préambule. L'Assemblée nationale législative unique, comprenant 745 membres, détient le pouvoir législatif et financier ; le pouvoir exécutif est confié au roi.

Le 10 août 1792, ce régime prendra fin, et plusieurs Constitutions se succéderont pendant la période troublée de notre histoire révolutionnaire, consulaire et impériale. La prépondérance du pouvoir législatif sera particulièrement sensible sous la Convention, mais, dès la Constitution du 5 Fructidor an III, le pouvoir exécutif sera rétabli et développé. La Constitution du Consulat affirmera cette évolution : le pouvoir exécutif appartient aux consuls et plus spécialement au Premier Consul, le pouvoir législatif appartient aux trois organes d'un Corps législatif dont les membres sont pour la plupart cooptés, nommés ou choisis sur des listes de confiance.

Le sénatus-consulte du 28 Floréal an XII n'a pas besoin de bouleverser cette organisation constitutionnelle déjà autoritaire ; il se borne à en changer la forme politique par la transmission du pouvoir exécutif à l'Empereur.

La première Restauration octroie une charte constitutionnelle, selon laquelle le pouvoir exécutif appartient au roi, irresponsable, qui gouverne par ses ministres, et le pouvoir législatif appartient aux deux chambres : la chambre des députés et la chambre des pairs.

A son retour de l'île d'Elbe, Napoléon ne rétablit pas les constitutions de l'Empire. S'il abolit la charte, il en conserve l'essentiel pour les Cent jours qui lui restent à régner. L'acte additionnel aux constitutions de l'Empire du 22 avril 1815, maintient le régime constitutionnel de la charte, avec les ministres d'Etat et un pouvoir législatif partagé entre la chambre des représentants et celle des pairs.

Mais le régime n'a guère le temps de durer ni même, à vrai dire, de s'établir ; il tombe en juin de la même année, et la seconde Restauration reprend les institutions de la charte avec un système électoral du type censitaire — je parlerai plus tard de ce mode de suffrage — à cens très élevé pour la chambre des députés, mais avec suffrage direct, c'est-à-dire avec élection immédiate du député sans passer par l'élection des représentants seuls qualifiés à désigner l'élu. Après la Révolution de juillet 1830, le régime de la charte est amendé par la reconnaissance de la souveraineté nationale et la diminution des pouvoirs du roi au profit de ceux du Parlement. Mais la prépondérance de l'exécutif sur le législatif est encore très nette et ce régime durera pendant tout le règne de Louis-Philippe jusqu'à la Révolution de 1848.

Après la Révolution de février 1848, une Assemblée constituante est élue qui rétablit la République avec un parlement ne comprenant qu'une seule chambre ; en même temps s'institue et se développe un pouvoir exécutif très fort : il est confié au président de la République sans responsabilité ministérielle, donc sans trace de véritable régime parlementaire. Les deux pouvoirs sont élus au suffrage universel direct. Le coup d'Etat du prince-président conduit à la Constitution de 1852, qui confirme pour dix ans les pouvoirs du président et remplace l'assemblée par un corps législatif sur le modèle de celui du Consulat. Le 2 décembre de cette même année, la République se transforme en Empire et la Constitution de 1852 est maintenue.

C'est pendant le long règne de Napoléon III que les institutions se transforment petit à petit pour aboutir à l'Empire libéral d'abord, en 1860, à l'Empire parlementaire ensuite, le 21 mai 1870. Mais les temps sont révolus. Après Sedan, le gouvernement de la Défense nationale proclame la République, le 4 septembre 1870.

C'est seulement sous la présidence du maréchal Mac-Mahon que les trois lois constitutionnelles de la IIIe République seront votées, les 24 et 25 février et le 16 juillet 1875. C'est sous ce régime que notre pays devait vivre jusqu'en 1940 et, après le court intermède du gouvernement de fait de Vichy, c'est lui qui devait inspirer les deux Constitutions que la France s'est données depuis la Libération. Les institutions de la IIIe République qui ont, ainsi, directe-

ment inspiré celles de la IVᵉ et celles de la Vᵉ, méritent
donc d'être expliquées avec quelque détail.

II. — DE LA IIIᵉ REPUBLIQUE A LA Vᵉ

Dans les institutions de la IIIᵉ République, le pouvoir
exécutif est composé, selon la meilleure tradition du
régime parlementaire, d'un président, politiquement irresponsable, et d'un gouvernement qui seul exerce le pouvoir.
Le président n'est pas élu au suffrage universel direct
— l'expérience du prince Louis Napoléon n'est pas oubliée.
Ce sont le Sénat et la Chambre des députés réunis à Versailles en Assemblée nationale qui élisent, à la majorité
absolue des suffrages, le chef de l'Etat. Le mandat du
président de la République est de sept ans.

La formation du gouvernement est assez simple. Aucune règle précise n'est posée en cette matière par les
textes constitutionnels de 1875. C'est le président de la
République qui choisit le président du Conseil parmi les
chefs de la majorité parlementaire. Le président du
Conseil choisit à son tour ses collaborateurs et présente
son ministère au chef de l'Etat.

Le chef de l'Etat et le gouvernement exercent conjointement les attributions du pouvoir exécutif, en vertu de
la règle dite du seing et du contre-seing, qui exige que
tout acte émanant du chef de l'Etat soit signé par lui,
mais contresigné par le ministre compétent, assurant
ainsi la responsabilité politique de ce dernier.

Le pouvoir législatif de la IIIᵉ République était assuré
par le Parlement divisé en deux chambres, dont les membres n'étaient pas élus de la même façon. L'influence
démocratique pure se manifestait très nettement dans
l'élection à la Chambre des députés. C'était l'élection au
suffrage universel direct avec brièveté du mandat et
renouvellement intégral.

L'élection au Sénat se faisait au suffrage indirect, par
l'intermédiaire d'électeurs sénatoriaux, avec mandat de
neuf ans et renouvellement partiel par tiers tous les trois

ans. Les députés étaient deux fois plus nombreux que les sénateurs et on était éligible à la Chambre à l'âge de vingt-cinq ans, tandis qu'un sénateur devait avoir au minimum quarante ans.

Les membres du Parlement députés ou sénateurs, expriment également la volonté nationale. Aussi quatre règles établissent-elles leur statut commun : d'abord l'interdiction du mandat impératif, car ils ne sont pas les délégués de leurs électeurs, mais ceux de la nation ; ensuite l'indemnité parlementaire, qui permet l'éligibilité universelle sans tenir compte de la situation de fortune du candidat ; puis l'immunité parlementaire, qui protège les élus contre certaines responsabilités susceptibles d'empêcher l'exercice normal de leur mandat ; enfin les incompatibilités parlementaires, spécialement aux fonctions publiques, destinées à empêcher le représentant de la nation de mettre son mandat au service d'intérêts privés.

Les conditions du travail parlementaire sont fixées par un règlement élaboré librement par chaque assemblée. Le règlement organise le bureau de l'assemblée ainsi que les commissions chargées d'étudier les projets et les propositions de lois. Il fixe la tenue des séances, alors que les sessions sont prévues par la Constitution. La session ordinaire s'ouvrait le second mardi de janvier pour durer cinq mois. Des sessions extraordinaires de plein droit, ou sur convocation par décret, complètent généralement la durée du travail parlementaire.

En dehors de ses attributions financières, le Parlement de la IIIe République, comme tout parlement démocratique, possédait deux attributions essentielles. En premier lieu celle d'élaborer la loi ; chaque membre de l'une ou de l'autre assemblée a en effet le droit d'initiative en matière d'élaboration de la loi, sans parler du droit de vote de la loi, sa prérogative essentielle. En second lieu, celle de contrôler le gouvernement. Cette attribution du parlement lui permet non seulement de s'informer sur la politique générale, mais de l'infléchir dans le sens désiré et aussi de la sanctionner.

Les membres du parlement s'informent par le moyen de questions orales ou écrites ; ils interpellent le gouvernement et contraignent ainsi le ministre responsable à s'expliquer. Les parlementaires peuvent convoquer les ministres en commission et obtenir des précisions qui ne peuvent être données en séance publique. Ils peuvent aussi désigner des commissions d'enquête avec pouvoir d'entendre des témoins sous la foi du serment. Enfin la responsabilité politique du gouvernement se trouve toujours engagée par la question de confiance. Le vote négatif entraîne la démission du cabinet ministériel qui n'a plus la confiance du parlement.

La guerre de 1939 a été fatale à la IIIᵉ République. Après le désastre de nos armées et dès l'armistice de 1940 signé, les deux chambres furent convoquées à Vichy. Constitués par leur réunion en Assemblée nationale, les parlementaires ont voté la loi de révision constitutionnelle. C'est le chef du gouvernement qui fut investi du pouvoir de révision. Par douze actes constitutionnels, le régime de l'Etat Français fut alors établi sur le modèle donné par l'occupant, Etat autoritaire, hiérarchique et sans parlement.

En même temps, dès le 18 juin 1940, était lancé l'appel de Londres : la France a perdu une bataille, mais la France n'a pas perdu la guerre. La résistance dans l'Empire devenait une réalité, puis apparurent le Comité national français en 1941 et enfin, à Alger, le Comité français de libération nationale. C'est ce comité, devenu gouvernement provisoire de la République Française, qui, après la libération de Paris, s'installait dans la capitale.

Mais, déjà quelques jours auparavant, sur le sol français, le 9 août 1944, une ordonnance du général de Gaulle proclamait la continuité et la pérennité de la République. L'article premier de ce texte relatif au rétablissement de la légalité républicaine sur le territoire national, est ainsi conçu : « La forme du gouvernement de la France est et demeure la République. En droit celle-ci n'a pas cessé d'exister. »

Cependant il était urgent que prenne fin la période de tâtonnements et d'imprécision. Aussi le gouvernement provisoire fixa-t-il une consultation électorale au 21 octobre 1945 sur le caractère constituant de l'Assemblée élue le même jour et sur l'organisation des pouvoirs publics.

C'est à la suite de ce référendum que la loi constitutionnelle du 2 novembre 1945 rétablit la séparation des pouvoirs et prescrivit l'élaboration de la Constitution dans le délai de sept mois, ce qui fut fait.

Mais cette Constitution sera rejetée le 5 mai 1946, fait unique dans notre histoire, par dix millions de voix contre neuf.

Une deuxième Assemblée constituante est alors élue le 2 juin 1946. Elle établit une nouvelle Constitution, qui diffère sur un certain nombre de points de la précédente mais qui, dans son essence, reste basée sur la supériorité de l'Assemblée nationale.

Si le résultat de la consultation populaire est cette fois positif, il est encore moins net que le précédent : le vote est acquis par neuf millions de voix contre huit millions, avec neuf millions d'abstentions.

Cette Constitution porte la date du 27 octobre 1946. Avec quelques changements ultérieurs, assez insignifiants, c'est elle qui a régi les institutions de la IVᵉ République.

La loi constitutionnelle du 3 juin 1958 autorise la révision de la Constitution de 1946. Elle donne mission au gouvernement du président de Gaulle d'établir le nouveau projet constitutionnel, dont les fondements reposeront sur les principes démocratiques suivants : suffrage universel considéré comme source de tout pouvoir, séparation effective entre le pouvoir législatif et le pouvoir exécutif, responsabilité du gouvernement devant le parlement, indépendance de l'autorité judiciaire qui assure le respect des libertés publiques et enfin organisation des rapports entre la République et les peuples associés.

L'avant-projet de la nouvelle Constitution, préparé par le gouvernement, a été soumis, pour avis, à un Comité consultatif constitutionnel de 39 membres qui a terminé ses travaux le 14 août 1958 en apportant quelques modifications au projet primitif. Le projet fut ensuite soumis au Conseil d'Etat qui, le 28 août, l'approuva en assemblée générale.

Soumise au référendum du peuple français le 28 septembre 1958, la nouvelle Constitution a été adoptée, en France, par 17.668.790 « oui » contre 4.624.511 « non ».

III. — LE CORPS ELECTORAL

Gouvernement du peuple par le peuple et pour le peuple : en matière électorale le peuple s'identifie très exactement avec le corps électoral.

Le droit de vote est la prérogative du citoyen ; c'est le moyen que la Constitution lui donne d'exercer ses droits politiques. Les droits de l'homme sont des droits civils, les droits du citoyen sont ses droits civiques. Mais l'exercice des uns et des autres ne doit jamais devenir une obligation, et notre régime n'impose pas le devoir électoral au citoyen qui désire s'abstenir.

Dans le suffrage restreint, pratiqué autrefois, c'était le paiement du cens, genre d'impôt spécial, qui donnait le droit de vote ; le suffrage était alors appelé censitaire. D'autres restrictions peuvent être envisagées, comme l'exercice d'une profession ou l'obligation d'avoir un certain degré d'instruction. Le système qui a triomphé en France est le suffrage universel, auquel, depuis la Libération, participent les Françaises dans les mêmes conditions que les Français. La majorité électorale est fixée à vingt et un ans, comme la majorité civile. Seules les incapacités prévues par la loi peuvent priver les citoyens du droit de vote, notamment les condamnations criminelles, même par contumace, et certaines condamnations correctionnelles. La loi prive également du droit de vote les faillis.

A ces conditions générales de jouissance de l'électorat s'ajoute une condition d'exercice : il faut être inscrit sur une liste électorale. Celle-ci, qui est publique, est tenue dans chaque commune ou, dans les agglomérations importantes, par sections de commune. La liste électorale est unique et permanente : toutes les consultations populaires ont lieu d'après la même, constamment tenue à jour. Révisée dans les trois premiers mois de chaque année, elle comprend les habitants de la commune et ceux qui y possèdent des attaches matérialisées par le paiement de certains impôts. On ne peut être inscrit sur deux listes : la fraude électorale est sévèrement réprimée.

Le suffrage politique et l'organisation du scrutin peuvent être conçus de différentes manières.

La distinction fondamentale est celle du suffrage direct, par lequel le peuple nomme ses élus, et celle du suffrage indirect, par lequel l'électeur n'élit que des représentants chargés de désigner l'élu. Dans le système bicaméraliste, on applique le suffrage direct pour l'une des chambres, le suffrage indirect pour l'autre. Tel a été notre système électoral sous les deux précédentes Républiques, tel il est encore aujourd'hui.

Le scrutin peut être uninominal et de liste. Dans le premier système, les électeurs groupés dans de petites circonscriptions — en général arrondissements — sont appelés à voter pour un seul candidat car ils doivent désigner un seul élu. Dans le scrutin de liste, l'électeur devra voter pour plusieurs candidats à la fois en vue d'envoyer au parlement plusieurs élus. Si le système électoral impose le vote pour une liste entière telle qu'elle est constituée par les candidats, l'électeur devra la prendre telle qu'elle est. Si au contraire la loi permet le panachage, il aura le droit de constituer sa propre liste originale en choisissant sur toutes celles qui sont en présence les personnalités qu'il désire élire et il les placera dans l'ordre de ses préférences.

Enfin, il faut distinguer le scrutin majoritaire et le scrutin à représentation proportionnelle. Le premier a pour but de faire triompher la volonté de la majorité. Ce scrutin, s'il est à un tour fait désigner l'élu à la majorité relative. Dans un système plus perfectionné, le premier tour nécessite la majorité absolue, c'est-à-dire plus de la moitié des suffrages, et la majorité relative départage les candidats au second tour.

Pendant tout le XIXe siècle le scrutin majoritaire a régné sans partage, soit à un tour comme dans l'empire britannique, l'Amérique latine et quelques pays nordiques, soit à deux tours comme en France et dans le reste de l'Europe. Mais dès les premières années de ce siècle, le scrutin à représentation proportionnelle se développe, s'étend à toute l'Europe et est aussi adopté par la France après la Libération. L'idée est de permettre la représentation des minorités au sein du parlement. Le

scrutin de liste convient davantage à ce système, comme
le scrutin uninominal convient mieux au système majoritaire. La représentation proportionnelle comporte deux
inconvénients : le premier, le moindre, est la difficulté
de répartir les restes ; le second, qui est grave, est la
multiplication des groupes politiques au sein du parlement.

C'est en tenant compte de ces objections que le système
du scrutin de liste a été abandonné en 1958.

La Constitution de 1958 et une loi organique prévue
par son article 25 unifient le système électoral de notre
pays. Les députés à l'Assemblée nationale sont désormais
élus au scrutin uninominal majoritaire à deux tours.

L'organisation matérielle des élections se déroule suivant une procédure administrative très précise qui assure
le secret du vote de l'électeur et l'égalité entre tous les
candidats. La période électorale se situe entre le décret
de convocation des électeurs et le scrutin, qui, en France,
a toujours lieu un dimanche.

La propagande électorale, strictement réglementée, doit
être limitée et publique. C'est surtout sa limitation qui lui
donne un caractère démocratique : les candidatures bien
financées ne peuvent pas éclipser les autres, plus modestes. Cependant une certaine inégalité entre les candidatures subsiste du fait que des partis politiques bien
organisés procèdent constamment à la propagation de
leurs idées, indépendamment des élections, et se font
ainsi bien connaître de la population, ce qui accroît leurs
chances pendant les journées où les citoyens vont aux
urnes.

Le jour du scrutin, les bureaux de vote sont ouverts
dans chaque commune et sont tenus par les électeurs
eux-mêmes. Après être passé dans l'isoloir pour glisser
dans l'enveloppe réglementaire son bulletin de vote,
l'électeur se présente devant le bureau, justifie de son
identité, et, à l'appel de son nom, introduit personnellement l'enveloppe dans l'urne. Sa carte d'électeur est alors
tamponnée tandis qu'en même temps on émarge la liste
électorale.

A la clôture du scrutin, les votes sont décomptés publiquement par bureau et en présence des scrutateurs dési-

gnés par les candidats. C'est le dépouillement. Le nombre
d'enveloppes est comparé aux émargements de la liste
électorale puis les bulletins sont retirés et dénombrés. Un
procès-verbal est ensuite établi, auquel sont joints tous
les bulletins blancs et nuls. Il ne reste plus aux bureaux
qu'à envoyer les résultats à la commission de recensement
qui les centralise et proclame les élus.

Mais, avant d'être définitivement investi de sa qualité
de représentant du peuple, l'élu doit être validé par l'Assemblée. Celle-ci constitue des bureaux qui examinent
les dossiers électoraux et, sur rapport de ces bureaux,
l'Assemblée se prononce souverainement sur la validation
ou l'invalidation des candidats élus.

IV. — LES PARTIS POLITIQUES

Le parti politique organisé est aujourd'hui le principal
sinon le seul pourvoyeur du Parlement.

D'une façon générale, l' « appareil » du parti, spécialement celui des anciens partis bien organisés et enca-
drés, tient en mains les leviers de commande et dirige
l'action politique du groupement. De sorte que l'accession
à un poste élevé est une condition nécessaire et souvent
suffisante pour le militant qui désire se porter candidat
et devenir député.

Je vais dire maintenant quels sont les principaux partis
politiques de notre pays et comment ils se sont formés.

Au début du siècle dernier, en France, comme dans les
autres pays, les tendances politiques furent assez sim-
plistes. Les républicains étaient les hommes de gauche,
les monarchistes, les tenants de la droite. Les mots
« gauche » et « droite » correspondent tout simplement
à la place occupée par les uns et par les autres dans
l'hémicycle, place déterminée par rapport au président
qui fait face à l'assemblée. Ce bipartisme favorisait l'organisation de majorités cohérentes et facilitait le travail
gouvernemental.

Le socialisme qui se développe au XXᵉ siècle, puis
— après la première guerre mondiale — le communisme,

pénètrent rapidement dans les parlements des pays européens. Les divers systèmes électoraux n'empêchent pas leur développement, de sorte que le bipartisme est vite remplacé par le tripartisme d'abord, par le quadripartisme ensuite.

En France, cette évolution naturelle a été quelque peu bouleversée par la multiplicité des régimes politiques qui ont déferlé à travers notre pays au siècle dernier. A chaque nouvelle révolution correspondait une nouvelle Constitution, à chaque Constitution correspondait une nouvelle formation politique. C'est surtout dans les partis de la droite que de nombreuses scissions se sont produites, d'abord parmi les royalistes, entre les légitimistes et les orléanistes, puis par la formation des bonapartistes et des républicains modérés. Le boulangisme jette un nouveau trouble dans les rangs de la droite. Ce fractionnement des conservateurs, et leur inorganisation, conduisent, au xxᵉ siècle, à la formation de partis antirépublicains de plus en plus nombreux ; les uns sont contre la démocratie, les autres contre le régime parlementaire, les uns se déclarent monarchistes, les autres fascistes, tous ont des tendances autoritaires et factieuses. Ces mécontents ont trouvé leur expression dans le régime de Vichy.

Après la Libération, les partis de la droite ont essayé d'organiser leur effort de conservation sociale par la formation du Parti Républicain de la Liberté (P. R. L.). Après la tentative du général de Gaulle de créer, en 1947, un Rassemblement du Peuple Français (R. P. F.), les Indépendants et les Paysans ont constitué le Centre des Indépendants. C'est aujourd'hui — après la disparition de l'éphémère mouvement Poujade — le véritable représentant de l'ancienne droite.

Quelques semaines avant les élections de novembre 1958 est venu s'y adjoindre un nouveau parti, groupant ses membres autour du nom du général de Gaulle. C'est l'Union pour la Nouvelle République (U. N. R.). Grande triomphatrice des premières élections de la Vᵉ République, l'U. N. R. a été amenée à assumer, dès la mise en vigueur de la nouvelle Constitution, la responsabilité du pouvoir.

Le Mouvement Républicain Populaire (M. R. P.) est un parti politique hybride. De droite par ses attaches avec l'Eglise, et de gauche par ses idées sociales, il est l'expression politique de la démocratie chrétienne née entre les deux guerres. Le M. R. P. n'est pas un parti religieux ou clérical, encore qu'il soit d'inspiration chrétienne. Il est attaché à la République et au régime parlementaire ; il se proclame de gauche et reconnaît l'existence d'une lutte de classes. Il défend les intérêts des ouvriers chrétiens de la C. F. T. C.

A la droite du M. R. P. s'est constitué en 1958 un parti de la Démocratie Chrétienne, que son programme rapproche des Indépendants et de certains éléments de l'U. N. R.

Le parti radical, grand parti sous la IIIe République, a été anéanti par le régime de Vichy et, à la Libération, il apparaissait sans avenir politique. Après un redressement remarquable, il a de nouveau occupé une place importante, puis s'est affaibli encore une fois sous l'influence de facteurs politiques externes.

Le Rassemblement des gauches républicaines (R. G. R.) s'est formé sous l'influence du parti radical par des alliances électorales avec les petits partis proches du radicalisme. Transformée plus tard en parti autonome, cette fédération tend à devenir une sorte de radicalisme de droite.

Le parti socialiste a été formé en 1905 par la fusion des partis de Guesde et de Jaurès ; c'était, à l'époque, en conformité avec ses idées, la Section Française de l'Internationale Ouvrière (S. F. I. O.). La grande innovation des socialistes a été de substituer, aux anciens partis de cadres, un parti de masses. Cependant, durant trente ans, le parti socialiste s'abstint de toute participation au gouvernement, tout en accordant son soutien aux partis de gauche lorsqu'ils gouvernaient le pays. Cette modération favorisa les tendances au sein du parti et permit aux communistes, après la scission de 1920, de prendre un départ foudroyant dans les masses ouvrières.

Après la victoire du Front populaire de 1936, le parti socialiste détient brièvement le pouvoir et introduit les premières grandes réformes sociales qui trouveront leur épanouissement dans la législation du travail des premiers cabinets qui suivent la Libération. En 1945, avec les communistes et le M. R. P., les socialistes sont de nouveau au pouvoir, puis, après l'éviction des communistes, acceptent d'être jusqu'en 1958 l'aile gauche de la troisième force dont le M. R. P. est le pivot.

Certains de ses éléments l'ont quitté en 1958 et ont créé un parti socialiste autonome (P. S. A.). L'Union des Forces Démocratiques (U. F. D.) est un cartel qui groupe, à côté du P. S. A., certaines petites formations de l'opposition de gauche, notamment l'U. D. S. R., des éléments dissidents du parti radical et le parti de l'Union de la Gauche Socialiste (U. G. S.).

Le parti communiste est né en 1920 lors de la scission de Tours, au cours de laquelle la majorité donna son adhésion à la IIIᵉ Internationale créée à Moscou après la Révolution de 1917, tandis que la minorité restait fidèle à la IIᵉ Internationale. Comme la S. F. I. O., le parti communiste est un parti de masses, mais son organisation diffère de celle du parti socialiste. Celui-ci est formé de sections communales ou cantonales groupées en fédérations départementales qui envoient des délégués au Congrès, sorte de parlement du parti réuni annuellement pour élire un Comité directeur, sorte de gouvernement du parti. Le Congrès du parti est donc un régime parlementaire en miniature.

Toute autre est la formation du parti communiste. La section a été abandonnée au profit de la cellule, qui groupe les adhérents d'une même entreprise et constitue l'élément de base de l'organisation. Les cellules possèdent un encadrement puissant et sont en général à faible effectif. Conformément à la théorie des liaisons verticales, elles ne communiquent pas directement entre elles mais passent par l'intermédiaire de l'échelon supérieur, ce qui, avec la parfaite obéissance que l'organisation réclame de ses membres, assure la sécurité au cas où le parti devrait entrer dans la clandestinité.

Après avoir refusé tout soutien parlementaire et toute alliance électorale, le parti communiste a soutenu le gouvernement du Front populaire en 1936 sans d'ailleurs accepter d'y participer. Après la Libération, il a pris part au cabinet formé par le général de Gaulle qui tentait de grouper autour de sa personne un Front national. Mais, à dater de mai 1947, il est entré dans l'opposition.

V. — LE PARLEMENT ET LES HAUTS CONSEILS

Composé de l'Assemblée nationale et du Sénat, notre parlement est bicaméraliste, comme il l'était sous la IIIe République. L'Assemblée est élue au suffrage direct, dans les conditions que nous avons vues. Le Sénat est élu au suffrage indirect et assure la représentation des collectivités territoriales de la République et des Français établis hors de France.

Le mandat parlementaire est la plus haute fonction dont un Français puisse être investi par ses concitoyens, puisque le parlementaire, représentant du peuple, traduit la volonté du pays. Mais précisément le mandat est confié par le pays et non par les électeurs, d'où il suit que le parlementaire n'est nullement mandaté au sens civil du terme. Elu par une circonscription, le député ne représente jamais cette circonscription, mais la nation tout entière. Le mandat est libre et irrévocable. Enfin, le mandant n'a pas à ratifier les actes de son député, et nul n'est qualifié pour contester l'attitude, les décisions ou les votes de celui-ci.

La première condition de la validité du mandat parlementaire, est d'être régulièrement conféré. La volonté nationale doit s'exprimer correctement, d'où il résulte que le mandat est exclusif d'erreurs, et qu'il est vicié par la violence, la fraude ou la corruption. Les suffrages doivent se porter sur une personne capable de les recueillir : en dehors des conditions générales de l'électorat, l'éligibilité est soumise à quelques conditions particulières. Les incompatibilités sont nombreuses.

J'ai déjà brièvement dit quel était le statut du parlementaire sous la IIIe République. La Constitution de 1958, comme celle de 1946 d'ailleurs, n'a rien innové en ce qui concerne l'irresponsabilité du député, son inviolabilité, et l'indemnité qu'il reçoit afin de ne dépendre de personne. En revanche, le règlement de l'Assemblée mérite de retenir l'attention.

Le bureau de l'Assemblée est élu, conformément aux prescriptions du règlement, au début de la session ordinaire. L'élection du président a lieu au scrutin secret à la tribune. Dès sa désignation, le président de l'Assemblée remplace le doyen d'âge, et fait procéder aux autres élections : vice-présidents, secrétaires et questeurs. Une fois constitué, le bureau aura la charge d'assurer le fonctionnement matériel de l'Assemblée et d'en conduire les travaux. Il faut noter que si le président de l'Assemblée nationale est élu pour la durée de la législature, le président du Sénat est élu après chaque renouvellement partiel.

Les manquements au règlement des Assemblées sont d'abord sanctionnés par le rappel à l'ordre simple et par le rappel à l'ordre avec inscription au procès-verbal. Ce sont deux peines légères. La censure et la censure avec exclusion temporaire sont deux peines plus graves, qui répriment les manquements plus sérieux.

Le parlement se réunit de plein droit en deux sessions ordinaires par an, mais les sessions sont plus brèves que sous les constitutions antérieures. Le parlement peut aussi se réunir en session extraordinaire, notamment à la demande du Premier ministre. Enfin, si les séances des deux assemblées sont publiques, chacune d'elles peut siéger en comité secret, soit à la demande du Premier ministre, soit à celle d'un dixième de ses membres.

Il n'y a plus aujourd'hui de primauté de l'Assemblée nationale qui — sous le régime antérieur — votait seule la loi. L'article 34 de la Constitution dispose que la loi est votée par le parlement, c'est-à-dire par les deux assemblées. Ce même texte précise les matières qui sont du domaine de la loi. La plupart des règles que nous avons examinées dans cet ouvrage en font évidemment partie. Tout ce qui n'entre pas dans ce domaine appartient au domaine réglementaire et ressortit du pouvoir exécutif. Mais, dans le cas de besoin, et pour l'exécution de son programme, le gouvernement peut aussi demander au parlement l'autorisation de prendre par ordonnances, pendant un délai limité, des mesures qui sont normalement du domaine de la loi. Les ordonnances sont alors prises en Conseil des ministres après avis du Conseil d'Etat.

L'initiative des lois appartient au Premier ministre et

aux membres du parlement. Délibérés en Conseil des ministres, après avis du Conseil d'Etat, les projets de loi sont déposés sur le bureau de l'une des deux assemblées.

Une innovation de notre actuelle loi fondamentale résulte de son article 41, qui prévoit que, s'il apparaît au cours de la procédure législative qu'une proposition, ou un amendement, n'est pas du domaine de la loi, le gouvernement peut opposer l'irrecevabilité. S'il y a désaccord entre lui et le président de l'assemblée intéressée, c'est le Conseil constitutionnel qui statuera dans les huit jours.

Une autre innovation est l'incompatibilité entre les fonctions de membre du gouvernement et l'exercice de tout mandat parlementaire ; la séparation des pouvoirs est ainsi effectivement assurée. C'est à cause de cette incompatibilité que la loi prévoit que toute déclaration de candidature aux élections législatives doit indiquer la personne appelée à remplacer le candidat élu en cas de vacance de son siège provoquée notamment par son entrée dans l'équipe ministérielle.

Le fonctionnement du système de responsabilité gouvernementale a été profondément modifié.

Dans la Constitution de 1946, l'Assemblée nationale devait accorder sa confiance au cabinet présenté par le président du Conseil des ministres et, par conséquent, l'investir pour gouverner le pays. Ce pouvoir d'investiture était la prérogative exclusive de l'Assemblée nationale. Dans la Constitution de 1958, l'idée fondamentale sur la formation du cabinet est une confiance présumée : le gouvernement est constitué par la seule volonté du président de la République sans aucune investiture parlementaire.

D'autre part, des modalités différentes sont élaborées pour permettre de renverser un gouvernement en place. Une motion de censure est instituée, par laquelle l'Assemblée nationale met en cause la responsabilité du gouvernement. Cette procédure est régie d'une façon très précise. La motion de censure n'est recevable que si elle est signée par un dixième au moins des membres de l'Assemblée. Le vote n'a lieu que quarante-huit heures après son dépôt. Seuls sont recensés les votes favorables à la motion de censure qui ne peut être adoptée qu'à la majorité des membres composant l'Assemblée. Rejetée, elle ne pourra plus être proposée par ses signataires au cours de la même session.

Mais le contrôle du gouvernement revêt aussi d'autres formes, plus élémentaires, dont la plupart étaient déjà en vigueur dans les précédentes Constitutions et se sont largement développées sous la IIIe République. C'est d'abord la réception des pétitions, premier moyen de contrôle, le plus élémentaire et sans doute un des plus anciens. La question orale ou écrite est une demande de renseignements adressée par un parlementaire à un ministre. La communication de pièces, qui se complète par une enquête parlementaire, assure mieux encore le contrôle.

C'est enfin l'idée de contrôle qui a conduit au maintien de la Haute Cour de justice, juridiction politique compétente pour juger le président de la République au cas de haute trahison et les ministres pour les crimes et délits commis dans l'exercice de leurs fonctions.

La Constitution attribue au parlement d'importants pouvoirs en ce qui concerne la déclaration de guerre et l'institution de l'état de siège qui, bien que décrété en Conseil des ministres, ne peut être prorogé au delà de douze jours sans l'autorisation du parlement.

Dans l'ancienne Constitution, une ébauche de tetracaméralisme avait été tentée par la création d'une assemblée de l'Union française et d'un Conseil économique. Ces deux assemblées ont été supprimées, mais tandis que la seconde ressuscitait sous la forme d'un Conseil économique et social, la première était remplacée par les organes d'une Communauté dont l'idée est neuve.

En ce qui concerne le Conseil économique et social, il est composé de représentants des organisations, des professions et des activités les plus représentatives du pays : travail salarié, entreprises industrielles, commerciales et artisanales, organisations agricoles, et bien d'autres encore. Ce conseil, saisi par le gouvernement, donne son avis sur les projets et les propositions de lois, ordonnances et décrets qui lui sont soumis. Il peut être consulté par le gouvernement sur tout problème économique et social.

La Communauté instituée par la Constitution de 1958 groupe, aux côtés de la France, des Etats autonomes qui s'administrent eux-mêmes et gèrent librement et démocratiquement leurs propres affaires. C'est le président de la République qui préside et représente la Communauté. Celle-ci a pour organes un Conseil exécutif, qui organise la coopération des membres de la Communauté sur le plan gouvernemental et administratif, un Sénat et, pour statuer sur les litiges survenus entre ses membres, une Cour arbitrale.

Un très important organisme est le Conseil supérieur de la magistrature que prévoient les articles 64 et 65 de la Constitution et qui existait déjà sous le régime de la Constitution précédente. Ce Conseil a d'importantes attributions administratives ; le président de la République, en effet, ne nomme les magistrats que lorsqu'ils sont présentés par ce conseil. C'est lui également qui prononce les révocations, les suspensions et les déplacements des magistrats, en même temps qu'il veille sur le principe de l'inamovibilité des juges, qu'il est chargé de faire respecter. Le Conseil supérieur de la magistrature donne aussi au président de la République son avis en matière de grâce.

Plus originale est la création du Conseil constitutionnel, composé de neuf membres dont trois nommés par le président de la République, trois par le président de l'Assemblée nationale, trois par le président du Sénat. La Constitution prévoit qu'en sus des neuf membres ainsi désignés font partie à vie du Conseil constitutionnel les anciens présidents de la République. Le mandat des membres désignés est de neuf ans et le Conseil se renouvelle par tiers tous les trois ans sans que les membres sortants puissent être réinvestis.

Les hautes fonctions de membre du Conseil constitutionnel sont incompatibles avec celles de ministre et de membre du parlement. Le Conseil veille à la régularité de l'élection du président de la République, il statue en cas de contestation sur la régularité de l'élection des parlementaires et surtout il veille sur la constitutionnalité des lois. Les décisions du Conseil constitutionnel ne sont suceptibles d'aucun recours et s'imposent aux pouvoirs publics ainsi qu'à toutes les autorités administratives et judiciaires.

VI. — LE PRESIDENT DE LA REPUBLIQUE ET LE GOUVERNEMENT

En distinguant très nettement les attributions du gouvernement et celles du parlement, les constituants de 1958 ont été conduits à renforcer considérablement les pouvoirs du Conseil des ministres et plus encore ceux du président de la République, qui apparaît maintenant non plus comme un rouage du pouvoir exécutif, mais bien comme un véritable arbitre des destinées nationales. Veillant au respect de la Constitution, il assure le fonctionnement régulier des pouvoirs publics ainsi que la continuité de l'Etat.

Les présidents de la IIIe et de la IVe Républiques étaient élus par le congrès du parlement réuni à Versailles, et l'élection se faisait au scrutin secret par appel nominal et à la majorité absolue des suffrages exprimés. La Constitution de 1958 a innové sous ce rapport, et le président de la République est désormais élu par un collège électoral beaucoup plus vaste qui comprend, en dehors des membres du parlement, ceux des conseils généraux et des assemblées des territoires d'outre-mer et les représentants élus des conseils municipaux. L'élection a lieu à la majorité absolue au premier tour. Faute de cette majorité, le président est élu au second tour à la majorité relative.

Le président de la République est élu pour sept ans et l'élection du nouveau président doit avoir lieu vingt jours au moins et cinquante jours au plus avant l'expiration des pouvoirs du président en exercice. En cas de vacance ou empêchement, ses fonctions sont provisoirement exercées, non plus par le président de l'Assemblée nationale, mais par le président du Sénat.

La IVe République avait accru les fonctions du président de la République ; ses attributions, ses compétences et ses pouvoirs sont encore plus étendus aujourd'hui.

Il a d'abord de hautes fonctions dans le gouvernement, car il nomme le Premier ministre et met fin à ses fonctions. De même, c'est le président de la République qui, sur proposition du Premier ministre, nomme les autres membres du gouvernement ou met fin à leurs fonctions. C'est d'ailleurs lui qui préside le Conseil des ministres, mais c'était déjà une de ses attributions sous l'ancienne Constitution.

Il intervient dans l'élaboration de la loi en la promulguant dans un délai de quinze jours, mais il conserve la possibilité de demander dans ce délai une nouvelle délibération, ce qui constitue un droit de veto temporaire, car cette nouvelle délibération ne peut être refusée.

L'article 11 prévoit pour le président de la République la possibilité de soumettre au référendum tout projet de loi portant sur l'organisation des pouvoirs publics, innovation qui répond au principe posé par l'article 3, lequel dispose que la souveraineté nationale s'exerce tant par les représentants du peuple que par voie de référendum. Le chef de l'Etat peut aussi communiquer avec les deux assemblées du parlement par voie de messages qui ne donnent lieu à aucun débat.

Une nouvelle et importante prérogative du chef de l'Etat est le droit de dissolution de l'Assemblée nationale, qui peut être prononcée après consultation du Premier ministre et des présidents des assemblées. Les élections générales ont lieu alors, vingt jours au moins et quarante jours au plus après la dissolution.

Chef des armées, le président de la République préside les conseils et comités supérieurs de la Défense nationale. C'est lui qui accrédite les ambassadeurs ; c'est auprès de lui que sont accrédités les ambassadeurs étrangers. Il a le droit de grâce. Il nomme aux emplois civils et militaires de l'Etat.

Le président de la République est garant de l'indépendance de l'autorité judiciaire. Il est assisté par le Conseil supérieur de la magistrature dont il est le président.

Enfin, « lorsque les institutions de la République, l'indépendance de la nation, l'intégrité de son territoire ou l'exécution de ses engagements internationaux sont menacés d'une manière grave et immédiate », le président de la République prend les mesures qui s'imposent après consultation du Premier ministre, des présidents des assemblées et du Comité constitutionnel. La nation est alors informée par un message et le parlement se réunit de plein droit.

La constitution du ministère s'articule autour de la nomination du Premier ministre par le président de la République. C'est le gouvernement qui détermine et conduit la politique du pays, et c'est lui qui dispose de l'administration et de la force armée.

Les ministres ont un statut personnel qui en fait des dignitaires de l'Etat. Comme le président de la République, ils ont droit, lors des visites officielles, aux honneurs civils et militaires. Ils sont égaux entre eux. Les ministres sont responsables et c'est précisément leur responsabilité qui est la marque de leur fonction. Ils sont responsables civilement et pénalement suivant les modalités ordinaires de la responsabilité des fonctionnaires.

Mais c'est surtout de leur responsabilité politique qu'il s'agit. La Constitution de 1958 prévoit la responsabilité du gouvernement devant le parlement, suivant les modalités que j'ai déjà décrites en examinant le statut des assemblées. En effet, si le ministre a la haute main sur son département ministériel, s'il est en principe le chef d'une certaine branche technique de l'administration, les attributions gouvernementales des ministres ne s'exercent jamais isolément, mais au sein du cabinet. C'est l'organe collégial qu'est le Conseil des ministres qui dirige l'Etat. Son rôle est fixé par la Constitution et par les lois, mais c'est surtout la coutume qui précise le contenu des délibérations. Tous les problèmes de gouvernement sur lesquels le Premier ministre entend consulter ses collègues y sont traités, toutes les mesures importantes y sont prises par décrets, toute l'orientation de la politique nationale y est discutée sous la présidence du président de la République. Les réunions se tiennent toutes les semaines à jour fixe ; des convocations extraordinaires peuvent avoir lieu.

Une autre formation, le Conseil de cabinet, se tient hors la présence du chef de l'Etat. Enfin, le Conseil restreint ne réunit qu'une partie des ministres. En Conseil de cabinet, et à plus forte raison en Conseil restreint, les délibérations ne peuvent être que préparatoires. Les décisions ne sont prises qu'en Conseil des ministres.

Les résultats des délibérations sont connus, lorsque le gouvernement le juge bon, par des communiqués à la presse.

J'ai déjà dit que la fonction ministérielle est incompatible avec l'exercice de tout mandat parlementaire. J'ajoute qu'elle est également incompatible avec toute fonction de représentation professionnelle à caractère national et avec tout emploi public ou toute activité professionnelle.

Les responsabilités ministérielles sont parfois partagées par les ministres avec des secrétaires d'Etat, chefs de départements moins importants. Les cabinets comprennent quelquefois des sous-secrétaires d'Etat, dont la dépendance à l'égard du ministre est plus nettement marquée.

ÉPILOGUE

LA FRANCE DANS LE MONDE

Depuis des temps immémoriaux, les moindres conflits entre les nations se réglaient par la force. Cette absence d'éthique internationale rejaillissait évidemment sur la moralité interne des sociétés humaines. Pendant toute l'histoire de l'humanité, la paix perpétuelle a toujours été l'idéal que se proposait toute société nationale parvenue à un degré de développement suffisamment avancé pour en comprendre les avantages. Mais aucune, jusqu'au xxe siècle, n'a conçu le problème autrement que par l'établissement d'un régime que la force impose aux autres nations. Conquérir pour établir la paix, soumettre pour installer un ordre uniforme, telle a toujours été la pensée des peuples et de leurs chefs. C'est peu à peu que s'est concrétisée l'idée de l'établissement d'une paix perpétuelle par le développement d'organes communs à plusieurs Etats et, en même temps, distincts et indépendants de ces Etats. Mais il a fallu encore que ces notions s'épurent et se précisent.

C'est au cours du xxe siècle, en effet, le plus civilisé de tous et, à la fois, le plus sanglant, que l'abolition de la guerre a été réclamée avec le plus de constance par les esprits les plus éclairés, au cours de ce xxe siècle qui, en cinquante ans, a accumulé, par le fer et par le feu, plus de victimes que toutes les guerres réunies n'en ont faites depuis l'origine de l'humanité.

Créée en 1918, la Société des Nations, première tentative pour régler les problèmes politiques internationaux, disparut dans la tourmente de 1939, non sans avoir fait auparavant la preuve de sa faiblesse. L'Organisation des nations unies (O. N. U.), conçue et réalisée en pleine guerre, semble aujourd'hui un organisme international sur lequel l'humanité peut s'appuyer avec plus de confiance.

La guerre terminée, l'O. N. U. a élargi ses buts et ses principes, et son rôle est aujourd'hui bien plus vaste que la seule protection contre le plus terrible fléau de la nature, le seul qui ait été inventé par l'homme. Si le but fondamental de l'organisation est toujours l'abolition des conflits armés, ses autres activités tendent à assurer à tous les hommes un respect égal de leurs droits fondamentaux, à favoriser le progrès des techniques, des arts et des conditions d'existence de l'humanité et à instaurer le règne de la liberté dans tous les pays du monde.

Inclus dans la Charte de l'Atlantique dès 1941 et exposés dans la Déclaration des nations unies du 1ᵉʳ janvier 1942, les principes essentiels de l'organisation furent adoptés par la conférence de San Francisco, et la charte entra en vigueur en octobre 1945. Les principes fondamentaux sont l'égalité des membres de l'O. N. U., la soumission des litiges internationaux à un mode de règlement pacifique, l'engagement de renoncer à l'emploi de la force et l'obligation de prêter assistance à toute action décidée par l'organisation.

Celle-ci comprend un certain nombre d'organes grâce auxquels elle peut exercer son action. L'un des organes essentiels est l'Assemblée générale, composée de tous les membres des nations unies. Le nombre des délégués de chaque pays est de cinq au maximum et tous les Etats membres sont représentés. La session annuelle s'ouvre en septembre et les décisions sont prises, soit à la majorité des deux tiers pour les problèmes les plus importants, comme les recommandations relatives au maintien de la paix, les élections aux divers autres organes, l'admission de nouveaux membres, soit à la majorité simple. Des sessions extraordinaires peuvent être convoquées si le besoin s'en fait sentir.

Le Conseil de sécurité est composé de cinq membres permanents, la France, la Grande-Bretagne, les Etats-Unis, l'U. R. S. S. et la Chine nationaliste, et de six membres non permanents élus pour deux ans par l'Assemblée générale et renouvelables par moitié chaque année. Le Conseil de sécurité tient des sessions périodiques tous les trois mois et chaque membre dispose d'une voix. Le droit de veto existe dans cet organisme, car si, pour les questions de procédure, la majorité de sept membres quelconques suffit, il faut, pour les autres questions, que dans cette même majorité de sept membres figurent nécessairement tous les membres permanents. C'est le Conseil qui a la responsabilité principale du maintien de la paix et de la sécurité. C'est lui qui, en cas d'agression, peut prendre toutes les mesures économiques, diplomatiques ou même militaires pour mettre fin au conflit.

Le secrétariat général comprend un secrétaire général nommé pour cinq ans et rééligible, ainsi que le personnel nécessaire au fonctionnement de l'organisation.

La Cour internationale de justice, qui a remplacé l'ancienne Cour permanente de justice internationale, est l'organe juridictionnel permanent de l'O. N. U. Elle est composée de quinze magistrats élus pour neuf ans et rééligibles. Chaque membre de l'O. N. U. doit se conformer aux décisions de cette haute juridiction dans les litiges où il est partie.

L'O. N. U. comprend encore d'autres organes, parmi lesquels je citerai le Conseil économique et social, qui doit favoriser le respect universel des droits de l'homme et le relèvement des niveaux de vie, ainsi que le Conseil de tutelle, qui exerce d'importants fonctions dans certains territoires non autonomes. Enfin, de grandes commissions existent dans cette assemblée internationale, comme elles existent au sein des parlements nationaux, chargées d'examiner les questions de leur compétence et de préparer les avis et projets dont seront saisis les organes directeurs.

En dehors du pacte de l'O. N. U., qui est la pièce maîtresse de l'organisation internationale, des pactes régionaux se sont formés entre divers Etats appartenant à une même région économique ou politique. Ces organismes lient les uns aux autres certains pays rassemblés par une communauté d'intérêts. C'est ainsi que l'Europe occidentale est organisée par plusieurs pactes particuliers. L'organisation politique a été réalisée par le Conseil de l'Europe. L'organisation économique comprend la Commission économique pour l'Europe, l'Organisation européenne de coopération économique (O. E. C. E.) et un essai de véritable organisme supranational, la Communauté européenne du charbon et de l'acier (C. E. C. A.). On doit ranger sous la même rubrique l'Euratom et le marché commun. Enfin l'organisation militaire s'appuie sur le pacte de Bruxelles, devenu l'Union de l'Europe occidentale, et sur le traité atlantique, matérialisé par l'Organisation du traité de l'Atlantique nord (O. T. A. N.). La France fait encore partie de plusieurs autres organisations régionales, comme la Commission du Pacifique sud et le Traité de défense collective pour l'Asie du sud-est.

Ces accords sont à l'heure actuelle de plus en plus nombreux ; ils tendent à unir davantage les hommes et à effacer ce qui les sépare et bien plus encore ce qui les oppose. De nombreuses institutions spécialisées créent des liens puissants en toutes matières, économiques, techniques ou sociales. En dehors des organismes économiques dont il a déjà été question, la France appartient à la Banque internationale pour la reconstruction et le développement ainsi qu'au Fonds monétaire international.

Au point de vue technique et social, la France appartient à de nombreux organismes, tels que l'Organisation météorologique mondiale, l'Union postale universelle, l'Organisation mondiale de la Santé, l'Organisation pour l'Alimentation et l'Agriculture, l'Union internationale du Mètre, l'Organisation de l'Aviation civile internationale, l'Organisation internationale du Travail, et bien d'autres encore.

Enfin notre pays est membre d'une organisation dont le siège est à Paris, l'Organisation des Nations Unies pour l'Education, la Science et la Culture (U. N. E. S. C. O.).

Ces pactes se multiplient, comme se multiplient nombre de traités internationaux plus modestes qui sont très exactement pour les pays qui les signent ce que sont les contrats entre particuliers. Conclus entre Etats, les traités sont des accords qui créent ou modifient des rapports juridiques.

Il est permis d'espérer que dans l'ère nouvelle qui s'ouvre devant nous, le recours à la force cessera d'être le seul moyen de régler les conflits entre les hommes. Formons le vœu — au terme de ce long voyage à travers les institutions de la France — que la multiplication des traités, la conclusion de conventions de toute nature et de toute espèce, rapprochent les nations et leur permettent de mieux se connaître, de mieux s'apprécier, de mieux s'aimer.

ANNEXES

DÉCLARATION DES DROITS DE L'HOMME ET DU CITOYEN DU 26 AOUT 1789

Les représentants du peuple français constitués en ASSEMBLÉE NATIONALE, considérant que l'ignorance, l'oubli ou le mépris des droits de l'homme sont les seules causes des malheurs publics et de la corruption des Gouvernements, ont résolu d'exposer, dans une déclaration solennelle, les Droits naturels, inaliénables et sacrés de l'homme, afin que cette déclaration, constamment présente à tous les membres du corps social, leur rappelle sans cesse leurs droits et leurs devoirs ; afin que les actes du Pouvoir législatif et ceux du Pouvoir exécutif, pouvant être à chaque instant comparés avec le but de toute institution politique, en soient plus respectés ; afin que les réclamations des citoyens, fondées désormais sur des principes simples et incontestables, tournent toujours au maintien de la Constitution et au bonheur de tous. — En conséquence, l'ASSEMBLÉE NATIONALE reconnaît et déclare, en présence et sous les auspices de l'Etre Suprême, les droits suivants de l'Homme et du Citoyen.

ARTICLE PREMIER. — Les hommes naissent et demeurent libres et égaux en droits. Les distinctions sociales ne peuvent être fondées que sur l'utilité commune.

ART. 2. — Le but de toute association politique est la conservation des droits naturels et imprescriptibles de l'homme. Ces Droits sont la liberté, la propriété, la sûreté, et la résistance à l'oppression.

ART. 3. — Le principe de toute souveraineté réside essentiellement dans la Nation. Nul corps, nul individu ne peut exercer d'autorité qui n'en émane expressément.

ART. 4. — La liberté consiste à pouvoir faire tout ce qui ne nuit pas à autrui : ainsi, l'exercice des droits naturels de chaque homme n'a de bornes que celles qui assurent aux autres membres de la société la jouissance de ces mêmes droits. Ces bornes ne peuvent être déterminées que par la Loi.

ART. 5. — La Loi n'a le droit de défendre que les actions nuisibles à la société. Tout ce qui n'est pas défendu par la Loi ne peut être empêché, et nul ne peut être contraint à faire ce qu'elle n'ordonne pas.

ART. 6. — La Loi est l'expression de la volonté générale. Tous les citoyens ont droit de concourir personnellement, ou par leurs représentants, à sa formation. Elle doit être la même pour tous, soit qu'elle protège, soit qu'elle punisse. Tous les citoyens étant égaux à ses yeux, sont également admissibles à toutes dignités, places et emplois publics, selon leur capacité, et sans autre distinction que celle de leurs vertus et de leurs talents.

ART. 7. — Nul homme ne peut être accusé, arrêté ni détenu que dans les cas déterminés par la Loi, et selon les formes qu'elle a prescrites. Ceux qui sollicitent, expédient, exécutent ou font exécuter des ordres arbitraires, doivent être punis ; mais tout citoyen appelé ou saisi en vertu de la Loi, doit obéir à l'instant : il se rend coupable par la résistance.

ART. 8. — La Loi ne doit établir que des peines strictement et évidemment nécessaires, et nul ne peut être puni qu'en vertu d'une loi établie et promulguée antérieurement au délit, et légalement appliquée.

ART. 9. — Tout homme étant présumé innocent jusqu'à ce qu'il ait été déclaré coupable, s'il est jugé indispensable de l'arrêter, toute rigueur qui ne serait pas nécessaire pour s'assurer de sa personne, doit être sévèrement réprimée par la Loi.

ART. 10. — Nul ne doit être inquiété pour ses opinions, même religieuses, pourvu que leur manifestation ne trouble pas l'ordre public établi par la Loi.

ART. 11. — La libre communication des pensées et des opinions est un des droits les plus précieux de l'homme ; tout citoyen peut donc parler, écrire, imprimer librement, sauf à répondre de l'abus de cette liberté dans les cas déterminés par la Loi.

ART. 12. — La garantie des droits de l'Homme et du Citoyen nécessite une force publique ; cette force est donc instituée pour l'avantage de tous, et non pour l'utilité particulière de ceux auxquels elle est confiée.

ART. 13. — Pour l'entretien de la force publique, et

pour les dépenses d'administration, une contribution commune est indispensable : elle doit être également répartie entre tous les citoyens, en raison de leurs facultés.

ART. 14. — Tous les citoyens ont le droit de constater, par eux-mêmes ou par leurs représentants, la nécessité de la contribution publique, de la consentir librement, d'en suivre l'emploi, et d'en déterminer la quotité, l'assiette, le recouvrement et la durée.

ART. 15. — La société a le droit de demander compte à tout agent public de son administration.

ART. 16. — Toute société dans laquelle la garantie des droits n'est pas assurée, ni la séparation des pouvoirs déterminée, n'a point de constitution.

ART. 17. — La propriété étant un droit inviolable et sacré, nul ne peut en être privé, si ce n'est lorsque la nécessité publique, légalement constatée, l'exige évidemment, et sous la condition d'une juste et préalable indemnité.

Le texte qui précède est placé en tête de la Constitution du 3 septembre 1791. Une expédition de cette Constitution est gardée au Musée des Archives nationales n° 1239. En marge du premier feuillet se trouve l'apostille autographe de Louis XVI : « J'accepte et ferai exécuter, 14 septembre 1791 », signé Louis.

Les dispositions de cette Déclaration ont été remises en vigueur par le préambule de la Constitution de 1946.

PRÉAMBULE DE LA CONSTITUTION
DU 27 OCTOBRE 1946

Au lendemain de la victoire remportée par les peuples libres sur les régimes qui ont tenté d'asservir et de dégrader la personne humaine, le peuple français proclame à nouveau que tout être humain, sans distinction de race, de religion ni de croyance, possède des droits inaliénables et sacrés. Il réaffirme solennellement les droits et les libertés de l'homme et du citoyen consacrés par la Déclaration des Droits de 1789 et les principes fondamentaux reconnus par les lois de la République.

Il proclame, en outre, comme particulièrement nécessaires à notre temps, les principes politiques, économiques et sociaux ci-après :

La loi garantit à la femme, dans tous les domaines, des droits égaux à ceux de l'homme.

Tout homme persécuté en raison de son action en faveur de la liberté a droit d'asile sur les territoires de la République.

Chacun a le droit de travailler et le droit d'obtenir un emploi. Nul ne peut être lésé, dans son travail ou son emploi, en raison de ses origines, de ses opinions ou de ses croyances.

Tout homme peut défendre ses droits et ses intérêts par l'action syndicale et adhérer au syndicat de son choix.

Le droit de grève s'exerce dans le cadre des lois qui le réglementent.

Tout travailleur participe, par l'intermédiaire de ses délégués, à la détermination collective des conditions de travail ainsi qu'à la gestion des entreprises.

Tout bien, toute entreprise, dont l'exploitation a ou acquiert les caractères d'un service public national ou d'un monopole de fait, doit devenir la propriété de la collectivité.

La Nation assure à l'individu et à la famille les conditions nécessaires à leur développement.

Elle garantit à tous, notamment à l'enfant, à la mère et aux vieux travailleurs, la protection de la santé, la sécurité matérielle, le repos et les loisirs. Tout être humain qui, en raison de son âge, de son état physique ou mental, de la situation économique, se trouve dans l'incapacité de travailler a le droit d'obtenir de la collectivité des moyens convenables d'existence.

La Nation proclame la solidarité et l'égalité de tous les Français devant les charges qui résultent des calamités nationales.

La Nation garantit l'égal accès de l'enfant et de l'adulte à l'instruction, à la formation professionnelle et à la culture. L'organisation de l'enseignement public gratuit et laïque à tous les degrés est un devoir de l'Etat.

La République française, fidèle à ses traditions, se conforme aux règles du droit public international. Elle n'entreprendra aucune guerre dans des vues de conquête et n'emploiera jamais ses forces contre la liberté d'aucun peuple.

Sous réserve de réciprocité, la France consent aux limitations de souveraineté nécessaires à l'organisation et à la défense de la paix.

La France forme avec les peuples d'outre-mer une Union fondée sur l'égalité des droits et des devoirs, sans distinction de race ni de religion.

L'Union Française est composée de nations et de peuples qui mettent en commun ou coordonnent leurs ressources et leurs efforts pour développer leurs civilisations respectives, accroître leur bien-être et assurer leur sécurité.

Fidèle à sa mission traditionnelle, la France entend conduire les peuples dont elle a pris la charge à la liberté de s'administrer eux-mêmes et de gérer démocratiquement leurs propres affaires ; écartant tout système de colonisation fondé sur l'arbitraire, elle garantit à tous l'égal accès aux fonctions publiques et l'exercice individuel ou collectif des droits et libertés proclamés ou confirmés ci-dessus.

Les deux textes qui précèdent ont été validés par le préambule de la Constitution du 4 octobre 1958 en ces termes :

« Le peuple français proclame solennellement son attachement aux Droits de l'homme et aux principes de la souveraineté nationale tels qu'ils ont été définis par la Déclaration de 1789, confirmée et complétée par le préambule de la Constitution de 1946. »

DÉCLARATION UNIVERSELLE
DES DROITS DE L'HOMME

PRÉAMBULE

Considérant que la reconnaissance de la dignité inhérente
à tous les membres de la famille humaine et de leurs droits
égaux et inaliénables constitue le fondement de la liberté,
de la justice et de la paix dans le monde ;

Considérant que la méconnaissance et le mépris des
droits de l'homme ont conduit à des actes de barbarie qui
révoltent la conscience de l'humanité et que l'avènement
d'un monde où les êtres humains seront libres de parler
et de croire, libérés de la terreur et de la misère, a été
proclamé comme la plus haute aspiration de l'homme ;

Considérant qu'il est essentiel que les droits de l'homme
soient protégés par un régime de droit pour que l'homme
ne soit pas contraint, en suprême recours, à la révolte
contre la tyrannie et l'oppression ;

Considérant qu'il est essentiel d'encourager le développement de relations amicales entre nations ;

Considérant que dans la Charte les peuples des Nations
Unies ont proclamé à nouveau leur foi dans les droits
fondamentaux de l'homme, dans la dignité et la valeur de
la personne humaine, dans l'égalité des droits des hommes
et des femmes, et qu'ils se sont déclarés résolus à favoriser
le progrès social et à instaurer de meilleures conditions
de vie dans une liberté plus grande ;

Considérant que les Etats Membres se sont engagés à
assurer, en coopération avec l'Organisation des Nations
Unies, le respect universel et effectif des droits de l'homme
et des libertés fondamentales ;

Considérant qu'une conception commune de ces droits
et libertés est de la plus haute importance pour remplir
pleinement cet engagement,

L'Assemblée générale proclame :

La présente Déclaration universelle des droits de l'homme comme l'idéal commun à atteindre par tous les peuples et toutes les nations afin que tous les individus et tous les organes de la société, ayant cette déclaration constamment à l'esprit, s'efforcent, par l'enseignement et l'éducation, de développer le respect de ces droits et libertés et d'en assurer, par des mesures progressives d'ordre national et international, la reconnaissance et l'application universelles et effectives, tant parmi les populations des Etats Membres eux-mêmes que parmi celles des territoires placés sous leur juridiction.

ARTICLE PREMIER. — Tous les êtres humains naissent libres et égaux en dignité et en droits. Ils sont doués de raison et de conscience et doivent agir les uns envers les autres dans un esprit de fraternité.

ART. 2. — 1. Chacun peut se prévaloir de tous les droits et de toutes les libertés proclamés dans la présente Déclaration, sans distinction aucune, notamment de race, de couleur, de sexe, de langue, de religion, d'opinion politique ou de toute autre opinion, d'origine nationale ou sociale, de fortune, de naissance ou de toute autre situation.

2. De plus, il ne serait fait aucune distinction fondée sur le statut politique, administratif ou international du pays ou du territoire dont une personne est ressortissante, que ce territoire soit indépendant, sous tutelle ou non autonome, ou subisse toute autre limitation de souveraineté.

ART. 3. — Tout individu a droit à la vie, à la liberté et à la sûreté de sa personne.

ART. 4. — Nul ne sera tenu en esclavage ni en servitude ; l'esclavage et la traite des esclaves sont interdits sous toutes leurs formes.

ART. 5. — Nul ne sera soumis à la torture ni à des peines ou traitements cruels, inhumains ou dégradants.

ART. 6. — Chacun a le droit à la reconnaissance en tous lieux de sa personnalité juridique.

ART. 7. — Tous sont égaux devant la loi et ont droit sans distinction à une égale protection de la loi. Tous ont droit à une protection égale contre toute discrimination qui violerait la présente Déclaration et contre toute provocation à une telle discrimination.

ART. 8. — Toute personne a droit à un recours effectif devant les juridictions nationales compétentes contre les actes violant les droits fondamentaux qui lui sont reconnus par la Constitution ou par la loi.

Art. 9. — Nul ne peut être arbitrairement arrêté, détenu ni exilé.

Art. 10. — Toute personne a droit, en pleine égalité, à ce que sa cause soit entendue équitablement et publiquement par un tribunal indépendant et impartial, qui décidera soit de ses droits et obligations, soit du bien-fondé de toute accusation en matière pénale dirigée contre elle.

Art. 11. — 1. Toute personne accusée d'un acte délictueux est présumée innocente jusqu'à ce que sa culpabilité ait été légalement établie au cours d'un procès public, où toutes les garanties nécessaires à sa défense lui auront été assurées.

2. Nul ne sera condamné pour des actions ou omissions qui, au moment où elles ont été commises, ne constituaient pas un acte délictueux d'après le droit national ou international. De même, il ne sera infligé aucune peine plus forte que celle qui était applicable au moment où l'acte délictueux a été commis.

Art. 12. — Nul ne sera l'objet d'immixtions arbitraires dans sa vie privée, sa famille, son domicile ou sa correspondance, ni d'atteintes à son honneur et à sa réputation. Toute personne a droit à la protection de la loi contre de telles immixtions ou de telles atteintes.

Art. 13. — 1. Toute personne a le droit de circuler librement et de choisir sa résidence à l'intérieur d'un Etat.

2. Toute personne a le droit de quitter tout pays, y compris le sien, et de revenir dans son pays.

Art. 14. — 1. Devant la persécution, toute personne a le droit de chercher asile et de bénéficier de l'asile en d'autres pays.

2. Ce droit ne peut être invoqué dans le cas de poursuites réellement fondées sur un crime de droit commun ou sur des agissements contraires aux principes et aux buts des Nations Unies.

Art. 15. — 1. Tout individu a droit à une nationalité.

2. Nul ne peut être arbitrairement privé de sa nationalité, ni du droit de changer de nationalité.

Art. 16. — 1. A partir de l'âge nubile, l'homme et la femme, sans aucune restriction quant à la race, la nationalité ou la religion, ont le droit de se marier et de fonder une famille. Ils ont des droits égaux au regard du mariage, durant le mariage et lors de sa dissolution.

2. Le mariage ne peut être conclu qu'avec le libre et plein consentement des futurs époux.

3. La famille est l'élément naturel et fondamental de la société et a droit à la protection de la société et de l'Etat.

Art. 17. — 1. Toute personne, aussi bien seule qu'en collectivité, a droit à la propriété.

2. Nul ne peut être arbitrairement privé de sa propriété.

Art. 18. — Toute personne a droit à la liberté de pensée, de conscience et de religion ; ce droit implique la liberté de changer de religion ou de conviction ainsi que la liberté de manifester sa religion ou sa conviction, seule ou en commun, tant en public qu'en privé, par l'enseignement, les pratiques, le culte et l'accomplissement des rites.

Art. 19. — Tout individu a droit à la liberté d'opinion et d'expression, ce qui implique le droit de ne pas être inquiété pour ses opinions et celui de chercher, de recevoir et de répandre, sans considération de frontière, les informations et les idées par quelque moyen d'expression que ce soit.

Art. 20. — 1. Toute personne a droit à la liberté de réunion et d'association pacifique.

2. Nul ne peut être obligé de faire partie d'une association.

Art. 21. — 1. Toute personne a le droit de prendre part à la direction des affaires publiques de son pays soit directement, soit par l'intermédiaire de représentants librement choisis.

2. Toute personne a droit à accéder, dans des conditions d'égalité, aux fonctions publiques de son pays.

3. La volonté du peuple est le fondement de l'autorité des pouvoirs publics ; cette volonté doit s'exprimer par des élections honnêtes qui doivent avoir lieu périodiquement, au suffrage universel égal et au vote secret ou suivant une procédure équivalente assurant la liberté du vote.

Art. 22. — Toute personne, en tant que membre de la société, a droit à la sécurité sociale ; elle est fondée à obtenir la satisfaction des droits économiques, sociaux et culturels indispensables à sa dignité et au libre développement de sa personnalité, grâce à l'effort national et à la coopération internationale, compte tenu de l'organisation et des ressources de chaque pays.

ART. 23. — 1. Toute personne a droit au travail, au libre choix de son travail, à des conditions équitables et satisfaisantes de travail et à la protection contre le chômage.

2. Tous ont droit, sans aucune discrimination, à un salaire égal pour un travail égal.

3. Quiconque travaille a droit à une rémunération équitable et satisfaisante lui assurant ainsi qu'à sa famille une existence conforme à la dignité humaine et complétée, s'il y a lieu, par tous autres moyens de protection sociale.

4. Toute personne a le droit de fonder avec d'autres des syndicats et de s'affilier à des syndicats pour la défense de ses intérêts.

ART. 24. — Toute personne a droit au repos et aux loisirs et notamment à une limitation raisonnable de la durée du travail et à des congés payés périodiques.

ART. 25. — 1. Toute personne a droit à un niveau de vie suffisant pour assurer sa santé, son bien-être et ceux de sa famille, notamment pour l'alimentation, l'habillement, le logement, les soins médicaux ainsi que pour les services sociaux nécessaires ; elle a droit à la sécurité en cas de chômage, de maladie, d'invalidité, de veuvage, de vieillesse ou dans les autres cas de perte de ses moyens de subsistance, par suite de circonstances indépendantes de sa volonté.

2. La maternité et l'enfance ont droit à une aide et à une assistance spéciales. Tous les enfants, qu'ils soient nés dans le mariage ou hors du mariage, jouissent de la même protection sociale.

ART. 26. — 1. Toute personne a droit à l'éducation. L'éducation doit être gratuite au moins en ce qui concerne l'enseignement élémentaire et fondamental. L'enseignement élémentaire est obligatoire. L'enseignement technique et professionnel doit être généralisé ; l'accès aux études supérieures doit être ouvert en pleine égalité à tous en fonction de leur mérite.

2. L'éducation doit viser au plein épanouissement de la personnalité humaine et au renforcement du respect des droits de l'homme et des libertés fondamentales. Elle doit favoriser la compréhension, la tolérance et l'amitié entre toutes les nations et tous les groupes raciaux ou religieux, ainsi que le développement des activités des Nations Unies pour le maintien de la paix.

3. Les parents ont, par priorité, le droit de choisir le genre d'éducation à donner à leurs enfants.

Art. 27. — 1. Toute personne a le droit de prendre part librement à la vie culturelle de la communauté, de jouir des arts et de participer au progrès scientifique et aux bienfaits qui en résultent.

2. Chacun a droit à la protection des intérêts moraux et matériels découlant de toute production scientifique, littéraire ou artistique dont il est l'auteur.

Art. 28. — Toute personne a droit à ce que règne, sur le plan social et sur le plan international, un ordre tel que les droits et libertés énoncés dans la présente Déclaration puissent y trouver plein effet.

Art. 29. — 1. L'individu a des devoirs envers la communauté, dans laquelle seul le libre et plein développement de sa personnalité est possible.

2. Dans l'exercice de ses droits et dans la jouissance de ses libertés chacun n'est soumis qu'aux limitations établies par la loi exclusivement en vue d'assurer la reconnaissance et le respect des droits et libertés d'autrui et afin de satisfaire aux justes exigences de la morale, de l'ordre public et du bien-être général dans une société démocratique.

3. Ces droits et libertés ne pourront, en aucun cas, s'exercer contrairement aux buts et aux principes des Nations Unies.

Art. 30. — Aucune disposition de la présente Déclaration ne peut être interprétée comme impliquant pour un Etat, un groupement ou un individu un droit quelconque de se livrer à une activité ou d'accomplir un acte visant à la destruction des droits et libertés qui y sont énoncés.

Ce texte a été publié au Journal officiel *du 19 février 1949.*

Index alphabétique

29

452 **LES INSTITUTIONS FRANÇAISES**